A DOENÇA COMO CAMINHO

Uma Visão Nova da Cura como Ponto de Mutação em que um Mal se Deixa Transformar em Bem

THORWALD DETHLEFSEN
RÜDIGER DAHLKE

Uma Visão Nova da Cura como Ponto de Mutação em que um Mal se Deixa Transformar em Bem

Tradução
ZILDA HUTCHINSON SCHILD

Editora
Cultrix
SÃO PAULO

Título original: *Krankheit als Weg – Deutung und Be-deutung der Krankheitsbilder*.

1ª edição 1992.
14ª reimpressão da 1ª edição de 1992 – catalogação na fonte 2007.
25ª reimpressão 2025.

Dados Internacionais de Catalogação na Publicação (CIP)
(Câmara Brasileira do Livro, SP, Brasil)

Dethlefsen, Thorwald
A doença como caminho : uma visão nova da cura como ponto de mutação em que um mal se deixa transformar em bem / Thorwald Dethlefsen, Rüdiger Dahlke ; tradução Zilda Hutchinson Schild. -- São Paulo : Cultrix, 2007.

Título original : Krankheit als Weg.
14ª reimpr. da 1ª ed. de 1992.
ISBN 978-85-316-0406-5

1. Doenças – Aspectos psicológicos 2. Manifestações psicológicas de doenças 3. Medicina psicossomática 4. Psicologia clínica da saúde I. Dahlke, Rüdiger II. Título

07-1078 CDD-616-08
NLM-WM 460

Índices para catálogo sistemático:

1. Doenças : Manifestações psicossomáticas : Medicina psicossomática 616.08

Direitos de tradução para a língua portuguesa adquiridos com exclusividade pela
EDITORA PENSAMENTO-CULTRIX LTDA., que se reserva a
propriedade literária desta tradução.
Rua Dr. Mário Vicente, 368 – 04270-000 – São Paulo, SP – Fone: (11) 2066-9000
E-mail: atendimento@editoracultrix.com.br
http://www.editoracultrix.com.br
Foi feito o depósito legal.

Impresso por : Graphium gráfica e editora

Sumário

Prefácio

Este é um livro que aborrece as pessoas, pois destrói o álibi para seus problemas não resolvidos: a doença. Propomo-nos a mostrar que o doente não é uma vítima inocente de alguma imperfeição da natureza, mas que é de fato o autor da sua doença. Assim sendo, não estamos pensando na poluição ambiental e na vida insalubre da nossa civilização, ou em quaisquer outros "culpados" conhecidos de mesmo teor, porém desejamos chamar a atenção para os aspectos metafísicos do fato de se adoecer. Desse ponto de vista, os sintomas podem ser considerados a forma física de expressão dos conflitos e, através do seu simbolismo, têm a capacidade de mostrar aos pacientes em que consistem os seus problemas.

Na primeira parte deste livro, apresentamos as condições teóricas preliminares, implícitas na nossa abordagem à filosofia da doença.

Recomendamos enfaticamente que essa primeira parte seja lida de maneira exata e cuidadosa, talvez mais de uma vez, antes que se passe para a segunda. Poderíamos definir este livro como uma continuação, ou ainda como um aperfeiçoamento do anterior, intitulado *O Desafio do Destino*, embora nos tenhamos esforçado para dar a este trabalho uma identidade própria. Mesmo assim, consideramos que *O Desafio do Destino* é uma boa leitura introdutória ou mesmo uma complementação, especialmente nos trechos em que os elementos teóricos apresentam alguma dificuldade.

Na segunda parte, os sintomas mais freqüentes das doenças e sua expressão simbólica são analisados e interpretados como formas de manifestação de problemas psíquicos. Um índice dos sintomas isolados, no final do livro, possibilita ao leitor encontrar com rapidez determinado sintoma que precise rever. Entretanto, nossa intenção original é propor uma visão nova da doença, que possibilite ao leitor descobrir, por si mesmo, o significado de seus sintomas e assim chegar a se conhecer melhor.

Simultaneamente, usamos o tema da doença como uma "alavanca" para o debate de alguns temas esotéricos e filosóficos, cujo âmbito ultrapassa bastante a esfera limitada da doença em si. Não se trata de um livro difícil, embora também não seja simples ou banal, como talvez possa parecer às pessoas que não entendem os nossos conceitos. Também não é um texto "científico", pois lhe falta a precaução necessária às exposições acadêmicas. Foi escrito para pessoas preparadas para seguir um caminho, em vez de ficarem sentadas à beira da estrada, perdendo tempo com elucubrações mentais estéreis. Pessoas cuja meta é a iluminação não têm tempo para a ciência; elas precisam de conhecimento. Este livro encontrará bastante resistência. Todavia, esperamos que ao mesmo tempo ele chegue às mãos daquelas pessoas (muitas ou poucas, não importa) que o usarão como ajuda durante o caminho. Foi exclusivamente para elas que o escrevemos.

Munique, fevereiro de 1983
Os autores

1ª Parte

Condições Prévias para a Compreensão da Doença e da Cura

1
A Doença e os Sintomas

A inteligência humana
Não pode compreender a verdadeira instrução.
Mas quando vocês duvidarem
E não compreenderem,
Felizmente, poderão discutir
as coisas comigo.
Yoka Daishi "Shodoka"

Vivemos numa época em que a medicina moderna apresenta constantemente, aos olhos maravilhados dos leigos, as evidências de possibilidades ilimitadas e de habilidades surpreendentes. No entanto, falam ao mesmo tempo, cada vez mais alto as vozes dos que manifestam sua profunda desconfiança nessa onipotência da medicina moderna. Um número crescente de pessoas confia muito mais nos métodos de cura natural — sejam eles antigos ou modernos — e na terapia homeopática, do que nos métodos altamente científicos de nossa medicina ortodoxa. Existem numerosos alvos para críticas — os efeitos colaterais, o mascaramento dos sintomas, a ausência de um tratamento humanitário, os custos elevados e vários outros — mas muito mais interessante é o próprio fato do surgimento dessa crítica, pois, antes mesmo de sua comprovação racional, ela surge como uma vaga sensação de que alguma coisa não está mais em ordem e que o caminho escolhido, apesar de, ou talvez até mesmo devido a, sua concretização subseqüente, não leva mais ao objetivo visado. Esse mal-estar provocado pela medicina é sentido ao mesmo tempo por muitas pessoas, inclusive por um largo contingente de médicos jovens. Contudo, a convergência de opiniões desaparece assim que se começam a apresentar caminhos novos e alternativos. Nesse caso, alguns vêem a salvação numa socialização da medicina; outros acham que a quimioterapia deve ser substituída por remédios naturais ou à base de plantas. Enquanto uns buscam a solução de todos os problemas na pesquisa da radiação terrestre, outros afirmam que ela se encontra na homeopatia. Os acupunturistas e os reflexologistas enfatizam a necessidade de o médico olhar, além do mero campo morfológico, o âmbito energético dos processos que ocorrem no corpo. Se reunirmos todo este esforço e os métodos alternativos podemos falar numa medicina holística e assim articulá-la, proporcionando uma abertura para a diversidade de modalidades que, antes de tudo, não devem perder de vista que o ser humano é um *todo* composto de corpo e alma formando uma unidade. Todos reconhecem que a medicina ortodoxa perdeu de vista a totalidade do ser humano. A grande especialização e a análise dos conceitos básicos de pesquisa tiveram como resultado inevitável um maior conhecimento dos detalhes mas, simultaneamente, perdeu de vista a totalidade do ser humano.

Se pensarmos na indubitável polêmica e nos movimentos da medicina, nos chama atenção o fato de como a discussão se limita aos diferentes métodos e sua eficácia. Notamos quão pouco se fala sobre a teoria, portanto, sobre a filosofia da medicina. É certo que a medicina vive em grande parte de medidas concretas e práticas; no entanto, cada intervenção expressa — consciente ou inconscientemente — a filosofia em que se baseia. A medicina moderna não falha exatamente em suas possibilidades de ação mas na visão de vida em que as fundamenta, de forma muitas vezes silenciosa e irrefletida. A medicina naufraga devido à sua filosofia — ou, em palavras mais exatas, à carência de uma filosofia. Os procedimentos médicos, até agora, orientaram-se unicamente pela funcionalidade e pela eficácia: a falta de "uma alma interior" é que por fim acarretou-lhe a crítica de desumana. Por certo, essa *desumanidade* se expressa em inúmeras situações concretas, externas, porém o problema não se soluciona somente através de novas modificações funcionais. Muitos indícios demonstram que a medicina está doente. Da mesma forma que qualquer outro, também o "paciente medicina" não se deixa tratar pelos médicos à sua volta, que querem combater-lhe os sintomas. Porém, a maioria dos críticos da medicina ortodoxa, defensores da medicina alternativa, aceitam com absoluta naturalidade a visão filosófica e a determinação de metas da medicina ortodoxa e, na verdade, colocam toda sua energia na modificação de seus métodos.

Neste livro, pretendemos abordar o problema da doença e da cura de um novo ponto de vista. Contudo, de forma alguma endossaremos os valores básicos aceitos como total e universalmente irrefutáveis nesse campo. Essa postura torna nossa pretensão difícil e perigosa, pois não poderemos evitar as investigações impiedosas, em áreas consideradas tabu pelo público em geral. Estamos plenamente conscientes de estarmos ousando dar um passo que, sem dúvida, não faz parte do programa de desenvolvimento planejado pela medicina. Com nossa abordagem, vencemos um grande número de etapas que, na realidade, a medicina ainda não superou e cuja compreensão mais profunda é de vital importância para se entender o conceito básico deste livro. É por isso que não nos detemos na apresentação da medicina em geral, e que nos dirigimos àquelas pessoas cuja possibilidade de percepção intuitiva as coloca um passo à frente do desenvolvimento coletivo (um tanto lento).

Os fatos em si mesmos nunca têm muito sentido. O significado de um acontecimento só surge como resultado da sua interpretação; é esta que permite que tenhamos a apreensão total do seu significado. É assim que, por exemplo, a ascensão da coluna de mercúrio num tubo de vidro não tem por si só nenhum significado; somente quando interpretamos tal fato como a expressão de uma mudança de temperatura é que o processo se torna significativo. Quando as pessoas deixam de interpretar os acontecimentos deste mundo e o decurso do seu destino, sua vida mergulha na insignificância e na falta de sentido. Para poder interpretar algo, é preciso ter um quadro de referências exterior àquilo cuja manifestação queremos interpretar. Assim sendo, os acontecimentos do nosso mundo material e formal tornam-se interpretáveis quando usamos algum sistema de referência metafísico. Apenas quando o mundo visível das formas "se transforma numa alegoria" (Goethe), é que ele se torna significativo para as pessoas. Assim como a letra e o número são os portadores formais de uma idéia subjacente, tudo o que é *visível*, tudo o que é concreto e funcional é, na verdade, a expressão de uma idéia, o mediador do invisível. Resumindo, podemos denominar esses dois âmbitos de forma e conteúdo. O conteúdo se expressa na forma, e a conseqüência disto é que as formas se tornam *repletas de significado.* Caracteres escritos ou letras, que não transmitem nenhum significado, continuam sem sentido e vazios para nós. Nem a mais exata análise desses caracteres alteraria esse fato. Nítido e compreensível para qualquer pessoa é este inter-relacionamento também na arte. O valor de uma pintura não se baseia na qualidade da tela e das tintas; os componentes da pintura são meros veículos e mediadores de uma idéia, que é a pintura interior do artista. A tela e as tintas possibilitam que o invisível se torne visível, o que de outra forma não seria possível, e são, portanto, a expressão física de um conteúdo metafísico.

Esses exemplos muito simples são a nossa tentativa de construir uma ponte para a compreensão do método usado neste livro, ou seja, contemplar os temas doença e cura, *interpretando-os.* Mas com esta postura, estamos deliberada e indubitavelmente deixando para trás o campo da "medicina científica". Não fazemos questão de ser "científicos", visto que nosso ponto de partida é completamente outro. Não obstante, não se deve concluir que a argumentação ou a crítica científica nunca serão usadas no nosso modo de analisar os fatos. Adotamos o abandono intencional do enquadramento científico pois este se limita exatamente ao campo funcional e, dessa forma, impede que o significado e o sentido fiquem claros. Uma abordagem como a nossa não se dirige a racionalistas e a materialistas inveterados, mas é dedicada às pessoas dispostas a seguir a trilha intrincada e nem sempre lógica da consciência humana. São de grande ajuda, nessa viagem através da alma humana, os pensamentos imaginativos, a fantasia, as associações, a ironia e um bom ouvido para perceber o que é dito nas entrelinhas. Nosso caminho exige também a capacidade de aceitar os paradoxos e as ambivalências, sem sentir-se imediatamente na obrigação de eliminar um dos pólos para que haja clareza.

Tanto na medicina como na linguagem comum se fala das mais diferentes *doenças.* Com esse desmazelo lingüístico se constata com nitidez o mal-entendido geral que envolve o conceito de *doença*. Doença é uma palavra que se pode usar apenas no singular; o plural — *doenças* — é tão sem sentido quanto o plural de saúde: *saúdes*. Doença e saúde são conceitos singulares, pois se referem a um estado das pessoas, e não, como se costuma dizer hoje com freqüência, a órgãos ou partes do corpo. O corpo nunca está só doente ou só saudável, visto que nele se expressam realmente as informações da consciência. O corpo nada faz por si mesmo; disto podem certificar-se todos, basta observarem um cadáver. O corpo de um ser humano vivo deve seu funcionamento exatamente àquelas duas instâncias imateriais a que denominamos consciência (alma) e vida (espírito). A consciência apresenta as informações que se manifestam no corpo e que se tornam visíveis. A consciência está para o corpo como um programa de rádio está para o receptor. Como a consciência apresenta uma qualidade imaterial, auto-suficiente, naturalmente ela não é um produto do corpo, nem depende de sua existência.

Tudo o que acontece no corpo de um ser vivo é a expressão do padrão correspondente de informação, ou seja, é a condensação da imagem correspondente (em grego, imagem se diz *eidolon*, e também se refere ao conceito de "idéia"). O pulso e o coração seguem determinado ritmo; a temperatura corporal é mantida num nível constante; as glândulas secretam os hormônios e os anticorpos são formados; estas são funções que não se podem explicar em termos puramente materiais. Pelo contrário, cada uma delas depende de um padrão correspondente de informação, cuja origem é a própria consciência. Quando as várias funções corporais se desenvolvem em conjunto segundo uma determinada maneira, aparece um modelo que sentimos como harmonioso e que, por isso, recebe o nome de saúde. Se uma função falha, ela compromete a harmonia do todo e então falamos de *doença*.

Portanto, a doença significa a perda relativa da harmonia, ou o questionamento de uma ordem até então equilibrada (mais adiante veremos que, de um ponto de vista diferente, a doença é afinal a criação de uma espécie de equilíbrio). A perturbação da harmonia, no entanto, acontece na consciência e no âmbito da informação e se *mostra* pura e simplesmente no corpo. Assim sendo, o corpo é a apresentação ou o âmbito de concretização da consciência e, conseqüentemente, também de todos os processos e modificações que nela ocorrem. Da mesma forma como a totalidade do mundo material — que representa o palco sobre o qual acontece o jogo das imagens primordiais — adquire formas e assim se torna uma "metáfora", também o corpo material é o palco em que as imagens da consciência se esforçam por se expressar. Disto se conclui que se a consciência de uma pessoa se desequilibra, o fato se torna *visível* e palpável na forma de sintomas corporais. Por isso é uma insensatez afirmar que o corpo está doente: só o ser humano pode estar doente; no entanto, esse *estar doente* se mostra no corpo como um sintoma. (Quando uma tragédia é representada no palco, não é o palco que é trágico, mas a peça teatral!)

Há muitos sintomas; contudo, todos eles são expressão de um único e mesmo fato que denominamos *doença* e que sempre acontece na consciência de um ser humano. Assim como o corpo não pode viver sem uma consciência, ele também não pode ficar "doente" sem a consciência. Neste ponto, devemos deixar claro também que não concordamos com a divisão atualmente aceita entre patologias somáticas, psicossomáticas e mentais. Um conceito desse tipo é muito mais apropriado para impedir a compreensão da doença que para facilitá-la.

Nosso ponto de vista corresponde de fato ao modelo psicossomático, mas com a diferença de que usamos essa visão para todos os *sintomas*, sem a exclusão de nenhum. A diferença entre o somático e o psíquico serve, na melhor das hipóteses, para o âmbito em que um sintoma se manifesta, mas é inútil para localizar a *doença*. O conceito atemporal de *doença mental* é totalmente enganoso, visto que o espírito nunca pode *ficar doente*. Os sintomas deste grupo referem-se muito mais exclusivamente a manifestações do âmbito psíquico, portanto da consciência de um ser humano.

Dessa forma, tentaremos desenvolver aqui uma visão unitária da doença que, no máximo, use a distinção entre "somático" e "psíquico" para referir-se ao nível primário em que um sintoma surge.

Com a diferenciação conceitual entre doença (âmbito da consciência) e sintoma (âmbito corporal) o enfoque de nossas considerações sobre a doença se afastará, necessariamente, da conhecida análise do que está acontecendo no corpo, rumo a algo que até agora não é nada habitual (ao menos neste contexto): exatamente um exame completo do âmbito psíquico. Sendo assim, agimos como o crítico que, em vez de tentar melhorar uma peça ruim através da análise e da modificação do cenário, das situações e dos atores, volta sua atenção diretamente para a peça teatral em si mesma.

Assim que um sintoma se manifesta no corpo de um ser humano, isto logo chama (mais ou menos) a atenção e interrompe muitas vezes a continuidade do caminho de vida até então vigente. O sintoma é um sinal que atrai sobre si a atenção, o interesse e a energia, pondo simultaneamente em risco o fluxo natural e suave dos processos. O sintoma exige nossa atenção, quer queiramos ou não. Essa interrupção das funções é sentida como se viesse *de fora,* como se fosse uma perturbação. Na maioria das vezes, a intenção do sintoma é fazer desaparecer o elemento irritante, *a perturbação.* O ser humano não quer ser perturbado, e assim começa a luta contra o sintoma. Essa luta consiste também em tratá-lo e em tentar eliminá-lo; desta forma, o sintoma sempre consegue que nos preocupemos com ele.

Desde a época de Hipócrates, a medicina acadêmica vem tentando convencer os pacientes de que um sintoma é um fenômeno mais ou menos acidental, cuja *origem* deve ser procurada nos processos mecânicos do organismo. Desde então, todos estão empenhados na pesquisa desses processos. A medicina acadêmica evita cuidadosamente *interpretar* o sintoma, e assim condena o sintoma e a doença ao exílio da ausência de significado. Com isso, *o sinal* perde sua verdadeira função: os sintomas transformam-se em sinais sem significado.

Para compreendermos melhor, façamos a seguinte comparação: um automóvel possui diversas lâmpadas de controle no painel, as quais só se acendem quando alguma função importante do carro não está mais funcionando como devia. Num caso concreto, quando uma dessas luzinhas se acende durante uma viagem, não ficamos nada satisfeitos com o fato. Sentimo-nos obrigados a interromper nosso passeio por causa desse sinal. Apesar de nossa inquietação, muito compreensível, seria uma bobagem ficarmos zangados com a lâmpada: afinal, ela nos informa sobre um evento que, de outra forma, talvez nem notássemos, ou então demorássemos a notar, visto que para nós ele está numa zona "invisível". Assim, entendemos que o fato de a lâmpada se acender equivale a um convite para chamarmos um mecânico para que, com a sua intervenção, a luzinha se apague e nós possamos continuar tranqüilamente a nossa viagem. É claro que ficaríamos muito zangados se o mecânico apagasse a lâmpada usando o simples estratagema de retirá-la. Por certo, a luzinha não se acenderia mais — e isso, de fato, é o que desejávamos —, mas o modo como o problema foi resolvido nos pareceria pior do que incompetente. Achamos muito mais sensato tornar desnecessário o aviso da lâmpada, em vez de impedir que ela se acenda. Para isso, no entanto, precisamos desviar nossa atenção do painel para os âmbitos subjacentes, a fim de descobrir o que afinal deixou de funcionar. A função da lâmpada é agir como mero indicador, levando-nos a fazer perguntas.

Aquilo que, no exemplo acima, é a lâmpada de controle, equivale em nosso caso ao sintoma. O que constantemente se manifesta em nosso corpo como sintoma é a expressão visível de um processo invisível, o qual deseja interromper nosso caminho por meio de sua função de sinal de advertência, indicando que alguma coisa não está *em ordem*. Isso nos faz questionar os motivos subjacentes. Também neste caso é bobagem *zangar-se* com o sintoma, aliás, é de fato absurdo desejar apagá-lo, meramente impedindo-o de manifestar-se. O sintoma deve tornar-se supérfluo e não ser impedido de manifestar-se. Mas para isso, também neste caso, é preciso desviar o nosso olhar do sintoma e examinar tudo com *mais profundidade*, a fim de compreendermos para o que o sintoma está apontando.

No entanto, o problema da medicina acadêmica está no fato de ela não ter capacidade para dar esse passo, na medida em que está encantada com os sintomas. É por isso que ela equipara o sintoma à doença, ou seja, não consegue separar a forma do conteúdo. Então passa a tratar, com grandes recursos e bastante habilidade, os órgãos e as partes do corpo, mas não trata do ser humano que está doente. Ela persegue a meta de ser capaz de, a qualquer tempo, eliminar todos os sintomas de uma só vez, sem procurar analisar com mais sobriedade a viabilidade desse objetivo. Causa-nos espanto que os fatos reais não consigam inibir a euforia do empenho em conquistar esse objetivo. Afinal, desde que surgiu a assim chamada medicina moderna e científica, o número de pacientes não diminuiu, nem mesmo na minúscula proporção de 1%. Sempre houve, e continua havendo, um grande número de pessoas doentes; só os sintomas é que mudaram.Tenta-se dissimular este fato decepcionante por meio de estatísticas, que se referem apenas a um determinado grupo de sintomas. É assim que se noticia orgulhosamente, por exemplo, a vitória sobre as doenças infecciosas, mas não se menciona ao mesmo tempo que outros sintomas aumentaram de intensidade e freqüência.

Uma visão honesta só será possível quando, em vez de observar sintomas, começarmos a analisar a "doença propriamente dita". Essa tendência de observar sintomas não diminuiu até agora e é provável que também não diminua no futuro. A doença está tão profundamente arraigada na existência humana como a morte, e não são alguns truques funcionais inócuos que vão eliminá-la do mundo. Se compreendêssemos a grandeza e a dignidade da doença e da morte, também poderíamos ver, desse segundo plano, como são ridículos os nossos titubeantes esforços para combatê-las com as nossas forças. Podemos evitar essa desilusão na medida em que argumentarmos que a doença e a morte não passam de meras funções. Assim, nos é possível continuar acreditando em nosso poder e em nossa grandeza.

Vamos resumir mais uma vez: a doença é um estado do ser humano que indica que, na sua consciência, ela não está mais *em ordem*, ou seja, sua consciência registra que *não há harmonia*. Essa perda de equilíbrio interior se manifesta no corpo como um sintoma. Sendo assim, o sintoma é um sinal e um transmissor de informação, pois, com seu aparecimento, ele interrompe o fluxo da nossa vida e nos obriga a prestar-lhe atenção. O sintoma avisa que, como *seres humanos*, como *seres anímicos*, nós estamos doentes, isto é, o equilíbrio de nossas forças anímicas interiores está comprometido. O sintoma nos informa que *está faltando alguma coisa*. Por isso, antigamente, costumava-se perguntar a um doente: "O que está lhe faltando?" [Em alemão: *Was fehlt* Ihnen?*] Este sempre respondia explicando o que sentia: "Eu sinto dores." [Em alemão: *Ich habe Schmerzen.*] Hoje perguntamos logo de início: "O que o senhor sente?" Essas duas perguntas polares "O que está lhe faltando?" e "O que o senhor sente?" são muito significativas, se as examinarmos mais detalhadamente. Ambas são feitas a uma pessoa doente, e, para alguém nesse estado, a consciência sempre capta a falta de alguma coisa, pois se nada lhe faltasse, ela estaria *sadia*, ou seja, perfeita e íntegra. No entanto, quando algo falta à saúde, ela não está sadia, está doente. Essa doença se manifesta no corpo como um sintoma. Então, o que se tem é a comprovação de que *algo nos falta*. Falta consciência, e portanto, tem-se um sintoma.

---

* Em alemão, o verbo *fehlen* tanto tem o sentido de *sentir* como de *faltar* alguma coisa. (N.T.)

Assim que as pessoas entenderem a diferença entre doença e sintoma, suas atitudes e formas de abordar a doença se modificarão com a rapidez de um raio. Não verão mais o sintoma como um grande inimigo, e seu objetivo maior de resistir-lhe e destruí-lo deixará de ter razão de ser. Em vez disso, descobrirão no sintoma um companheiro capaz de ajudá-las a descobrir *o que lhes falta.* Dessa maneira, poderão vencer a própria doença. Nesse momento, o sintoma se transforma numa espécie de professor que nos ajuda em nosso esforço de nos desenvolvermos e tomarmos cada vez mais consciência de nós próprios. Esse professor também pode ser muito severo e duro, se desprezarmos a nossa lei superior. A doença conhece um único objetivo: tornar-nos perfeitos.

O sintoma pode nos dizer o que ainda nos falta no nosso caminho, mas isso pressupõe que entendamos a sua linguagem. O propósito deste livro é o re-aprendizado dessa linguagem dos sintomas; *re-aprendizado* porque essa linguagem sempre existiu, desde o primórdio dos tempos e, portanto, não precisa ser descoberta mas, sim, *re*-descoberta. Toda a nossa linguagem é *psicossomática,* o que quer dizer que ela conhece os inter-relacionamentos entre o corpo e a psique. Se novamente pudermos decifrar esse atributo de *duplo significado,* próprio da nossa linguagem, logo conseguiremos ouvir o que os sintomas têm a nos dizer e, em breve, começaremos a entendê-los. Nossos sintomas querem nos dizer coisas muito mais importantes do que nossos semelhantes, pois para nós são parceiros muito mais íntimos, visto que nos pertencem totalmente e são os únicos que, de fato, nos conhecem.

Isso, por certo, provoca uma honestidade nem sempre fácil de suportar. Mesmo os nossos melhores amigos não se atreveriam a nos atirar na cara a verdade nua e crua sobre nós mesmos, como o fazem os sintomas. Portanto, não é de causar admiração o fato de termos nos permitido esquecer a linguagem pela qual se expressam. Afinal, é muito mais fácil sermos desonestos. No entanto, recusarmo-nos a *ouvir* ou a *entender* os sintomas não fará com que desapareçam. Somos constantemente forçados a nos haver com eles. Vamos ousar ouvi-los e estabelecer um contato com eles, pois assim se transformarão em mestres incorruptíveis a nos orientar no caminho da cura verdadeira. Na medida em que nos disserem o que de fato nos falta, na medida em que nos conscientizarem de assuntos que ainda temos de integrar em nós mesmos, eles nos darão — por meio de processos de aprendizagem e conscientização — a oportunidade de os transformar em algo de que não necessitamos mais.

Eis aí a diferença entre *lutar contra a doença* e *transmutar a doença.* A cura acontece exclusivamente pela transmutação da doença e nunca pela vitória sobre um sintoma, pois a cura pressupõe a compreensão de que o ser humano se tornou *mais sadio,* ou seja, um *todo* se tornou *mais perfeito.* (A ênfase em *todo,* aqui, significa o mesmo que *aproximar-se da totalidade;* a palavra *sadio,* por sua vez, também, é legítima quando o assunto é saúde.) A cura sempre pressupõe uma aproximação da saúde, daquela totalidade de consciência que também denominamos iluminação. A cura acontece através da incorporação daquilo que está faltando e, portanto, ela não é possível sem uma expansão da consciência. Doença e cura são conceitos gêmeos que somente têm importância para a consciência e não se aplicam ao corpo, pois um corpo nunca pode estar doente ou saudável. Tudo o que o corpo pode fazer é refletir os estados correspondentes e as condições da própria consciência.

Pois bem, é justamente nesse ponto que a medicina acadêmica torna-se alvo de eventuais críticas. Ela fala em cura sem dar atenção à única esfera em que a cura de fato é possível. Não é nossa intenção criticar as ações da medicina desde que ela não afirme ser a única detentora da cura propriamente dita. A ação da medicina se restringe a medidas puramente funcionais, e como tais, elas não são boas nem más: apenas são intervenções possíveis no âmbito material. Nesse âmbito, a medicina é em parte espantosamente competente; maldizer por completo seus métodos é um passo que cada um pode dar por si mesmo, mas nunca pelos outros. Por trás disso, está exatamente o problema: até que ponto estamos dispostos a tentar modificar o mundo através de medidas funcionais, ou a considerar esse procedimento como mera ilusão, descartando-o de uma vez. Quem conseguiu enxergar o jogo não tem necessariamente de participar do mesmo (... embora nada o impeça de fazê-lo); entretanto, tal indivíduo não tem motivos para impedir os outros de jogar, apenas porque não precisa mais do jogo, uma vez que até mesmo aprender a lidar com a ilusão traz, em última análise, uma evolução!

Portanto, trata-se menos da preocupação com o que as pessoas fazem e mais com o fato de estarem *conscientes* do que estão fazendo. Quem entendeu nosso ponto de vista até aqui observará agora que nossa crítica também atinge da mesma forma a terapia dita "natural" tanto quanto a medicina acadêmica, pois também a ciência de cura natural tenta alcançar sua meta através de medidas funcionais; também ela tenta impedir a doença e fala de um *estilo de vida* saudável. A palavra saúde e a filosofia subjacente são as mesmas empregadas pela medicina acadêmica; o que acontece é que os métodos são um tanto menos *tóxicos* e mais naturais. (A homeopatia representa uma exceção, pois não pertence nem à medicina acadêmica, nem à ciência natural da cura.)

O caminho dos homens é aquele que leva da insalubridade para a salubridade, da doença para a cura verdadeira. A doença não é uma perturbação essencial e, desta forma, um desagradável desvio do caminho; pelo contrário, a própria doença é o caminho pelo qual o ser humano pode seguir rumo à cura. Quanto maior a consciência com que enfrentarmos o caminho, tanto melhor se cumprirão seus objetivos. Nossa intenção não é combater a doença e, sim, usá-la; para tanto, é necessário analisar os fatos com um pouco mais de profundidade.

2
Polaridade e Unidade

E Jesus lhe disse:
Quando de dois fizerdes um, e quando transformardes o interior em exterior e o exterior em interior; quando o superior for como o inferior, e quando fizerdes o masculino e o feminino uma só coisa, de tal forma que o masculino não seja masculino e o feminino não seja feminino; quando fizerdes olhos no lugar de um olho e uma mão no lugar de uma mão, e um pé no lugar de um pé, uma imagem no lugar de uma imagem, então entrareis no reino.

Evangelho de Tomé, Log. 22

Sentimo-nos obrigados a abordar novamente neste livro um tema que já foi discutido em *O Desafio do Destino*: a questão da polaridade. Por um lado, gostaríamos de evitar repetições tediosas; por outro, a compreensão da polaridade é um pressuposto indispensável a todos os processos mentais que se seguem. Em última análise, certamente não corremos o risco de exagerar nossa ênfase sobre o tema da polaridade, na medida em que ela é o problema central de nossa vida.

Ao dizer *eu*, a pessoa se separa de tudo aquilo que percebe como *não-eu*, como *tu*, e, ao dar este passo, torna-se prisioneira da polaridade. O seu eu se prende então ao mundo das oposições, que se divide não só em eu e tu, mas também em dentro e fora, homem e mulher, bom e mau, certo e errado, e assim por diante. O ego do ser humano torna-lhe impossível perceber ou sequer imaginar uma unidade ou totalidade de qualquer tipo. A consciência divide e classifica tudo em pares de opostos que, quando somos forçados a encará-los, consideramos conflitantes. Eles nos obrigam a estabelecer uma diferença, nos forçam a decidir, a fazer uma escolha. Nossa inteligência não faz outra coisa senão repartir a realidade em pedaços cada vez menores (análise) e escolher entre eles (possibilidade de decisão). Assim dizemos *sim* a um e, ao mesmo tempo, *não* a outro dos elementos que compõem a polaridade, pois os opostos se excluem como todos sabem. No entanto, a cada *não*, a cada *ex-clusão* reforçamos nossa *não-totalidade* pois, para obtermos a totalidade, nada poderia faltar. Talvez aqui já possamos perceber como são estreitos os laços que unem o tema da doença e da cura à questão da polaridade. E podemos formular isto de maneira ainda mais clara: A doença é a polaridade; a cura é a vitória sobre a polaridade.

Por trás da polaridade que, como seres humanos, registramos, existe a unidade, a dimensão abrangente, em que os *opostos* ainda estão indiferenciados um do outro. Também chamamos de Todo a esse nível do ser; por definição, ele engloba *tudo*, razão pela qual nada pode existir fora dessa unidade, fora desse Todo. Na unidade não existe nem modificação nem desenvolvimento, visto que a unidade independe de tempo e de espaço. A Unidade Total está na paz eterna; é o ser puro, sem forma e sem atividade; que fique claro que tudo o que se disser sobre a Unidade será através de termos negativos, ou seja, implicará negar de fato alguma coisa: sem tempo, sem espaço, sem modificação, sem limites.

Toda afirmação positiva provém do nosso mundo dividido e, por isso, não pode ser utilizada para mencionar a Unidade. Do ponto de vista de nossa consciência polar, essa Unidade parece um *Nada*. Embora correta, essa formulação muitas vezes cria nos homens associações falsas. A maioria dos ocidentais, em especial, se decepciona quando descobre, por exemplo, que na filosofia budista o almejado estado de consciência denominado "Nirvana" significa o mesmo que *Nada* (literalmente, dissolução). O ego dos homens sempre deseja algo que lhe seja externo e é com grande desagrado que apreende ser de fato preciso dissolver-se a fim de *tornar-se uno com tudo o que existe*. Na Unidade, o Tudo e o Nada passam a ser Um. O Nada renuncia a qualquer manifestação e limitação e assim foge da polaridade. A origem primordial de todo Ser é o Nada (o *Ain Soph* dos cabalistas, o Tao dos chineses, o *Neti-Neti* dos hindus). Ele é o único que de fato existe, sem começo e sem fim, de eternidade a eternidade.

Podemos falar sobre essa unidade, porém não podemos imaginá-la. A unidade é o oposto polar da própria polaridade, consistindo numa idéia que desafia os nossos pensamentos; na verdade, até podemos senti-la e experimentá-la até certo grau, por meio de determinados exercícios ou técnicas de meditação, que nos ajudam a desenvolver a habilidade de, ao menos por pouco tempo, unir polaridades com a nossa consciência. Contudo, ela sempre escapa a uma descrição oral ou a uma análise intelectual, pois o nosso raciocínio precisa exatamente da polaridade como pressuposto. Não é possível o conhecimento sem a polaridade, sem a divisão entre sujeito e objeto, entre conhecedor e conhecido. Na Unidade não há conhecimento, só há ser. Na Unidade não existe desejo, não existe querer e esforço, não há movimento; portanto, não existe algo *exterior* pelo qual ansiar. Trata-se do antigo paradoxo: só podemos encontrar a plenitude no *Nada*.

Voltemos outra vez ao âmbito que podemos experimentar com segurança. Todos temos uma consciência polarizada, que cuida para que o mundo nos pareça polarizado. É importante reter em nossa mente que não é o mundo que é polarizado, e sim a consciência com a qual estamos no mundo. Como exemplo das leis da polaridade em ação, imaginemos a respiração que dá a todos nós uma vivência direta de polaridade. A inspiração e a expiração, ao se alternarem, criam um ritmo. Este, contudo, nada mais é do que uma constante alternância entre dois pólos. O ritmo é o padrão essencial de toda a vida. A Física diz o mesmo, com sua revelação de que todos os fenômenos podem ser reduzidos a vibrações. Se destruirmos o ritmo, destruiremos a vida, pois vida é ritmo. Quem se recusar a expirar não poderá mais inspirar. Disso se depreende que a inspiração depende da expiração, uma não pode existir sem a outra, seu oposto polar. Um pólo depende do outro para existir e, se eliminarmos um deles, o outro também desaparece. Da mesma forma, a eletricidade se cria a partir da tensão entre dois pólos; se eliminarmos um deles, a eletricidade simplesmente deixa de existir.

Acima vemos um conhecido enigma, com cuja ajuda todos nós podemos vivenciar a polaridade, que aqui significa: primeiro plano/segundo plano ou então: rostos/vaso. Dentre as duas possibilidades a imagem de que se toma conhecimento depende de considerarmos a superfície branca ou a superfície preta como segundo plano. Se eu interpretar a superfície preta como fundo, a superfície branca se torna o primeiro plano, e eu vejo um vaso. Mas essa percepção é anulada se eu escolher a superfície branca para segundo plano, pois então verei a superfície preta como primeiro plano e poderei enxergar dois rostos de perfil. Nesse plano óptico, trata-se da observação daquilo que acontece em nosso íntimo quando, alternadamente, anulamos a nossa percepção. Os dois elementos da imagem vaso/rostos estão simultaneamente contidos no quadro, mas obrigam o observador a tomar uma decisão no sentido de "ou um"/"ou outro": *ou* vemos o vaso, *ou* vemos os rostos. Na melhor das hipóteses, podemos ver ambos os aspectos desse quadro em seqüência, mas é muito difícil percebê-los ao mesmo tempo.

Essa brincadeira óptica é um bom ponto de partida para se compreender a polaridade. Neste quadro, o pólo negro depende do pólo branco e vice-versa. Se retirarmos um dos pólos do quadro (tanto faz, o negro ou o branco), o quadro todo desaparece com ambos os aspectos. Também aqui o negro vive do branco, da mesma forma que o primeiro plano depende do segundo; assim como a inspiração que depende da expiração, o pólo maior de um fluxo depende do pólo menor. Essa alta dependência que um pólo tem do outro, a dependência de dois *opostos* complementares, nos mostra que é visível por trás de toda polaridade uma unidade que nós, homens, não podemos reconhecer nem também perceber em sua transitoriedade. Assim, somos forçados a dividir cada unidade de realidade em dois pólos e a contemplá-los um depois do outro.

Esse fenômeno é, sem dúvida, a própria origem do *tempo* — essa ilusão que da mesma forma deve sua existência exclusivamente ao funcionamento polarizado de nossa consciência. As polaridades são expulsas do útero da realidade como aspectos gêmeos de uma só e mesma unidade — aspectos que, no entanto, só podemos apreciar consecutivamente, um depois do outro. Assim, depende de nosso ponto de vista qual dos dois lados da medalha iremos ver. A uma observação superficial, as polaridades parecem oposições que se excluem mutuamente; um olhar minucioso constata que, juntas, as polaridades formam uma unidade e que sua existência depende uma da outra. A ciência fez esta maravilhosa descoberta pela primeira vez quando pesquisava a luz.

Houve, em certo ponto, duas opiniões opostas sobre a natureza dos raios luminosos. Uma delas formulava a teoria ondulatória; a outra, a teoria dos corpúsculos, e, ao que parecia, uma teoria excluía a outra. Quando a luz se compõe de ondas, ela não contém partículas e vice-versa — ou... ou. Com o passar do tempo, ficou claro que, para esse caso, a abordagem "ou... ou" estava errada. A luz tanto é composta por ondas como por partículas. Vou até repolarizar essa frase: A luz nem é onda, nem é partícula. A luz é uma unidade. Como tal, não pode ser entendida pela consciência humana polarizada. Essa luz se mostra para o observador apenas em relação ao modo como ele se aproxima dela — num caso, como ondas; em outro, como partículas.

A polaridade é como uma porta em que num dos lados está escrito *Entrada*, e no outro *Saída*. Continua sendo a mesma porta mas, dependendo do lado pelo qual nos aproximamos dela, vemos apenas um de seus aspectos. Devido a esse impulso de dividir as unidades em seus aspectos, que temos de contemplar *um depois do outro*, surge o *tempo*, pois somente através da observação de uma consciência polarizada é que a oniunicidade do ser se transforma em *uma coisa depois da outra*. Assim como a unidade está por trás da polaridade, a eternidade está por trás do tempo. Contudo, temos de ter em mente que o conceito de *eternidade* tem o significado metafísico de *ausência de tempo* e não representa, como a teologia cristã erroneamente interpretou, um longo e interminável *continuum* de tempo.

O modo como a nossa consciência e a nossa necessidade de identificar as coisas divide unidades primordiais em oposições é bastante fácil de observar; basta considerarmos as línguas antigas. Ao que parece, os povos das culturas ancestrais foram mais bem sucedidos quanto a perceber a unidade subjacente às polaridades, pois, nas línguas antigas, muitas palavras ainda têm uma bipolaridade essencial. Foi o posterior desenvolvimento lingüístico que começou — na maioria das vezes através da transposição de vogais e da elasticidade — a atribuir de forma nítida um único pólo a essas palavras, originalmente ambivalentes. (Sigmund Freud já considerava este fenômeno em seu texto intitulado *Gegensinn der Urworte*! [A ambivalência das palavras originais].)

Assim torna-se fácil reconhecer, por exemplo, as raízes comuns que ligam as seguintes palavras latinas: *clamare* = gritar e *clam* = silêncio, ou ainda *siccus* = seco e *sucus* = o sumo; *altus*, tanto antes como agora, significa tanto alto como profundo. Em grego, *pharmakon* significa veneno e também remédio. Em alemão, as palavras *stumm* (mudo) e *Stimme* (voz) são aparentadas e, em inglês, vemos a bipolaridade básica da palavra *without* saltar diante dos nossos olhos, pois ela contém em si mesma ambos os significados *com* (with) e *sem* (out), embora atualmente essa palavra como um todo se refira a um único pólo. Aproximamo-nos ainda mais do nosso tema, ao observarmos a relação lingüística entre a palavra alemã *bös* (mau) e *bass*. No alemão erudito a palavra *bass* significa algo como *bom*. No moderno, essa palavra só é usada em duas combinações: *fürbass*, que significa *na verdade*, e *bass erstaunt* que deve ser traduzido como *verdadeiramente surpreso*. Dessa mesma raiz também deriva a palavra inglesa *bad* [mau, ruim], e também as palavras alemãs *Busse* (penitência) e *büssen* (pagar por algo que se fez). Esse fenômeno lingüístico, mais precisamente o uso original de uma única palavra para significar pólos opostos — bem e mal, por exemplo — mostra graficamente o modo como uma unidade comum subjaz a toda polaridade. É, justamente, à identificação do bem com o mal que devemos prestar muita atenção e, talvez neste estágio, ela possa nos tornar conscientes de como são enormes as conseqüências de se compreender toda a questão da polaridade.

Nós sentimos subjetivamente a polaridade de nossa consciência na alternância de dois estados de consciência claramente delineados; mais precisamente, os estados de vigília e sono. Somos capazes de ver estes dois estados de consciência como analogias interiores para a polaridade dia/noite da natureza. Por isso, costuma-se falar em nossa consciência diurna e nossa consciência noturna, ou nos lados claro e escuro da alma. A divisão entre mente consciente e o inconsciente está intimamente associada a essa polaridade. Assim, acontece que durante o dia nós pensamos naquele âmbito de consciência em que passamos nossas noites e no qual surgem os sonhos provindos do *inconsciente.* Mas literalmente falando, a palavra *inconsciente* não é um termo adequado, visto que o prefixo *in* nega a palavra *consciente* que o segue — uma negativa que não corresponde aos fatos. (Compare *un-höfflich* [des-respeitoso], *un-schuldig* [inocente] etc.) *Inconsciente* não é o mesmo que *sem consciência* [desmaiado]. Durante o sono, estamos de fato num estado diferente de *cons-ciência.* Não se pode falar de forma alguma de uma consciência que não existe. O inconsciente, portanto, não significa em absoluto ausência de consciência; na realidade, trata-se de mera classificação unilateral por parte da consciência diurna, que está ciente de haver algo ali que não é capaz de atingir. Mas por que, então, nos identificamos tão naturalmente com a consciência diurna?

Sempre, desde a divulgação da psicologia profunda, nos acostumamos a imaginar nossa consciência de forma *estratificada,* estabelecendo uma distinção entre mente consciente, mente subconsciente e mente inconsciente.

Essa separação em superior e inferior não é obrigatória, embora corresponda a uma sensação simbólica de espaço, que localiza o céu e a luz num pólo superior, e a terra e a escuridão num pólo inferior. Se quiséssemos apresentar um equivalente gráfico desse modelo de consciência, poderíamos fazê-lo através da seguinte figura:

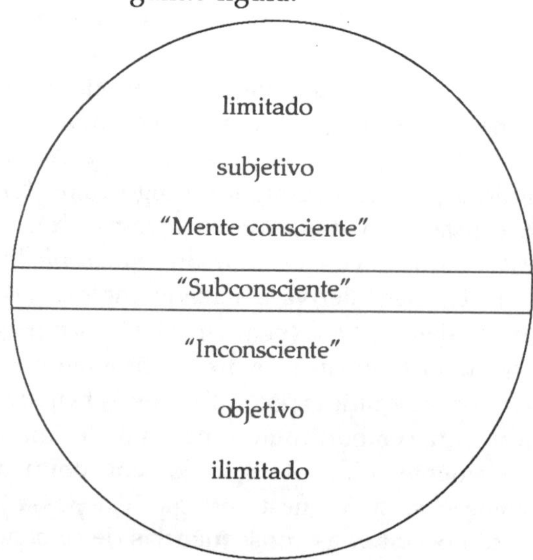

Aqui, o círculo simboliza a própria consciência que, sendo oniabrangente, é infinita e eterna. A circunferência não deve ser interpretada como uma espécie qualquer de limitação, mas como um mero símbolo da oniabrangência. Entretanto, estamos separados dessa oniabrangência por nosso *Eu* individual, razão pela qual surge a mente subjetiva, limitada e consciente. Em virtude dela, perdemos completamente o acesso à consciência cósmica, ou seja, *residual*. Mas não sabemos disto, estamos in-conscientes. (C. G. Jung denomina este nível de inconsciente coletivo.) A linha limítrofe entre o Eu individual e o restante "mar de consciência" não existe de fato, mas pode ser entendida como uma espécie de membrana que é permeável de ambos os lados. Essa membrana corresponde ao *subconsciente*. Dentro dela estão contidos temas que saíram da mente consciente (isto é, foram esquecidos), e também conteúdos que estão continuamente surgindo do inconsciente, como, por exemplo, as intuições, os grandes sonhos, as premonições, as visões etc.

Se uma pessoa se identificar, especial e intensamente, apenas com sua mente consciente, ela bloqueará a permeabilidade do subconsciente, pois o conteúdo do inconsciente será considerado estranho e, portanto, amedrontador. Um grande nível de permeabilidade pode levar a pessoa a ter uma espécie de mediunidade. O estado de iluminação ou de consciência cósmica só é atingido quando a pessoa transcende todos os limites, permitindo que sua mente consciente e a mente inconsciente se fundam numa unidade. Porém, isso equivale à destruição do Eu, cuja autonomia depende da cisão inicial. É este o passo que, na terminologia cristã, é descrito da seguinte forma: "Eu (mente consciente) e meu Pai (mente inconsciente) somos um."

A consciência humana tem sua expressão física no cérebro, dentro do qual o poder tipicamente humano de discriminação e julgamento é atribuído ao córtex cerebral. Não é nenhum milagre, portanto, que a polaridade da consciência humana tenha seu sinal correspondente na própria anatomia cortical. É de conhecimento geral que o córtex se organiza em dois hemisférios, unidos um ao outro pela assim chamada "ponte" (*corpus callosum*). No passado, a medicina tentou tratar diversos sintomas, como a epilepsia e as cefaléias insuportáveis, fazendo uma incisão cirúrgica nessa "ponte", interrompendo dessa forma todas as vias neuronais entre os dois hemisférios (comissurotomia).

Embora essa intervenção possa ser considerada brutal, é uma cirurgia que não parece apresentar, à primeira vista, efeitos colaterais dignos de nota. Foi assim que se descobriu que, aparentemente, os dois hemisférios representam dois cérebros totalmente auto-suficientes, capazes de exercer suas funções com independência. No entanto, quando se submeteram a exames mais detalhados pacientes cujos hemisférios haviam sido cirurgicamente separados, tornou-se bastante visível que os dois hemisférios diferem um do outro tanto em suas características como em seu âmbito funcional. Por certo, estamos cientes de que os neurônios se cruzam no corpo caloso, e que o lado direito do corpo humano é atingido pelos nervos da metade esquerda do cérebro e, vice-versa, o lado esquerdo do corpo é inervado pelo hemisfério direito. Mas, se vendarmos um dos pacientes mencionados acima e lhe dermos, por exemplo, um saca-rolha para segurar na mão esquerda ele não saberá dar nome ao objeto, não conseguirá descobrir a palavra que define o que está segurando e sentindo, embora não tenha a menor dificuldade para usá-lo. Contudo, a situação se inverte se o fizermos segurar o objeto com a mão direita: agora ele sabe o seu nome, mas não sabe de que forma usá-lo.

Tal como as mãos, também os ouvidos e os olhos estão conectados cada um deles com o lado oposto do cérebro.

Realizou-se uma outra experiência: uma grande variedade de formas geométricas foi mostrada em separado ao olho direito e ao olho esquerdo de uma mulher cujo corpo caloso fora operado. Dentro da série de figuras, fotos de nus foram projetadas somente no campo visual do olho esquerdo, de tal modo que fosse perceptível apenas ao lado direito do cérebro. A paciente corou e abafou o riso mas, quando o experimentador lhe perguntou o que havia visto, ela respondeu: "Nada, só um clarão luminoso." Por conseguinte, uma imagem percebida pelo hemisfério direito do cérebro pode criar uma reação definida, mesmo que esta talvez não seja entendida ou definida nem por pensamento, nem por palavras. De forma análoga, se se apresentarem aromas apenas à narina esquerda, acontece uma reação semelhante, mesmo que a paciente não consiga identificar cada um deles. Se mostrarmos a um paciente uma palavra longa, como futebol, de tal modo que o olho esquerdo só possa enxergar a primeira parte — *fute* — e o olho direito apenas a segunda — *bol* — o paciente lê apenas a palavra *bol*, visto que a palavra *fute* não pode ser analisada lingüisticamente pela metade direita do cérebro.

Nas últimas décadas, tais experiências vêm sendo cada vez mais aprimoradas e o conhecimento por elas acumulado pode se resumir da seguinte forma: ambas as metades do cérebro são sem dúvida diferentes uma da outra em suas funções e capacidades, bem como em suas respectivas áreas de responsabilidade. O hemisfério esquerdo pode ser denominado de "hemisfério verbal", pois reage à lógica e à estrutura lingüística, à leitura e à escrita. Ele subdivide analítica e racionalmente toda a nossa experiência de mundo, ou seja, pensa de forma digital. Assim sendo, a metade esquerda do cérebro fica responsável pela numeração e pelos cálculos, bem como pela sensação de tempo.

Todas as funções polarizadas podem ser encontradas na metade direita do cérebro: em vez de análise encontramos aqui a capacidade de captar, instantaneamente e por inteiro, todos os inter-relacionamentos complexos, todos os padrões e estruturas. Portanto, esta metade do cérebro nos permite captar a configuração total (*Gestalt*) com base numa pequena parte (*pars pro toto*). Sem dúvida, devemos agradecer à metade direita do cérebro pela capacidade de abranger e poder definir conceitos lógicos (abstrações e conceitos mais elevados). No hemisfério direito, entretanto, encontramos somente as formas mais arcaicas de linguagem, que se organizam mais ou menos com base nos padrões sonoros e nas associações, em vez de fazer uso da sintaxe. As poesias e os neologismos dos esquizofrênicos dão ambas uma boa idéia da linguagem do hemisfério direito do cérebro. É nele também que estão localizados o pensamento analógico e o modo como lidamos com os símbolos; é também responsável pelo mundo psíquico das imagens e pelos sonhos, e não está sujeito, como o hemisfério esquerdo, à compreensão do tempo.

Dependendo da atividade a que nos dedicamos no momento, sempre um dos dois hemisférios predomina. Assim, o raciocínio lógico, a leitura, a escrita e os cálculos exigem controle do hemisfério esquerdo, ao passo que se estivermos ouvindo música, sonhando, pensando ou meditando é o hemisfério direito que se destaca. Apesar do controle de um dos lados do cérebro em dado momento a pessoa sadia sempre tem à sua disposição o conteúdo do lado não dominante também, visto que uma intensa troca de informações sempre está sendo travada no corpo caloso.

A especialização polarizada dos hemisférios gêmeos coincide com grande precisão com os antiqüíssimos ensinamentos esotéricos da polaridade. No taoísmo, os dois princípios elementares em que a unidade do Tao se divide são denominados yang (princípio masculino) e yin (princípio feminino). Na tradição hermética, a mesma polaridade era definida simbolicamente pelo sol (masculino) e pela lua (feminino). Em outras palavras, a palavra chinesa yang, como o sol, é um símbolo para o princípio masculino ativo e positivo que corresponde, em termos de psicologia, à consciência diurna. O princípio yin ou lunar é o princípio feminino, negativo e receptivo, que corresponde ao inconsciente das pessoas.

Essas polaridades clássicas podem ser facilmente associadas aos resultados modernos da pesquisa científica. O hemisfério esquerdo é yang, masculino, ativo, consciente e corresponde ao símbolo do sol; portanto, ao aspecto diurno da pessoa. É fato comprovado que o hemisfério esquerdo — que tem seus nervos conectados com o lado direito do corpo — é o lado ativo ou masculino do ser humano. O hemisfério direito, ao contrário, é yin, negativo, feminino; corresponde ao princípio lunar, ao aspecto noturno da individualidade, ou ao inconsciente, e está devidamente ligado ao lado esquerdo do corpo humano. Para facilitar a compreensão, os termos e conceitos mais importantes são apresentados na tabela que se segue.

Algumas modernas correntes de pensamento psicológico estão readotando o velho modelo horizontal freudiano da consciência, com seus noventa graus, associando os conceitos de "mente consciente" e "inconsciente", respectivamente, com os hemisférios esquerdo e direito. No entanto, essa redenominação é uma pura questão de forma e quase não altera o conteúdo, como ficará evidente pela comparação com o diagrama apresentado. Tanto a disposição gráfica horizontal como a vertical são meras versões particulares do antigo símbolo chinês conhecido como *Tai Chi*, o qual subdivide o círculo (que significa a totalidade ou a unidade) numa metade negra e noutra branca. Cada uma por sua vez, contém um "embrião" da polaridade oposta, na forma de um ponto da cor contrária. Da mesma forma, a unidade é dividida por nossa consciência em duas polaridades, mutuamente complementares.

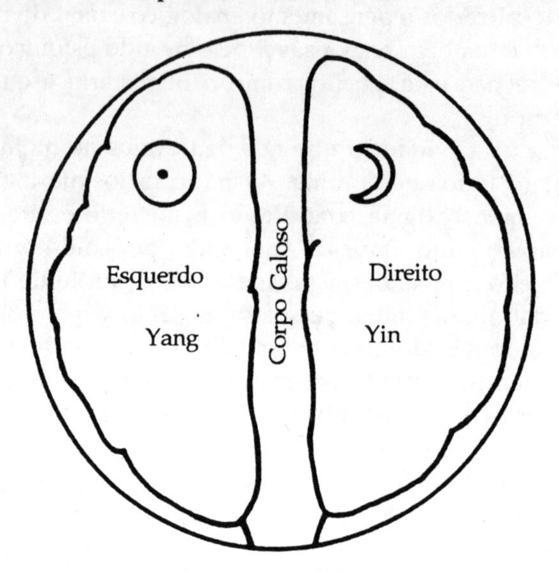

ESQUERDO	DIREITO
Lógica	Percepção da forma
Linguagem (sintaxe, gramática)	Percepção da totalidade
	Sensação do espaço
	Formas arcaicas de linguagem
Hemisfério verbal:	
Leitura	Música
Escrita	Olfato
Cálculos	Padrão total
Contagem	
Subdivisão do ambiente	Visão abrangente do mundo
Pensamento digital	Pensamento analógico
Pensamento linear	Simbolismo
Dependência do tempo	Atemporalidade
Análise	Holismo
	Conceitos lógicos
Inteligência	Intuição

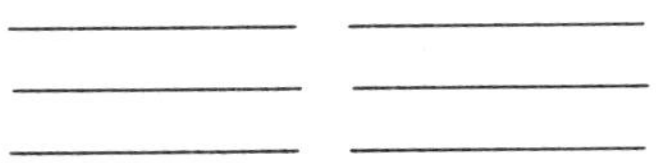

YANG	YIN
+	–
Sol	Lua
Masculino	Feminino
Dia	Noite
Consciente	Inconsciente
Vida	Morte

ESQUERDO	DIREITO
Atividade	Passividade
Eletricidade	Magnetismo
Ácido	Alcalino
Lado direito do corpo	Lado esquerdo do corpo
Mão direita	Mão esquerda

Não é difícil ver como uma pessoa seria *não-sadia* se possuísse apenas um dos dois hemisférios; contudo, a atual visão do mundo científica, tida por normal é justamente imperfeita pois leva em conta somente o lado esquerdo do cérebro. Deste ponto de vista, tudo tem de ser racional, razoável e analiticamente palpável; só os fenômenos circunscritos pelo tempo e pelo espaço podem existir. Ainda assim, essa visão do mundo representa só uma metade da verdade, pois depende da visão de apenas uma metade de nossa consciência, ou seja, de apenas uma metade do cérebro. Todos os conteúdos da consciência que as pessoas gostam de menosprezar como irracionais, insensatos, místicos, ocultistas e fantásticos nada mais são do que maneiras opostas e complementares que os seres humanos têm de ver o mundo.

É evidente o quanto nossos pontos de vista são diferentes destas duas abordagens complementares, uma vez que a pesquisa feita para analisar as habilidades das duas metades do cérebro foi rapidamente capaz de reconhecer e de descrever o que o cérebro esquerdo faz. O cérebro direito não parece ter uma função lógica, o que causou confusão nas pesquisas sobre seu sentido e sua finalidade. No entanto, a própria natureza dos homens dá muito mais valor às habilidades da metade direita, ou irracional, do cérebro; quando se trata de contextos que ponham em risco a vida humana ela automaticamente muda de controle do hemisfério esquerdo para o do direito, visto que procedimentos meramente analíticos não são capazes de enfrentar situações de perigo. Se o hemisfério direito estiver no comando, nós temos a oportunidade de agir com calma e competência,

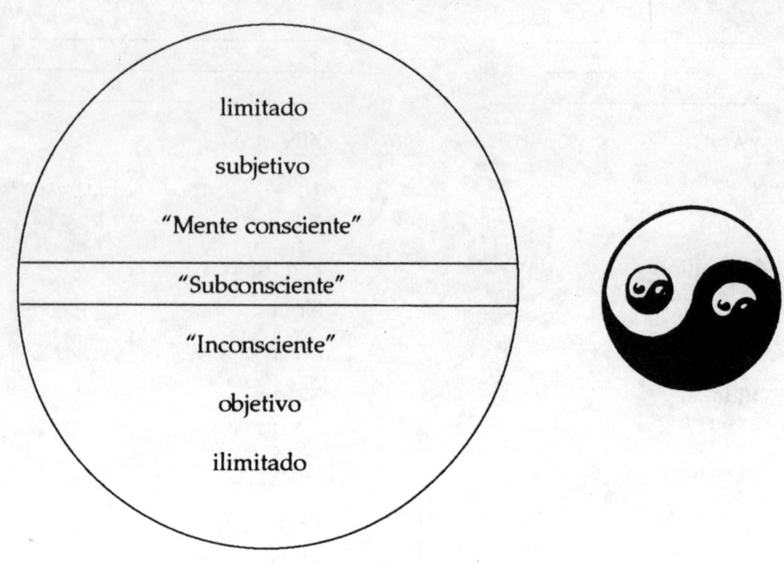

Modelo horizontal de consciência

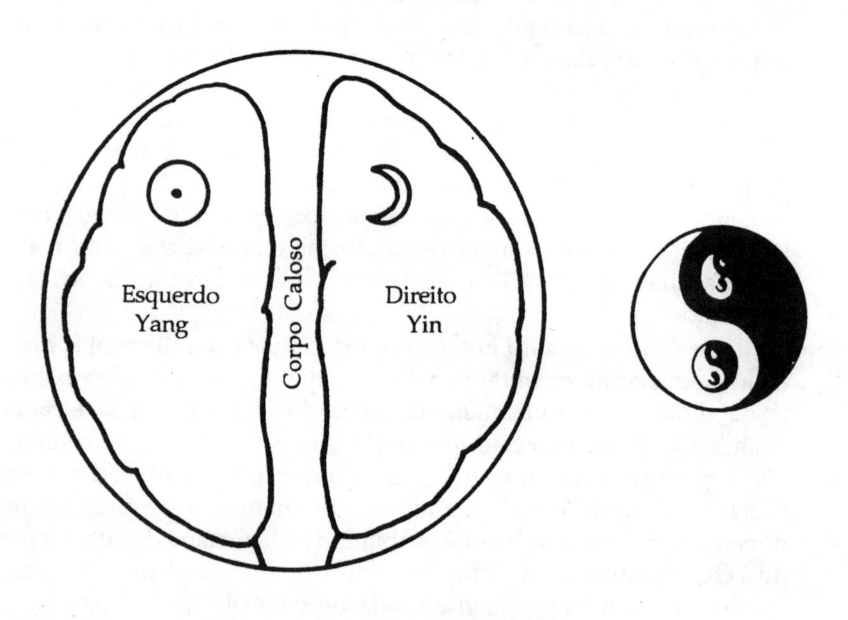

Modelo vertical de consciência

graças a seu modo abrangente de percepção. Na verdade, é a essa mudança de controles que os conhecidíssimos fenômenos do assim chamado *filme da vida* devem sua existência: ao sentirem a proximidade da morte, sabe-se que as pessoas revêem sua vida inteira — revivendo todas as situações mais uma vez —, no lampejo de um segundo. Este fenômeno serve de exemplo para aquilo a que nos referimos como a "atemporalidade" do hemisfério direito.

O significado da teoria dos hemisférios, segundo nossa opinião, está no fato de que a ciência ainda pôde compreender como sua visão do mundo vinha sendo parcial e unilateral até agora, e no fato de ela ter podido aprender, através de um estudo sobre o lado direito do cérebro, como esse outro modo de ver o mundo é válido e necessário. Ao mesmo tempo, a ciência pôde aprender com este simples exemplo que a lei da polaridade é a lei central de toda a natureza, pois foi a sua incapacidade total de pensar por analogia (ou seja, segundo o modo usado pelo cérebro direito) que a impediu de ver isso antes.

O mesmo exemplo, enquanto isso, deve lembrar-nos mais uma vez, de forma indiscutível, o que significa a lei da polaridade: mais precisamente, a divisão, pela consciência humana, de uma unidade em polaridades opostas. Estes dois pólos se complementam mutuamente (se compensam) e, portanto, um precisa do outro como condição básica para sua existência. A grande desvantagem da polaridade é que ela nos impede de ver, ao mesmo tempo, ambos os aspectos de um todo, e assim nos impõe aquele "uma coisa depois da outra" que cria o fenômeno do *ritmo*, do *tempo* e do *espaço*. Se uma consciência polarizada quiser definir a unidade, ou a unicidade, com palavras, só poderá fazê-lo através de um paradoxo. A vantagem que a polaridade nos traz é a dádiva do reconhecimento, impossível sem ela. O objetivo e o desejo de uma consciência polarizada é vencer o fato de *não estar sadio* devido ao tempo, tornando-se outra vez *sadio*, ou seja, recuperar a totalidade.

Todos os caminhos de cura ou iniciação nada mais são do que um único caminho que leva da polaridade à unidade. No entanto, o passo da polaridade para a unidade representa uma mudança tão radical em termos de qualidade que é difícil, se não impossível, uma consciência polarizada imaginá-lo. Todos os sistemas metafísicos, religiosos ou esotéricos ensinam exatamente esse mesmo caminho, da polaridade para a unidade, donde se deve concluir que todos esses ensinamentos se preocupam com "abandonar o mundo, deixando-o para trás", e não com "o progresso do mundo".

É exatamente esse o ponto escolhido para as muitas críticas desfechadas contra esses ensinamentos por seus rivais. Apontando para todas as necessidades cotidianas e para todas as injustiças sociais, eles reprovam os ensinamentos de orientação metafísica considerando-os alienados. Também acham que esses ensinamentos não se preocupam com o desafio representado pelo progresso do mundo e que só estão interessados na salvação egoísta de seus próprios seguidores. As críticas prediletas são "escapismo" e "falta de engajamento social". Entretanto, por infelicidade, esses críticos nunca estudam detalhadamente esses ensinamentos, antes de atacá-los. O resultado é que apresentam uma apressada mistura de seus próprios pontos de vista e de alguns conceitos que não apreenderam bem, tirados unicamente de outras doutrinas: chamam ao resultado dessa mistura de absurdo, "criticismo".

Esses mal-entendidos vêm de longa data. O próprio Jesus ensinou esse caminho único que leva da dualidade à unidade, e nem Ele foi inteiramente compreendido pelos próprios discípulos (com exceção de João). Jesus chamou este mundo de "polaridade" e chamou de Unidade o "reino dos céus" ou a "morada do meu Pai". Também chamou a Unidade simplesmente de "Pai". Ele enfatizou que tal reino não é deste mundo e ensinou o caminho até o Pai. No entanto, todos os seus ensinamentos foram primeiro interpretados num sentido essencialmente material, referente a este mundo. O Evangelho de São João nos mostra, capítulo por capítulo, esses mal-entendidos; Jesus fala do templo que reconstruiria em três dias; os discípulos acharam que estava se referindo ao Templo de Jerusalém, quando na verdade ele se referia ao próprio corpo. Jesus falou com Nicodemo sobre o renascimento do espírito; contudo, este pensou que ele estivesse falando do nascimento de crianças. Jesus mencionou à mulher, perto do poço, a água da vida, e tudo em que ela pôde pensar foi na água de beber. Estes exemplos podem ser multiplicados à vontade, e todos mostram as divergências entre os pontos de vista de Jesus e os de seus apóstolos. Jesus tentou fazer as pessoas enxergarem o significado e a importância da unidade, enquanto seus ouvintes se apegavam, febril e temerosamente, ao mundo das polaridades. Não conhecemos nenhuma exortação de Jesus no sentido de melhorar o mundo ou transformá-lo num paraíso. Ao invés disso, em tudo o que disse Ele tentou encorajar as pessoas a darem aquele passo que os levaria à salvação; "salvação" significa cura e totalidade.

Para começar, esse caminho sempre provoca medo, pois também conduz ao sofrimento e à angústia. Só se pode vencer o mundo aceitando-se o que ele oferece; o sofrimento também só pode ser anulado através da aceitação, pois mundo e sofrimento sempre foram uma só coisa. Os ensinamentos esotéricos não nos ensinam a fugir do mundo, mas sim a adotar práticas para transcendê-lo. "Transcender o mundo", todavia, é sinônimo de "transcender a polaridade" e isso, por sua vez, é igual a renunciar ao eu, ou ego, pois somente se atinge a totalidade quando, finalmente, se pára de separar o eu do resto da existência. Não deixa de ser uma ironia que um caminho, cujo real objetivo é a destruição do ego e a fusão do *self* (ou eu maior) com o todo, seja criticado como um caminho de salvação egoísta. Além do mais, o motivo para a existência desses caminhos de cura não está na esperança de um "mundo melhor" ou "numa recompensa pelos sofrimentos deste mundo" (o ópio do povo), mas na compreensão de que o mundo material em que vivemos só adquire significado na mesma proporção em que tenha um ponto de referência além de si mesmo.

É melhor dar um exemplo: se estamos numa escola que não tem objetivo, nem qualquer forma de graduação, e na qual os alunos aprendem somente devido ao interesse pelo estudo, o aprendizado em si mesmo se torna irrelevante. A escola e o aprendizado só adquirem sentido quando há algum ponto de referência exterior à escola. Ter um emprego ou uma profissão em vista não é uma forma de escapismo educacional ou uma "fuga às aulas"; ao contrário, somente um objetivo destes é que torna possível a aplicação dos alunos aos estudos, de modo ativo e voluntário. Da mesma forma, esta vida e o mundo em que vivemos adquire uma dimensão significativa apenas quando nosso objetivo é transcendê-los. A finalidade de uma escada não é a de se ficar parado nela, mas a de nos servir para subirmos por ela.

O fato de a vida atual ter-se tornado tão sem sentido para muitos de nós está na perda desse ponto metafísico de referência, pois aí só nos resta o *progresso*. O único objetivo do progresso, porém, não é outro senão *mais progresso*. Foi assim que desse *caminho* resultou uma *viagem*.

É importante para nossa compreensão da doença e da cura apreender o que, de fato, a cura significa. Se perdermos de vista o fato de que ela sempre implica uma aproximação da perfeição no sentido de unidade, tentaremos descobrir-lhe o objetivo dentro da polaridade, e essa tentativa está por certo destinada ao fracasso. Contudo, se levarmos em conta o que conseguimos saber sobre a unidade até agora, e soubermos que ela só pode ser obtida através da *coniunctio oppositorum* [conjunção dos opostos], usando esse conhecimento para entender o domínio da teoria dos hemisférios cerebrais, logo fica claro que, ao menos neste nível, a nossa intenção de transcender a polaridade implica dar fim à estrutura pela qual cada uma das metades do cérebro exerce o controle por sua vez. Também no âmbito do cérebro, o procedimento *ou/ou* precisa tornar-se *não só/mas também*; o *sucessivo* tem de transformar-se em *simultâneo*.

É assim que o verdadeiro significado do corpo caloso fica bem visível: ele tem de tornar-se tão *permeável* que os dois hemisférios cerebrais se tornem um só. Se tivermos as habilidades dos dois lados do cérebro à nossa disposição ao mesmo tempo, isso corresponderá no plano físico à iluminação espiritual.

Trata-se aqui do mesmo processo a que nos referimos antes, quando apresentamos o nosso modelo horizontal de consciência: apenas quando a mente consciente subjetiva se torna una com o inconsciente objetivo é que se alcança a totalidade.

A compreensão universal deste passo, que conduz da polaridade à unidade, pode ser vista por nós nas mais variadas e numerosas formas de expressão. Já mencionamos a filosofia taoísta dos chineses, que se refere às duas forças denominadas Yang e Yin. Os herméticos falavam de união entre o Sol e a Lua ou do casamento do Fogo com a Água. Além disso, eles costumavam falar sobre o segredo da união dos opostos usando afirmações paradoxais como: "É preciso fazer fluir o fixo e fixar o fluido." O antiqüíssimo símbolo do bastão de Hermes (caduceu) testemunha a mesma lei: nele, as duas serpentes gêmeas representam as forças polarizadas que têm de ser unidas pelo próprio bastão. Deparamo-nos outra vez com a mesma imagem na filosofia hindu, na forma de duas correntes energéticas dentro do corpo humano, chamadas *ida* (feminina) e *pingala* (masculina), que, sinuosas como serpentes, circulam pelo canal central *shushumna*. Se o iogue consegue fazer ascender a força da serpente pelo canal central, experimenta em sua consciência o estado de unidade. O cabalista representa este mesmo inter-relacionamento através das três colunas da Árvore da Vida; os filósofos dialéticos se referem a ele com o trio de conceitos, "tese", "antítese" e "síntese". Não há conexão causal entre os poucos sistemas mencionados aqui; no entanto, todos eles são manifestações de uma única lei central da metafísica, que sempre buscou fazer esses sistemas se expressarem, quer no plano material, quer no plano simbólico. Para nós não interessa um determinado sistema qualquer, mas apenas o fato de que devemos estar cientes dos termos gerais da lei da polaridade e de sua validade para todos os âmbitos do mundo das formas.

A polaridade de nossa consciência nos põe continuamente diante de duas possibilidades de ação e nos obriga — caso não queiramos nos tornar apáticos — a tomar uma decisão. Sempre há duas possibilidades e, no entanto, podemos concretizar somente uma delas por vez.

Por conseguinte, toda vez que agimos deixamos sem efeito o outro pólo da possibilidade. Temos de optar e decidir se vamos ficar em casa ou sair; se vamos trabalhar ou se seremos vadios; se teremos filhos ou não; se batalharemos pelo dinheiro ou nos desapegaremos dele; se mataremos nossos inimigos ou lhes concederemos a vida. A angústia da escolha nos persegue, passo a passo. Não há modo de evitar fazer escolhas, pois "deixar de agir" já implica uma decisão contra a ação, e "não decidir" já significa a renúncia a uma decisão. Então, não nos resta outra opção senão escolher, e já que é assim, ao menos vamos fazê-lo de modo *sensato* ou *correto*; para isso, precisamos ter critérios de julgamento. Assim que os estabelecemos, as escolhas se tornam mais simples: concebemos filhos *porque* eles asseguram a posteridade da humanidade; matamos nossos inimigos *porque* eles ameaçam nossos filhos; comemos bastante vegetais *porque* é saudável; damos de comer aos famintos *porque* é ético. Em princípio, este sistema funciona bem e torna as nossas decisões mais fáceis: tudo o que precisamos fazer é agir, fazendo o que é bom e correto. Infelizmente, porém, o sistema de valores que serve de apoio às nossas decisões está sempre sendo questionado pelas outras pessoas que tomam decisões totalmente opostas em determinados assuntos, decisões essas que elas justificam, por sua vez, com base em seu próprio sistema de valores. Elas se manifestam a favor do controle da natalidade *porque* já existe gente demais; outras não vão atirar contra os inimigos *porque* afinal inimigos também são seres humanos; come-se bastante carne *porque* é saudável, deixa-se os famintos morrerem de fome *porque* esse deve ser seu destino. É óbvio que os valores dos outros estão estritamente errados, e, no entanto, é aborrecido saber que nem todos usam os mesmos critérios de valor, fazendo o que é bom e correto. E assim, cada um começa a defender seus próprios critérios, além de tentar convencer o maior número possível de pessoas de que eles têm valor. É claro que o objetivo final é convencer *todos* os seres humanos dos nossos valores, pois só assim o mundo seria bom e correto, além de formar um todo. Infelizmente, todos pensam *a mesma coisa*. E eis que a luta sobre quem está certo continua a todo vapor, com todos desejando apenas fazer o que é *correto*. Mas o que é *correto*? O que é *errado*? O que é bom? O que é mau? Há muitos que afirmam saber a resposta — mas eles não concordam entre si — e assim, é preciso outra vez que decidamos. Dessa vez temos de escolher em quem devemos acreditar! Não é razão para *de-ses-pe-rar*?

O único passo que nos pode livrar deste dilema é a *percepção intuitiva* de que, dentro dos laços da polaridade, não há absoluto, portanto, não há bem ou mal, certo ou errado. Toda avaliação sempre é subjetiva e necessita de um enquadramento referencial, o qual por sua vez é subjetivo. Toda avaliação depende da perspectiva de quem vê e do seu ponto de vista pessoal e, desse ponto, ele sempre está "certo". Porém, o mundo não se deixa dividir naquilo que deve ser e que, portanto, é certo e bom, e naquilo que na verdade não deve ser e que, portanto, tem de ser combatido e eliminado. Essa dualidade de opostos irreconciliáveis entre certo-errado, bem-mal, Deus-diabo não nos tira da polaridade; ao contrário, nos afunda cada vez mais nela.

A única solução possível está naquele terceiro ponto, a partir do qual todas as alternativas, todas as possibilidades, todas as polaridades podem ser vistas como certas e erradas, boas e más, visto serem partes da unidade e devido a esse fato possuírem o direito de existir, pois sem elas a totalidade não seria um todo. Foi por isso que enfatizamos tanto o fato de que cada pólo da existência tira sua vida do outro, quando estudamos a lei da polaridade, já que, na verdade, ele nem sequer pode existir por si mesmo. Assim como a inspiração vive da expiração, também o bem vive do mal, a paz vive da guerra, a saúde vive da doença. No entanto, as pessoas não vêem isto e querem unicamente um pólo, lutando contra o outro. Quem combater qualquer um dos pólos deste universo luta contra o Todo, pois cada parte contém o todo (*pars pro toto*). Neste sentido, disse Jesus: "O que fizeres contra o menor de meus irmãos, tu o farás a Mim!"

Em si, o pensamento teórico é fácil, mas choca-se com uma certa resistência profundamente arraigada no ser humano, uma vez que modificar o estilo de vida é um processo de difícil execução. Se nosso objetivo for atingir a Unidade, ou seja, aquela que contém dentro de si, em forma indiferenciada, todas as polaridades, nenhum de nós poderá considerar-se sadio ou íntegro, pois enquanto nos separarmos de tudo o que resta, ou enquanto excluirmos algo de nossa consciência, a saúde e a integridade não serão possíveis. Toda vez que alguém disser: "Eu nunca faria isso!"

estará se valendo do modo mais seguro de impedir sua perfeição e sua iluminação. Neste universo não existe nada que não tenha razão de ser, mas grande parte dessas justificativas ainda não pode ser entendida pelos indivíduos. De fato, todos os esforços dos homens servem a um único objetivo: aprender a conhecer melhor as interligações — ou, como costumamos dizer, tornarmo-nos mais conscientes — mas não para modificar as coisas. Nada há a modificar ou a melhorar, a não ser o nosso próprio modo de ver as coisas.

Há bastante tempo os homens vivem uma ilusão, achando que sua atividade, que suas ações modificam o mundo, o reformulam e, quiçá, o melhoram. Essa convicção é uma ilusão de óptica e se fundamenta na projeção da própria transformação. Se, por exemplo, uma pessoa ler o mesmo livro depois de intervalos longos de tempo, o lerá sempre com outros olhos, como se fosse novo, dependendo de seu ponto de evolução no momento. Se não tivéssemos tanta certeza de que nossos livros são inalteráveis, poderíamos concluir, com a maior facilidade, que o próprio conteúdo se modificou. Com essa mesma falta de compreensão nós usamos os conceitos "evolução" ou "desenvolvimento". Acreditamos que evolução é o resultado de acontecimentos e iniciativas e não enxergamos que ela nada mais é do que a concretização de um padrão constante e subjacente. A evolução nada produz de novo; o que ela faz é tornar-nos progressivamente mais conscientes daquilo que sempre existiu. Aqui podemos usar outra vez a analogia da leitura de um livro. O conteúdo e a história estão contidos no livro durante todo o tempo, mas o leitor só pode conhecê-los pouco a pouco, à medida que o for lendo. Como conseqüência da leitura, o conteúdo se revela passo a passo ao leitor, embora tenha existido há séculos como um livro completo. O conteúdo do livro não adquire vida pelo fato de ser lido; em vez disso, o leitor ou a leitora lêem capítulo por capítulo, inteirando-se de um padrão preexistente.

Não é o mundo que se modifica; o que acontece é que as pessoas manifestam em si mesmas os vários e sucessivos níveis e aspectos do mundo. A sabedoria, a perfeição e a consciência significam a habilidade de ver e de reconhecer a totalidade da vida, com toda sua validade e equilíbrio. Para o observador poder reconhecer a ordem é preciso que ele esteja em ordem. A ilusão da modificação surge devido à polaridade, que divide tudo o que existe ao mesmo tempo em uma coisa depois da outra, ou então nas fórmulas uma/e/outra e ou/ou. É a esse mundo de polaridades que os filósofos orientais chamam "ilusão" ou "*maya*". A maior exigência que eles fazem àqueles que se esforçam para adquirir o conhecimento e a libertação é o cumprimento da tarefa de desmistificar esse mundo de formas, reconhecendo que ele é uma ilusão, que esse mundo na realidade não existe. Contudo, os passos que levam a esse conhecimento ("despertar") precisam ser dados neste mundo polarizado. No caso de a polaridade impedir que a Unidade se manifeste *simultaneamente,* esta será restabelecida de modo direto no decurso do tempo, na medida em que cada pólo for compensado na seqüência por seu pólo contrário. A essa lei damos o nome de Princípio da Complementação. Assim como a expiração provoca a inspiração, assim como o sono substitui o estado de vigília, e vice-versa, da mesma forma cada concretização de um pólo obriga a manifestação do oposto. A Lei da Complementação cuida para que o equilíbrio dos pólos seja mantido, para que todas as modificações se transformem em "permanência". Temos a firme convicção de que, com o tempo, muita coisa se modifica, e essa crença nos impede de ver que o tempo somente cria uma repetição do mesmo padrão. Através do tempo sem dúvida se modificam as formas; no entanto, o conteúdo permanece o mesmo.

Quando aprendermos a não mais nos deixar distrair pelas constantes mudanças das formas, seremos capazes de eliminar o conceito de tempo não só do curso da história, mas também da história de nossa vida; nesse momento, compreenderemos que todos os fatos que em geral alojamos em compartimentos separados, na verdade se restringem a um só e mesmo padrão. O tempo pode apagar a realidade dos fatos e dos acontecimentos, mas assim que o eliminarmos da equação poderemos perceber a essência que subjaz às formas em que se "condensou". (Neste complexo e pouco compreensível inter-relacionamento está a base da terapia da reencarnação.)

Para continuarmos com nossas reflexões é importante entender a mútua dependência entre ambos os pólos e a impossibilidade de apegarmo-nos a um, excluindo a existência do outro. Contudo, a maioria das atividades se dedica especificamente a viabilizar essa impossibilidade. Insistimos em obter a saúde combatendo a doença; desejamos preservar a paz, por isso abominamos a guerra e visamos eliminá-la do mundo; queremos viver e, para tanto, desejamos transcender a morte. Impressiona-nos bastante como uns poucos séculos de esforços fracassados fazem-nos duvidar dos conceitos humanos. Quando tentamos uma aproximação unilateral de um pólo, sem que o percebamos o pólo oposto cresce na mesma proporção. A própria medicina apresenta um bom exemplo desse fato: quanto mais persistimos na luta pela saúde, mais a doença cresce junto e na mesma medida.

Se desejarmos abordar este problema com uma visão nova e mais profunda, é necessário aprender a utilizar uma perspectiva polarizada. Temos de aprender a ver simultaneamente o pólo oposto cada vez que fizermos a observação de um pólo. Nossa visão interior precisa mover-se como um pêndulo, a fim de evitar unilateralidades que nos impedem de chegar à percepção intuitiva. Embora a linguagem não facilite expressar a amplitude desse movimento pendular da percepção, ainda assim há textos, na literatura da assim chamada sabedoria, em que essas leis fundamentais são apresentadas em termos realmente eficazes. O estilo sucinto e preciso de Lao-Tsé é inigualável, quando ele formula o segundo verso do Tao-te king:

> Se todos na Terra reconhecerem a beleza como bela,
> desta forma já se pressupõe a feiúra.
> Se todos na Terra reconhecerem o bem como o bem,
> deste modo já se pressupõe o mal.
> Porque ser e não-ser geram-se mutuamente.

O fácil e o difícil se complementam.
O longo e o curto se definem um ao outro.
O alto e o baixo convivem um com o outro.
A voz e o som casam-se um com o outro.
O antes e o depois se seguem mutuamente.

Assim também o Sábio:
permanece na ação sem agir,
ensina sem nada dizer.
A todos os seres que o procuram
ele não se nega.
Ele cria, e ainda assim nada tem.
Age e não guarda coisa alguma.
Realizando a obra,
não se apega a ela.
E, justamente por não se apegar,
não é abandonado.

3
A Sombra

Toda a Criação existe dentro de você, e tudo o que existe em você também existe na Criação. Não há fronteiras entre você e um objeto que esteja bem perto, assim como não há distância entre você e os objetos que estão muito longe. Todas as coisas, as menores e as maiores, as inferiores e as superiores, estão à sua disposição dentro de você, uma vez que são inatas. Um único átomo contém todos os elementos da Terra. Um único movimento do espírito contém todas as leis da vida. Numa única gota de água encontramos o segredo do oceano sem fim. Acima de tudo, uma única manifestação sua contém todas as formas de manifestação da própria vida.

Kahlil Gibran

O ser humano diz "eu" e está, na verdade, se referindo primeiro de tudo a um grande número de identificações diferentes: "Sou homem, alemão, pai de família, professor. Sou ativo, dinâmico, tolerante, competente, esforçado; amo os animais; sou o oponente numa guerra, o apreciador de chá, o cozinheiro por vocação etc." Essas identificações se fundamentam em escolhas que ele teve de fazer em determinado momento para optar por uma de duas possibilidades, em decisões para integrar um pólo, identificando-se com ele, excluindo o outro. Portanto, a identificação "eu sou ativo e competente", imediatamente exclui "eu sou passivo e incompetente". Na maioria das vezes, a identificação também implica um julgamento de valor. "Devemos ser ativos e competentes, não é bom ser passivo e incompetente." Não importa o quanto tentemos depois endossar essa argumentação com teorias, o julgamento só convence no plano subjetivo.

Do ponto de vista objetivo, esta é precisamente *uma* possibilidade de ver as coisas, e, na verdade, uma possibilidade bem arbitrária. O que pensaríamos sobre uma rosa vermelha que dissesse em voz alta: "Está certo e é bom ter pétalas vermelhas, mas é errado e perigoso ter pétalas azuis?"

Rejeitar qualquer manifestação é sempre sinal de uma identificação falha (... é por isso que a violeta não rejeita florzinhas azuis!).

Assim sendo, toda identificação que se apóia numa decisão deixa um dos pólos de fora, do lado de lá da porta. Porém, tudo aquilo que nós *não* queremos ser, tudo o que *não* desejamos encontrar dentro de nós, tudo o que *não* queremos viver, e tudo o que *não* queremos deixar participar de nossa identificação, forma a nossa sombra. A rejeição da metade de todas as possibilidades não as faz de forma alguma desaparecer, mas sim apenas as *exclui* da identificação pessoal ou da identificação efetuada pela mente consciente.

O "não", na verdade, fez desaparecer de nossa vista um dos pólos, mas nem por isso nos livramos dele. A partir desse momento, o pólo recusado continua a viver na sombra de nossa consciência. Tal como crianças que acham que, ao fechar os olhos, se tornam invisíveis, os homens acreditam que podem se livrar de uma metade da verdade pelo fato de não vê-la. Assim, permitimos que um pólo (por exemplo, a competência) entre no raio luminoso da consciência, ao passo que o pólo oposto (a incompetência) tem de ficar no escuro para não ser visto. Do *não-ver* chega-se logo ao *não-ter* e começamos a acreditar no fato de que um pólo pode existir independentemente do outro.

Com o termo sombra (este conceito foi desenvolvido por C. G. Jung) designamos, portanto, a soma de todos os âmbitos rejeitados da realidade que o homem não quer ver em si mesmo ou nos outros e que, por isso mesmo, permanecem inconscientes. A sombra é o maior perigo para as pessoas, pois elas a têm sem conhecê-la e sem saber que existe. É a sombra que providencia para que todos os nossos esforços e objetivos se transformem realmente em seus opostos. Todas as manifestações provenientes de sua sombra são projetadas pelo homem no mal anônimo que existe no mundo, porque ele tem medo de descobrir a verdadeira fonte de seus *males* dentro de si mesmo. Tudo o que o ser humano de fato não quer, e de que não gosta, provém de sua própria sombra, visto que esta é a soma daquilo que ele não deseja ter. Entretanto, a recusa em aceitar uma parte da realidade e vivê-la, não leva exatamente ao sucesso esperado. Os vários âmbitos da realidade obrigam os homens a se ocuparem intensamente com eles. Isso, na maior parte das vezes, acontece através da projeção, pois assim que recusamos determinado princípio e o banimos, ele sempre gera medo e rejeição em nós, quando o encontramos de novo no assim chamado *mundo exterior*!

Para dar sentido a essas interligações, talvez seja bom lembrá-los outra vez que o conceito de "princípios" compreende âmbitos arquetípicos do Ser, que podem se manifestar numa enorme variedade de formas concretas. Cada manifestação concreta é um representante formal daquele princípio interior. Eis um exemplo: A multiplicação é um princípio. Nesse princípio abstrato, podemos observar as manifestações formais mais variadas (3 vezes 4, 8 vezes 7, 40 vezes 348 etc.). Essas formas exteriormente diferenciáveis de expressão são todas representações daquele único princípio da "multiplicação". Além disso, devemos entender muito bem que o mundo exterior se fundamenta justamente nos mesmos princípios arquetípicos do mundo interior. A lei da ressonância afirma que somente podemos entrar em contato com aquilo que nós mesmos vibramos. Essa idéia, extensivamente apresentada em *O Desafio do Destino*, leva à conclusão inevitável de que o mundo exterior e o mundo interior são idênticos.

Na filosofia hermética, essa igualdade entre mundo exterior e interior — ou entre humanidade e cosmos — está contida na expressão "microcosmo" e "macrocosmo". (Na Segunda Parte deste livro abordaremos esse conjunto de problemas no Capítulo sobre Os Órgãos dos Sentidos, porém de um outro ponto de vista.)

A projeção, portanto, significa que usamos uma metade de todos os princípios que constituem o "lado de fora", porque não os queremos aceitar como estando "dentro de nós". Desde o início dissemos que o *Eu* é responsável pela fragmentação do todo que constitui a existência. O *Eu* constela um *tu* que é sentido como *exterior*. Contudo, se a sombra se compõe de todos aqueles princípios que o *Eu* não quis integrar, nesse caso, em última análise, a *sombra* e o *exterior* são idênticos. Sempre vivenciamos nossa sombra como *exterior* pela simples razão de que, se nós a reconhecêssemos dentro de nós mesmos, ela não seria mais a nossa sombra. É nesse ponto que começamos a lutar contra os princípios que nos parecem vir "de fora" com a mesma paixão com que nos empenhamos em brigar com os que vêm "de dentro". Lançamo-nos numa tentativa de purgar o mundo desses aspectos que consideramos negativos. Mas como isso é impossível — veja a Lei das Polaridades — essa tentativa se transforma numa ocupação de tempo integral, que fará com que nos ocupemos de modo muito intenso com a parte rejeitada da realidade.

É aí que vigora uma lei um tanto irônica, da qual ninguém pode fugir: o ser humano se ocupa mais com aquilo que ele não quer. Ao fazê-lo, aproxima-se tanto do princípio rejeitado que acaba por vivê-lo! Vale a pena nunca mais esquecer essas duas últimas frases. A rejeição de qualquer princípio assegura que a pessoa viva esse mesmo princípio. Segundo tal lei, os filhos adotam mais tarde na vida exatamente os mesmos comportamentos que mais odiavam na personalidade dos pais. É assim que, com o tempo, pacifistas se transformam em militantes bélicos, moralistas levam uma vida de dissipação e os fanáticos pela saúde adoecem.

Existe um fato que ninguém deve desprezar: o de que mesmo a rejeição e a resistência levam por fim à devoção e ao envolvimento. No mesmo sentido, o fato de evitarmos inteiramente qualquer aspecto da realidade indica de fato que ele apresenta um problema para nós.

As áreas de experiência mais interessantes e importantes para nós são exatamente aquelas às quais estamos resistindo, as que estamos evitando, pois são elas que faltam à nossa consciência e nos impedem de sermos "saudáveis". Só podem nos perturbar os princípios que forem capazes de nos atingir "de fora", pela razão de não os termos podido integrar "dentro de nós".

Neste ponto deve estar claro que, na realidade, não existe um meio ambiente que nos modela, nos influencia, nos faz ficar doentes: ao contrário, o mundo "exterior" serve como um espelho em que tudo o que vemos somos nós mesmos, especialmente a nossa sombra, para a qual, não fosse isso, estaríamos interiormente cegos. O mesmo que acontece com o nosso corpo físico quando nos observamos, ou seja, enxergamos somente uma pequena parte do mesmo (a não ser que usemos um espelho para ver os vários aspectos que, caso contrário, continuariam invisíveis, como cor dos olhos, rosto, costas etc.); acontece com a nossa psique, para a qual somos parcialmente cegos, pois só podemos captar sua parte que nos é invisível (a sombra) através de sua projeção ou reflexo no ambiente denominado "mundo exterior". O reconhecimento depende, em suma, da polaridade.

O reflexo só tem utilidade para quem de fato se reconhecer no espelho. Caso contrário, ele se torna uma ilusão. Se você olhar para os seus belos olhos azuis sem compreender que é para os *seus* próprios olhos que está olhando, terá o que merece — ou seja, uma ilusão em vez de conhecimento. Os habitantes deste mundo que não reconhecerem que tudo o que sentem e experimentam nada mais é do que *eles mesmos*, estão fadados a viver numa teia de decepções e ilusão. Concordo que a ilusão parece de fato autêntica e real (muitos até falam que ela pode *ser provada*); no entanto, não se deve esquecer que também um sonho parece muito autêntico e real enquanto estamos sonhando. Precisamos despertar antes de reconhecer que o sonho não passa de um sonho. O mesmo vale para o grande sonho de nossa vida cotidiana. Sempre teremos de despertar se quisermos ver mais além da ilusão.

Nossa sombra nos infunde medo. Isso não deve causar surpresa, pois na verdade ela consiste em todos aqueles aspectos da realidade que afastamos o mais possível de nós, que menos desejamos viver ou até mesmo descobrir que existem em nosso íntimo. A sombra é tudo aquilo que estamos profundamente convencidos ser necessário expurgar do mundo para que este seja bom e íntegro. No entanto, acontece justamente o contrário: a sombra contém tudo aquilo que o mundo, o nosso mundo, mais precisa para sua salvação e cura. É a sombra que nos torna doentes, portanto, não saudáveis, porque ela é a única coisa que está faltando para nosso *bem-estar*.

O tema da lenda do Graal é exatamente este.

O rei Anfortas está doente — ele foi ferido pela espada do amigo negro Klingsor, ou, em outras versões, por um pagão ou até mesmo por um adversário invisível. Todos esses personagens são símbolos evidentes da sombra de Anfortas — seu oponente invisível aos próprios olhos. É sua sombra que o fere, e por si mesmo ele é incapaz de se curar, pois não ousa tentar descobrir a verdadeira causa de seu ferimento. A pergunta imprescindível seria ele questionar-se quanto à natureza de seu mal. Como não está preparado para travar essa luta, o seu ferimento não pode sarar. Ele espera um salvador que tenha a coragem de fazer a pergunta curativa. Parsifal tem a disposição para essa tarefa, pois como o seu nome diz, atravessa a polaridade bem/mal e, desta forma, conquista o direito legítimo de fazer a pergunta salvadora, a pergunta que cura: "O que lhe falta, meu tio?" A resposta é sempre a mesma, tanto no caso de Anfortas como no de qualquer paciente: "A sombra!" Também em nosso caso pessoal, a mera formulação da pergunta acerca do âmbito escuro do ser humano já tem um efeito curativo. Em seu caminho, Parsifal confrontou com coragem a sua sombra e desceu às profundezas de sua alma, até maldizer Deus. Quem não temer esse caminho através das trevas finalmente se tornará um autêntico curador, um salvador. Todos os heróis míticos precisavam lutar com monstros, dragões e demônios, inclusive até com o próprio inferno, caso quisessem tornar-se sãos e curadores.

A sombra nos deixa doentes, o encontro com a sombra nos faz sarar! Essa é a chave para entendermos a doença e a cura. Todo sintoma é um aspecto da sombra que se precipitou no corpo físico. É no sintoma que se manifesta aquilo que nos faz falta. É no sintoma que o homem vive aquilo de que não quis tomar consciência. O sintoma usa o corpo como um instrumento para fazer a pessoa tornar-se outra vez um todo. Trata-se do Princípio da Complementação que cuida para que, em última análise, não se perca a totalidade. Se uma pessoa se recusa a viver um princípio em sua consciência, esse princípio desce para o nível do corpo e aparece então como sintoma. Dessa maneira, a pessoa é obrigada a viver e, a despeito de tudo, a manifestar o próprio princípio que rejeitou. É assim que o sintoma providencia a totalidade do indivíduo, ele é o substituto físico do que falta à alma.

Agora entendemos por um novo prisma a antiga questão: "O que lhe falta?" e o jogo inerente à resposta: "Eu tenho este ou aquele sintoma". O sintoma mostra, na realidade, aquilo que faz falta ao paciente, pois ele é o próprio princípio ausente, que ora é revelado pelo corpo de uma forma material visível. Não é de admirar que detestemos tanto nossos sintomas, visto que são eles que nos obrigam a expressar justamente aqueles princípios que mais tencionamos não expor. Assim, continuamos a combater os sintomas, sem aproveitar a oportunidade que representam de servir à nossa cura. Afinal, são justamente eles que nos permitem entender e enxergar aqueles aspectos psíquicos que, de outro modo, nunca descobriríamos existir dentro de nós mesmos, já que vivem na sombra. Nosso corpo é o espelho de nossa alma; na verdade, ele nos mostra aquilo de que a alma nunca poderia tomar conhecimento sem ter uma base com que se comparar. Mas, de que adianta até mesmo o melhor dos espelhos se não relacionamos conosco o que vemos? Este livro pretende ensinar a forma de observação de que precisamos dispor, se quisermos descobrir nossa verdadeira personalidade através de nossos sintomas.

A sombra torna o homem desonesto. Ele sempre acredita ser aquilo com que se identifica, que é tal como ele se vê. Essa forma de auto-avaliação corresponde ao que chamamos de desonestidade. No caso, estamos falando de desonestidade consigo mesmo (e não de quaisquer mentiras ou fraudes contra outros seres humanos). Todas as ilusões deste mundo são relativamente inocentes se comparadas àquela que infligimos a nós mesmos durante toda a nossa vida. Sermos honestos acerca de nós mesmos é um dos maiores desafios que temos de enfrentar. É por isso que o autoconhecimento tem sido considerado a missão mais difícil e importante por todos os que estão em busca da verdade. Conhecer a si mesmo não significa descobrir o eu e, sim, descobrir o *self*, visto que este é oniabrangente, enquanto o eu divide e define constantemente a totalidade, impedindo-nos de conhecer o todo que compõe o *self*. Por outro lado, àqueles de nós que estiverem preparados para lutar, no sentido de serem mais honestos consigo mesmos, a doença pode tornar-se um maravilhoso auxílio ao longo do caminho, pois a doença nos torna pessoas honestas! Nos sintomas da doença vivemos de maneira clara e visível aquilo que sempre banimos da psique e que queremos ocultar.

A maioria das pessoas acha difícil falar livre e francamente sobre seus problemas mais profundos (se é que de fato os conhecem). Contudo, elas falam abertamente sobre seus sintomas para qualquer pessoa. Mas não há maneira mais clara de contar aos outros quem de fato somos! A doença nos torna honestos e, impiedosamente, traz à tona os abismos da alma que vínhamos tentando ocultar. Essa honestidade (involuntária) também é a base para a simpatia e a dedicação que se manifestam diante das pessoas doentes. A honestidade faz com que o doente seja simpático, pois é quando está doente que o homem mostra como ele é. A doença compensa todas as unilateralidades e traz o doente de volta ao centro. Aí desaparecem de súbito parte das manipulações do ego inflado e de sua pretensão de poder; muitas ilusões são destruídas num instante; de repente os caminhos de vida são questionados. A honestidade possui uma beleza que, em parte, se torna visível nas pessoas doentes.

Vamos resumir o que foi dito. Como microcosmo, o ser humano é um reflexo do universo e contém em sua consciência a soma de todos os princípios de vida. O seu caminho através do mundo das polaridades o obriga a manifestar esses princípios latentes, de tal forma que com a ajuda destes possa tornar-se progressivamente mais consciente de si mesmo. Mas conhecimento pressupõe polaridade e esta, por sua vez, obriga o ser humano a um ritmo ininterrupto de decisões. Toda decisão divide a unidade em dois pólos, um que é aceito e outro que é rejeitado. O aspecto aceito da polaridade é expresso no comportamento e é integrado no nível da consciência. O pólo abandonado é expulso para a sombra e continua exigindo atenção, visto que parece sempre estar voltando "de lá". A doença é a mais específica e comum expressão desta lei geral, segundo a qual os aspectos da sombra são precipitados na forma humana, e nela são somatizados como sintomas. Por meio do corpo, todo sintoma força o ser humano, apesar de seus esforços em contrário, a manifestar algum dos princípios que, deliberadamente, havia optado por não viver; isso restabelece o equilíbrio. Nessa medida, um sintoma é a expressão física de alguma coisa que está na consciência humana. O sintoma torna os homens honestos porque torna visível o que eles reprimiram.

4
Bem e Mal

Um poder latente envolve todos os mundos, todas as criaturas, o bem e o mal. E esse poder é a verdadeira Unidade. Como ele pode abrigar dentro de si os opostos do bem e do mal? Na verdade não existe paradoxo nessa afirmação, pois o mal serve de trono para o bem.

Baal Schem Tow

É forçoso que abordemos um assunto não só da maior dificuldade para nós, seres humanos, como também é um tema que está sujeito a toda sorte de mal-entendidos. É muito arriscado destacar de forma aleatória algumas sentenças ou excertos do presente contexto e misturá-los a outros contextos filosóficos diferentes. Justamente a análise do bem e do mal, segundo a nossa experiência, pode provocar a emergência de medos os mais profundos e arraigados, capazes de confundir em especial a organização emocional e de perder seu poder de discriminação. No entanto, apesar do risco, ousaremos fazer a pergunta que Anfortas evita; mais precisamente, qual é a natureza do mal. Pois, quando constatamos que a doença é uma conseqüência das ações da sombra, ela deve sua existência à nossa indecisão entre o bem e o mal, entre o que é certo e o que é errado.

A sombra contém tudo o que o homem classificou como "mal"; é por esse motivo que também a sombra tem de ser "má". Sendo assim, os homens não só acham justificável, mas até mesmo necessário por uma questão de ética e moralidade, lutar contra a sombra e eliminá-la sempre que ela surgir à tona. Também neste caso, a humanidade fica tão fascinada com a lógica aparente que não percebe que seu nobre objetivo está prestes a falhar, que a erradicação do mal não funciona. Por isso mesmo, acho que vale a pena analisar este assunto "do bem e do mal" outra vez, talvez de pontos de vista inusitados.

A análise anterior sobre a Lei da Polaridade nos fez chegar à conclusão de que o bem e o mal são dois aspectos de uma e mesma unidade e que, portanto, dependem um do outro para existir. O bem vive do mal e o mal, do bem e todo aquele que alimentar o bem, também estará, talvez sem ter consciência disso, alimentando o mal. À primeira vista, afirmações como a que acabamos de fazer podem parecer assustadoras e, no entanto, é difícil contestar sua correção, tanto no plano teórico como no prático.

Nossa posição cultural, no que se refere aos conceitos de bem e mal, está amplamente impregnada pelos ensinamentos da teologia cristã; portanto, é fortemente impregnada pelo Cristianismo. A mesma posição cultural vale para os círculos que se imaginam livres de ligações religiosas. Por isso nos propomos a analisar neste livro os conceitos e símbolos religiosos, esforçando-nos por obter uma melhor compreensão do significado do bem e do mal. Não temos, no entanto, a intenção de afirmar que qualquer teoria ou avaliação *deriva* de imagens bíblicas. Preferimos dizer que as histórias e imagens mitológicas são especialmente apropriadas para tornar os difíceis problemas metafísicos mais acessíveis à compreensão humana. O fato de citarmos histórias bíblicas depende tão-somente da visão cultural que herdamos; disso decorre que, ao mesmo tempo, descobriremos os pontos de divergência que separam a típica interpretação da teologia cristã sobre o bem e o mal daquela que é universal a todas as demais religiões do mundo.

No problema específico que abordamos, há no Antigo Testamento uma fonte bastante fecundada para o entendimento da assim chamada Queda do Paraíso. Recordamo-nos de que na Segunda Criação nos contam que o primeiro ser humano — um andrógino — Adão, é colocado no Paraíso no qual encontra todo o reino da natureza, e se vê diante de duas árvores muito especiais: a Árvore da Vida e a Árvore do Conhecimento do Bem e do Mal. Para compreender melhor essa narrativa mitológica é importante assinalar que Adão não é um homem, porém um andrógino. Ele é um ser humano total, não está sujeito à polaridade, não está dividido em pares de opostos. Ele ainda é *uno* com toda a Criação, e esse estado de consciência é descrito como estar no Paraíso. Embora o ser humano Adão ainda viva num estado de unidade de consciência, o tema da polaridade já é antecipado pela presença das duas árvores.

O tema da divisão perpassa toda a história da Criação, pois criar só é possível através de um processo de separação e divisão. É assim que o primeiro relato sobre a Criação já nos fala exclusivamente de polarizações: luz e trevas, água e terra, Sol e Lua etc. Apenas o ser humano, ao que nos consta, foi criado como "homem e mulher". Contudo, à medida que a narração prossegue, cada vez mais se intensifica o tema da polaridade. Eis que, finalmente, Adão resolve colocar parte de si mesmo "do lado de fora" e deixá-la adquirir vida independente. Inevitavelmente, esse passo já é um indício da perda de consciência — a nossa história relata esse fato dizendo que Adão adormeceu. Deus tirou do ser humano Adão, que era íntegro e sadio, uma de suas costelas e transformou-a em algo totalmente independente.

No texto original hebraico, a palavra que foi traduzida por Lutero como "costela" é *tselah* = flanco. Ela vem de mesma raiz que *tsel*, sombra. O ser humano são, inteiro, é receptivo e composto de dois aspectos formalmente diferenciáveis, chamados *homem* e *mulher*. Contudo, a divisão não atinge inteiramente a consciência dos dois seres humanos originais, visto que eles não reconhecem ainda suas diferenças, pois estão morando na totalidade do Paraíso. No entanto, a divisão formal providencia a oportunidade para a serpente seduzir a mulher — que é a parte mais vulnerável do ser humano — com suas palavras aliciadoras, prometendo-lhe que, ao comer o fruto da Árvore do Conhecimento, ela poderia distinguir entre o bem e o mal, ou seja, passaria a ter poder de discriminação.

A serpente cumpre sua promessa. Os homens passam a ver a polaridade e a distinguir entre bem e mal, entre homem e mulher. Com este passo, a raça humana perdeu sua totalidade (consciência cósmica) e atingiu a polaridade (poder de discriminação), o que, necessariamente, implica ter de abandonar o Paraíso, o Jardim da Unidade, e mergulhar no mundo polarizado das formas materiais.

Essa é a história da Queda do Paraíso, do pecado original. Nesta "queda", o homem caiu da unidade para a polaridade. A mitologia de todas as raças e de todos os tempos conhece esse tema inerente à condição humana e o narra de modo semelhante. O pecado dos homens está no fato de terem se *apartado da unidade*. Ora, as palavras *pecado* e *afastamento* são lingüisticamente aparentadas. Na língua grega se percebe o verdadeiro sentido da palavra *pecado*: *hamartäma* quer dizer "o pecado" e o verbo correspondente *hamartanein* significa "deixar de acertar o alvo", "perder o ponto", "pecar". Aqui, então, *pecado* é a incapacidade de acertar o alvo, ou seja, exatamente o símbolo da unidade inatingível e inalcançável para a humanidade, pois ele não tem uma localização definitiva e muito menos uma extensão. A consciência polarizada é incapaz de acertar o alvo, de encontrar a unidade, e isso é o pecado. Pecar é sinônimo de *polarizar-se*. Com essa explicação, também a idéia cristã do "pecado original" se torna mais fácil de compreender.

Os homens se vêem diante de uma consciência polarizada: eles são *pecadores*. Não existe motivo original, no sentido causal. Essa polaridade obriga-nos a seguir nosso caminho em meio ao mundo de opostos até aprendermos a integrar tudo o que precisamos a fim de mais uma vez nos tornarmos "perfeitos como o Pai no Céu é perfeito". O caminho através das polaridades, no entanto, implica inevitavelmente em tornar-se *culpado*. O conceito do "pecado original" demonstra, de modo muito claro, que o pecado nada tem que ver com o verdadeiro comportamento das pessoas. É importante pormos isso na cabeça, pois ao longo do tempo a Igreja distorceu o conceito de pecado e levou o povo a acreditar que pecado consiste em fazer o mal, e que pode ser evitado ao se praticar o bem e agir corretamente. O pecado, porém, não é só um dos pólos da polaridade: é a polaridade propriamente dita. E é por isso que o pecado é inevitável — *qualquer* ação humana é pecaminosa.

Encontramos essa mensagem, na sua forma mais íntegra, na tragédia grega, cujo tema central é o de que os seres humanos precisam decidir-se constantemente entre duas possibilidades, sempre terminando como culpados seja qual for sua decisão. Para a história do Cristianismo foi fatídico exatamente este mal-entendido teológico da verdadeira natureza do pecado. As constantes tentativas dos fiéis para não cometerem pecados e evitarem praticar o mal levou à repressão daqueles âmbitos de comportamento classificados como errados, o que determinou um lento crescimento da sombra.

É à sombra que temos de agradecer o fato de o Cristianismo ter-se tornado, no decurso do tempo, uma das mais intolerantes religiões do mundo, responsável pela Inquisição, pela caça às bruxas e até mesmo pelo genocídio. O pólo que recusamos viver sempre se manifesta no final: na verdade, em geral, ele domina as almas mais nobres no momento exato em que elas menos esperam por isso.

A polarização entre "bem" e "mal" também provocou no Cristianismo algo que não é comum em outras religiões, mais precisamente, o confronto entre Deus e o diabo, como se estes fossem os representantes do "Bem" e do "Mal". Na medida em que transformou o diabo em rival de Deus, este foi irresistivelmente atraído para o mundo das polaridades. Com isso, Deus perdeu sua capacidade de cura. Deus é a Unidade que une indistintamente todas as polaridades dentro de Si mesmo, inclusive o "bem" e o "mal", é claro. Por outro lado, o demônio é uma polaridade, o Senhor da Divisão, ou, nas palavras de Jesus, "o senhor deste mundo". É por essa razão que ele é sempre representado pelos símbolos da dualidade, como chifres, ferraduras, garfos, pentagramas com duas pontas voltadas para cima etc. Trata-se de uma linguagem simbólica para demonstrar que o mundo polarizado é demoníaco, ou seja, pecaminoso. E, uma vez que não há meios para modificarmos isto, todos os grandes mestres nos ensinam a abandonar o mundo polarizado.

É aqui que enfrentamos a grande diferença entre a religião e a assistência social. Nenhuma religião verdadeira tentou transformar o mundo num paraíso, porém ensinou o caminho para fora dele, rumo à unidade. A verdadeira filosofia sabe que num mundo polarizado não é possível concretizar apenas um dos pólos, que, em tal mundo, é preciso compensar toda alegria com a mesma quantidade de sofrimento. Neste sentido, por exemplo, o conhecimento é "demoníaco", pois ele defende a polaridade e nutre a multiplicidade. Toda utilização funcional das possibilidades humanas sempre tem algo de diabólico, pois essa utilização vincula a energia à polaridade e impede a unificação. É este o conteúdo da tentação de Jesus no deserto: o demônio *apenas* estimula Jesus a devotar seus poderes à criação de mudanças inócuas, talvez até mesmo úteis. Devemos lembrá-los de que sempre que atribuímos uma qualidade demoníaca a alguma coisa, o objetivo não é simplesmente relacionar conceitos como *pecado, culpa* e *demônio* a uma polaridade, chegando à conclusão de que tudo o que dela participa pode ser designado assim. Independentemente do que o homem fizer, ele se tornará culpado e, portanto, pecador. É importante que o ser humano aprenda a conviver com essa culpa, caso contrário, ele acaba sendo desonesto consigo mesmo. A salvação do pecado é obter a unidade, mas é impossível alcançá-la evitando justamente parte da realidade. É isso que torna o caminho rumo à cura tão difícil: precisamos passar pela culpa a fim de chegarmos lá.

Nos Evangelhos, esse antigo mal-entendido sempre está presente. Os fariseus defendem o ponto de vista tipicamente eclesiástico, de que a salvação pode ser obtida se seguirmos os mandamentos e evitarmos o mal. Jesus mostra esse mal-entendido ao dizer: "Quem de vós estiver sem pecado, que atire a primeira pedra." No Sermão da Montanha, ele enfatiza e torna relativa a Lei de Moisés, pois na época em que Ele viveu, ela era bastante distorcida pela interpretação literal. Jesus assinalou que um simples pensamento tem o mesmo peso que sua concretização no exterior. Queremos chamar a atenção para o fato de que o efeito da exegese de Jesus no Sermão da Montanha não tornou os mandamentos mais rígidos, mas sim expôs a ilusão de que o pecado pode ser evitado através do mero recurso da polaridade. No entanto, apesar disso, o povo que vivia há dois séculos já considerava a doutrina real tão questionável e irritante que tentou expurgá-la de vez. A verdade sempre irrita, não importa por quem seja dita. Ela destrói todas as ilusões com que o nosso Eu vive tentando se salvar. A verdade é dura, cortante e pouco propícia aos devaneios e ao auto-engano moral.

Como se lê nas palavras de *Sandokai*, um dos textos da doutrina Zen:

> Luz e sombra
> são opostos.
> No entanto,
> uma depende da outra
> como o passo da perna direita
> depende do passo da perna esquerda.

No *Livro Verdadeiro da Fonte Original* lemos o seguinte texto "alertando-nos contra as boas obras". Yang Dschu diz:

"Quem faz o bem talvez não o faça visando a fama; no entanto, esta o acompanhará. A fama nada tem a ver com o lucro; mas o lucro seguirá seus passos. O lucro nada tem a ver com o conflito, mas este surgirá seja como for. Portanto, que o Grande Honorável os proteja de fazer o bem."

Como autores deste livro sabemos muito bem que grande desafio é apresentar um questionamento à exigência fundamental — e tida como garantida — de que devemos fazer o bem e ficar longe do mal. Também estamos cientes de que é inevitável que esse tema desperte o medo, o qual podemos combater com mais facilidade se nos agarrarmos às normas aceitas até o momento. No entanto, devemos ousar abordar este tema em todos os seus aspectos.

Não é nossa intenção derivar nossas teses de qualquer religião, contudo, o mal-entendido de que falamos acima relativo à natureza do pecado, trouxe ao círculo cultural cristão uma noção de valores hoje profundamente arraigada em nós, da qual nos valemos muito mais do que gostaríamos. As outras religiões não tiveram e não têm necessariamente a mesma grande dificuldade com este problema. Na trilogia dos deuses hindus — Brahma, Vishnu e Shiva — é Shiva que detém o papel de destruidor e, assim, ele representa a força antagônica a Brahma, o construtor. Uma apresentação como essa torna mais fácil para os homens compreender a inevitável alternância entre forças complementares. De Buda, narra-se a seguinte história: Um jovem aproximou-se dele e pediu para se tornar seu discípulo. Buda lhe perguntou: "Acaso você já roubou?" O jovem respondeu: "Nunca." Buda retrucou: "Então, vai e rouba e, quando aprenderes a fazê-lo, podes voltar."

Em *Shinjinmei*, o mais antigo e por certo o mais importante texto do Zen-Budismo, vemos no versículo 22: "Se restar em nós a mais leve idéia de certo e errado, então nosso espírito se perderá na confusão." O desespero que divide as polaridades em opostos é o mal; no entanto, ele é o próprio caminho que temos de trilhar para obter a *percepção intuitiva.* Nossa percepção precisa de dois pólos para funcionar; no entanto, não devemos nos limitar a seu antagonismo mútuo, e sim usar sua tensão como fonte de energia e poder no caminho rumo à unidade. O ser humano é pecador, culpado; mas é justamente essa culpa que representa uma garantia na luta pela liberdade.

Parece-nos muito importante que o homem aprenda a aceitar a sua culpa, sem se deixar oprimir pelo peso da mesma. A culpa humana tem natureza metafísica e não é *provocada* diretamente pelas ações dos homens. Sua necessidade de escolher e agir é a expressão visível dessa culpa. A aceitação da culpa elimina o medo de tornar-se culpado. O medo representa limitação e é exatamente isso que impede a necessária abertura e expansão da pessoa. Não escapamos ao pecado na medida em que nos esforçamos para fazer o bem, pois isto sempre implica reprimir o pólo oposto, que também é importante. A tentativa de fugir do pecado fazendo o bem apenas nos leva a ser desonestos.

O caminho para a unidade, ao contrário, exige mais do que simplesmente fugir ou olhar para o lado. Exige que nos tornemos mais conscientes da polaridade que existe em todas as coisas, sem ter medo de passar pelos conflitos inerentes à natureza humana. Só assim poderemos desenvolver a habilidade de unificar os opostos em nós mesmos. O desafio não é redimir-nos evitando os conflitos, mas permitindo-nos as vivências. Portanto, é necessário estar sempre questionando nossos sistemas de valores fossilizados, e reconhecer que o segredo do mal está, em última análise, no fato de que ele na verdade nem sequer existe.

Já dissemos que além de todas as polaridades existe uma unidade à qual chamamos de Deus ou "Luz". No começo era a Luz, na forma da

Unidade oniabrangente. Além da Luz não havia nada pois, do contrário, a Luz não seria oniabrangente. Junto com a polaridade surgiu a escuridão, apenas para tornar a Luz visível. Portanto, apesar de mero subproduto da polaridade, as trevas são imprescindíveis para tornar a Luz visível à consciência polarizada. Com isso, as trevas se tornaram servas ou facilitadoras da Luz, "portadoras da Luz", como nos lembra o próprio nome Lúcifer. Se a polaridade desaparecer, a escuridão desaparecerá também, visto que ela não tem existência independente. A luz existe, mas a escuridão não. É por isso que muitas das lutas citadas entre as forças da luz e das trevas não são autênticas, pois já conhecemos o resultado final. A escuridão não pode fazer nada contra a luz. Por outro lado, a luz transforma de imediato as trevas em luz, razão pela qual aquela tem de evitar esta se não quiser que sua não-existência seja revelada.

Podemos ver o efeito do funcionamento desta lei até no contexto do nosso mundo conhecido, o mundo físico, pois tal como é em cima, é embaixo. Vamos imaginar, por exemplo, que temos um aposento repleto de luz e que, do lado de fora, impera a escuridão. Podemos abrir alegremente as portas e janelas e deixar a escuridão entrar, pois a mesma não transformará as trevas em luz. Agora, invertamos o exemplo: temos um aposento escuro que está cercado pela luz do exterior. Se abrirmos as portas e janelas, desta vez a luz transmutará a escuridão e o aposento ficará iluminado.

O mal é um produto sintético da nossa consciência polarizada, assim como o tempo e o espaço, e serve como um intermediário para a percepção do bem, sendo de fato o próprio útero da luz. É por isto que o mal nunca é o oposto do bem: a polaridade em si é que é má, ou um pecado, pois o mundo da dualidade não tem um limite natural e, assim sendo, não tem experiência própria. Ele apenas leva ao *desespero*, que por sua vez só serve para um novo início e para a *compreensão* de que a salvação dos homens só pode ser encontrada na Unidade. A mesma lei também serve para a nossa consciência. Usamos a palavra *consciente* para designar as características e os aspectos humanos que ficam na luz de sua consciência e que os homens podem ver. A área que não é iluminada pela luz da consciência, e que portanto é escura, denomina-se *inconsciente*. Contudo os aspectos sombrios somente parecem maus e infundem temor enquanto estão na sombra. O simples fato de olhar para os conteúdos da sombra traz luz para as trevas e isso basta para tornar o inconsciente consciente.

Olhar para as coisas é a grande fórmula mágica do caminho para o autoconhecimento. O mero fato de observar modifica a qualidade daquilo que está sendo observado, pois esse ato traz luz, ou seja, consciência à escuridão. Os homens vivem desejando mudar tudo e não compreendem que a única coisa que se exige deles é a capacidade de observação. O mais elevado objetivo dos homens — quer lhe demos o nome de sabedoria ou de iluminação — está na capacidade de poder *observar* tudo e de poder conhecer que é bom do jeito que está. Esse é o verdadeiro autoconhecimento. Enquanto algo perturbar o homem e ele considerar que isso tem de ser alterado, ainda não atingiu o autoconhecimento.

Precisamos aprender a observar as coisas e os acontecimentos deste mundo sem que o nosso ego desenvolva uma simpatia ou antipatia imediata; é preciso que aprendamos a contemplar com uma mente inteiramente em paz a totalidade do jogo multifacetado da ilusão (*maya*). É por isso que lemos no texto zen acima citado que basta um pequeno conceito de Deus ou do demônio para trazer confusão ao nosso espírito. Qualquer julgamento de valor nos enreda no mundo das formas nos leva ao apego. Enquanto formos apegados não nos livraremos do sofrimento. Continuaremos pecadores, imperfeitos e doentes. No ínterim, perdura o nosso anseio por um mundo melhor e existe a tentativa de mudá-lo. E eis o homem outra vez perdido em meio às ilusões dos reflexos, pois ele acredita na imperfeição do mundo e não percebe que é só o seu olhar que é imperfeito, já que o impede de ver a totalidade.

É por isso que temos de aprender a nos reconhecer em tudo e, assim, sermos totalmente imparciais. A imparcialidade implica buscar o ponto central entre as polaridades e então, a partir deste ponto, observar o ritmo em constante alternação dos pólos. A imparcialidade é a única postura que nos permite observar os fenômenos aparentes sem avaliá-los, sem manifestar um apaixonado sim ou não, sem nos identificarmos com eles. Não devemos confundir essa imparcialidade com indiferença, que é uma mescla de desinteresse e falta de envolvimento, à qual Jesus se refere quando fala dos "mornos". Estes nunca se envolvem nos conflitos e acreditam que se pode, através da repressão e da força, alcançar aquele mundo *perfeito* que o buscador genuíno tem de trabalhar com afinco para alcançar, na medida em que reconhece a dimensão conflitante de sua vida, e que não teme percorrê-la de forma consciente e deliberada, através das polaridades, a fim de superá-las. Essa pessoa sabe que, a qualquer momento, terá de ouvir outra vez os opostos que seu ego criou. Esse buscador não teme as escolhas necessárias, mesmo sabendo que com elas sempre se torna "culpado"; esforça-se, porém, para não estagnar nessa culpa.

Os opostos nunca se unirão por si mesmos; temos de vê-los em ação antes de começar a aceitá-los. Só então, quando tivermos conseguido integrar ambos os pólos, torna-se possível descobrir aquele ponto central de onde encetar a missão de uni-los. De todas as abordagens, o escapismo e o ascetismo são as menos indicadas para atingir essa meta. O melhor a fazer é enfrentar os desafios da vida com consciência, com coragem, sem medo. A expressão mais importante da frase precedente é *com consciência,* pois é unicamente a consciência que pode nos permitir observar tudo o que fazemos e que pode assegurar-nos o êxito em nossa busca. O que a pessoa faz não tem tanta importância; o que importa é *como* ela o faz. Os julgamentos "bom" e "mau" sempre se referem ao que a pessoa faz. Mas aqui essa consideração é substituída pela pergunta *como é feito.* Estaremos agindo com consciência? Há envolvimento do ego no que fazemos? Estamos agindo sem deixar que ele se envolva? A resposta a essas questões é que decidirá se estamos usando nossas ações para ficarmos presos ou para nos libertarmos.

Os mandamentos, as leis e a moral não acompanham o ser humano até este alcançar o objetivo da perfeição. Obediência é uma ótima virtude mas não basta, pois é bom que saibam, "também o demônio obedece". Mandamentos e proibições externos são bastante válidos enquanto a nossa consciência ainda está amadurecendo, e até aprendermos a ser responsáveis por nós mesmos. Ensinar nossos filhos a não brincar com fósforos é correto, mas isso se torna supérfluo quando eles crescem. Quando encontramos nossa própria lei interior, esta nos livra de todas as outras. A lei mais interior de cada uma das pessoas é a obrigação de descobrir o seu verdadeiro centro, o seu si-mesmo, e de concretizá-lo, ou seja, tornar-se uno com tudo o que existe.

A ferramenta essencial para unir os opostos chama-se *amor*. O princípio do amor implica receptividade e abertura para deixar entrar tudo aquilo que até então era *exterior*. O amor busca a unificação; o amor quer fundir-se e não isolar-se. O amor é a chave para a união dos opostos, visto que ele transforma o tu em eu, e o eu em tu. O amor é uma aceitação que não tem limites nem imposições; é incondicional. O amor quer tornar-se uno com o universo inteiro e, enquanto não conseguirmos isso, não teremos concretizado o amor. Enquanto o amor ainda for seletivo, não será verdadeiro, pois o amor não separa. O que separa é a escolha. O amor não conhece ciúme, pois não quer possuir nada: ele quer irradiar-se.

O símbolo para esse amor oniabrangente é o próprio amor de Deus pelos homens. Nesse contexto, dificilmente cabe a idéia de que Deus faz diferenças ao distribuir Seu amor. Também não passaria pela cabeça de ninguém ter ciúme de Deus porque ele ama outras pessoas. Deus — a Unidade — não diferencia entre bom e mau, e é por isso que Ele *é* o amor. O sol irradia seu calor para *todos* os seres humanos e não distribui seus raios segundo o merecimento dos mesmos. Só o ser humano se acha no direito de atirar pedras; ao menos, ele não deveria admirar-se de só acertar em si mesmo. O amor não conhece fronteiras, o amor não conhece obstáculos, o amor transmuta. Amem o mau — e ele será redimido.

5
O Ser Humano Está Doente

Um asceta estava meditando em uma caverna. De repente, um rato entrou e deu uma mordida em sua sandália. Aborrecido, o asceta abriu os olhos.
— Por que você está perturbando a minha meditação?
— Estou com fome — guinchou o rato.
— Vai embora, rato louco — pregou o asceta. — Estou procurando a união com Deus. Como se atreve a me perturbar?
— Como espera tornar-se um com Deus — perguntou o rato — se nem mesmo consegue tornar-se um comigo?

Tudo o que analisamos até aqui serve para nos tornar cientes de que o ser humano *está doente*, e não que ele *fica doente*. É aqui que está a grande diferença entre o nosso ponto de vista sobre a doença e o da medicina convencional. Esta vê a doença como uma perturbação indesejada do "estado natural de saúde" e, conseqüentemente, não só tenta fazer o "distúrbio" desaparecer tão rápido quanto possível como também acha que sua principal missão é impedir que a doença tome conta das pessoas até o ponto de eliminá-la de vez. Este livro, ao contrário, deseja tornar claro que a doença é muito mais do que uma mera disfunção natural. Na verdade, ela faz parte do sistema de controle total que no momento atual se destina a estimular a nossa evolução. Não se deve livrar os seres humanos da doença pela simples razão de que a saúde de fato precisa dela por ser o seu par polarizado complementar.

Na verdade, a doença é a revelação do fato de que somos pecadores, culpados, ou de que não estamos bem; trata-se do resultado microcósmico da Queda. Mas isso não quer dizer que esses termos tenham relação com a noção de castigo. Seu significado é simplesmente o seguinte: enquanto participarmos da polaridade, também participaremos da culpa, da doença e da morte. Assim que aceitarmos esses fatos, eles deixam de ter quaisquer conotações negativas. O que os torna nossos inimigos mortais é o mero fato de nos recusarmos a admiti-los, é o fato de insistirmos em julgá-los e em opor-lhes resistência.

O homem está doente porque lhe falta a Unidade. O homem sadio, ao qual não falta nada, só existe nos livros de medicina. Na vida, não se conhece um único exemplar desses. Pode bem haver pessoas que há vários anos não mostram sintomas específicos de qualquer doença grave, porém isto não altera a afirmação de que também elas são doentes e mortais. Estar doente, neste contexto, significa ser imperfeito, inseguro, vulnerável e mortal. Se observarmos mais de perto, veremos quão surpreendentes são os males que todos nós, considerados sadios, apresentamos. Em seu *Lehrbuch für psychosomatische Medizin* [Manual de Medicina Psicossomática], Bräutigam registra que, ao entrevistar numa empresa operários e funcionários que não estavam doentes, e ao examiná-los detalhadamente, descobriu que havia distúrbios físicos e mentais que surgiam quase com a mesma freqüência com que apareciam em exames feitos em pacientes de hospitais. No mesmo manual, Bräutigam publica a seguinte tabela estatística, fundamentada numa pesquisa de E. Winter em 1959:

Queixas de 200 empregados sadios numa entrevista

Irritações gerais	43,5%
Distúrbios estomacais	37,5%
Ansiedade	26,5%
Inflamações freqüentes da garganta	22,0%
Tonturas, desmaios	17,5%
Insônia	17,5%
Problemas menstruais	15,0%
Prisão de ventre	14,5%
Suores repentinos	14,0%
Dores cardíacas, taquicardia	13,0%
Dores de cabeça	13,0%
Eczemas	9,0%
Edema imaginário da glote	5,5%
Males reumáticos	5,5%

Edgar Hein diz, em seu livro *Krankheit als Krise und Chance* [A Doença como Crise e Oportunidade]: "Em vinte e cinco anos de vida, um adulto passa em média por uma doença que põe sua vida em risco, vinte doenças graves e cerca de duzentas doenças de gravidade média."

Devemos nos livrar, então, de toda ilusão de que se pode evitar ou talvez, quem sabe, eliminar a doença. Como seres humanos estamos predispostos aos conflitos e, por isso mesmo, também ficamos doentes. A natureza cuida para que o homem cada vez mergulhe mais fundo em suas doenças, e seus esforços nesse sentido são coroados com a morte. O fim natural da parte material de nossa vida é a integração com a vida mineral. E a natureza providencia para que cada passo que dermos nos leve cada vez mais perto de nosso objetivo. A doença e a morte destroem a mania de grandeza dos homens e corrigem sua unilateralidade.

O homem vive do seu ego, que sempre está faminto de poder. Todo "mas o que eu quero é" expressa essa ânsia pelo poder. O eu cada vez infla mais e sabe muito bem como nos pressionar a servi-lo, apresentando-se sempre com novos e mais nobres disfarces. O eu tem de respeitar seus limites e por isso teme a entrega, o amor ou tudo o que leve à unificação. O eu toma as decisões e concretiza um pólo em detrimento do outro, que é relegado à sombra, ao exterior, ao tu, ao meio ambiente. A doença compensa todas essas unilateralidades na medida em que empurra o ser humano para o pólo oposto, obrigando-o a percorrer a mesma distância que o afastou do centro para um dos lados. A doença compensa cada passo que damos no interesse da *hubris* do nosso ego com um passo equivalente rumo à submissão e ao desamparo. Assim acontece que, quanto mais capazes e competentes formos, mais nos tornaremos vulneráveis às doenças.

Toda tentativa de "viver de forma saudável" produz mais doenças. Como autores deste livro, no entanto, estamos a par de que esse ponto de vista não se presta à conjuntura atual da nossa vida. Afinal, a medicina vem se esforçando cada vez mais para o desenvolvimento de medidas preventivas de saúde; e, por outro lado, vivemos no momento o *boom* da "vida natural e saudável". Os métodos preventivos servem quando se trata de lidar com tóxicos de maneira consciente, mas no que se refere ao tema "doença" eles são tão irrelevantes quanto os processos correspondentes da medicina acadêmica. Ambos se fundamentam na idéia de intervir de forma ativa para evitar as doenças, partindo do ponto de vista de que o homem é basicamente sadio, e que portanto pode ser "protegido das doenças", quer por um método, quer por outro. Sendo assim, pode-se compreender muito bem que as pessoas se declarem mais dispostas a dar ouvidos às mensagens de esperança do que à nossa afirmação tão decepcionante: *o ser humano está doente.*

A doença faz parte da saúde assim como a morte faz parte da vida. Essas palavras nos causam desagrado, mas têm a vantagem de poderem ser comprovadas por qualquer pessoa, bastando para isso uma observação imparcial dos fatos. Não pretendemos impor nossos pontos de vista aos leitores mas, simplesmente, ajudar aqueles que estão prontos a se tornar mais conscientes, acrescentando à sua visão costumeira um novo modo de olhar. A destruição das ilusões nunca é fácil ou agradável; no entanto, ela sempre resulta em nova liberdade de movimentos.

De fato, a vida é um caminho repleto de constantes desilusões; uma ilusão depois da outra nos vão sendo tiradas até podermos suportar a verdade. Assim, aqueles de nós que estão preparados para suportar a compreensão de que a doença, a morbidez e a morte são companhias essenciais e fiéis da vida, acabam por descobrir que essa constatação não concretiza desesperança, mas sim a revelação de que aquelas são amigas que nos ajudarão a encontrar nosso caminho mais verdadeiro e saudável. Muito poucos dos nossos amigos, se é que temos algum, são tão honestos conosco ou estão tão dispostos a expor todos os movimentos de nossas manobras egóicas, ou são tão sinceros a ponto de nos fazer olhar para os nossos defeitos, ou seja, enxergar a nossa sombra. Mas a verdade é que, se qualquer um dos nossos amigos ousasse fazer isso, imediatamente nós o classificaríamos como inimigo. O mesmo acontece com a doença. Ela é honesta demais conosco para que lhe dediquemos o nosso amor!

Nossa vaidade nos torna tão cegos e vulneráveis quanto aquele imperador cujos novos trajes foram tecidos com suas próprias ilusões. No entanto, nossos sintomas são incorruptíveis: eles nos obrigam a ser sinceros. Sua presença nos mostra justamente aquilo que nos faz falta, aquilo que recusamos trazer à luz, o que fica na sombra e quer manifestar-se, e bloqueamos com nossa unilateralidade. Os sintomas nos mostram que não resolvemos o problema em questão, como gostaríamos de imaginar: ou eles não desaparecem, ou ficam se repetindo sem cessar. A doença sempre aperta o ponto vulnerável ou o ponto em que somos "infelizes" porque acreditamos ser possível alterar o rumo do mundo com a nossa autoridade pessoal. Aí basta uma dor de dente, um torcicolo, uma gripe ou uma disenteria para transformar o brilhante herói num pobre verme. É exatamente nesses momentos que passamos a detestar a doença.

Assim, todo o mundo está disposto a fazer os maiores esforços para erradicar a doença. O nosso ego nos leva a pensar que essa empreitada é uma ninharia e nos deixa cegos para o fato de que, através de cada esforço bem-sucedido, nós apenas nos tornamos mais doentes. Já mencionamos que nem a medicina preventiva, nem um "estilo saudável de vida", têm qualquer chance de sucesso como método de prevenção das doenças. Mais proveitoso seria refletirmos sobre um antigo e sábio provérbio (claro que só se o aceitarmos no seu sentido literal): "Prevenir é melhor do que remediar." Prevenir significa submeter-se voluntariamente, antes que a doença nos obrigue a fazê-lo.

É a doença que torna os homens passíveis de cura. A doença é o ponto de mutação em que um mal se deixa transformar em bem. Para que isto possa ocorrer, temos de baixar a guarda e, em vez de resistir, ouvir e ver o que a doença tem a nos dizer. Como pacientes, temos de ouvir a nós próprios e estabelecer um contato com nossos sintomas, para podermos captar a sua mensagem. Precisamos estar dispostos a questionar nossas próprias suposições e os nossos pontos de vista acerca da nossa personalidade, e precisamos nos dispor a aceitar conscientemente cada um dos sintomas como um professor que deseja nos ensinar algo sobre a nossa forma física. Precisamos tornar o sintoma supérfluo, na medida em que permitimos que ele faça entrar na nossa consciência aquilo que nos falta. A cura sempre está associada a uma ampliação de consciência e a um amadurecimento pessoal. Se o sintoma apareceu no corpo, porque parte da sombra aí se precipitou, a cura é a inversão desse processo, na medida em que torna consciente o princípio por trás do sintoma, e assim ele simplesmente desaparece do corpo físico.

6
A Busca das Causas

É admirável como
nossas tendências sempre dão um jeito
de se disfarçar de filosofia.

Hermann Hesse

É bem possível que vários de nossos leitores ainda estejam atônitos diante do que afirmamos até aqui sem terem compreendido o que quisemos dizer, pois parece muito difícil equiparar nossas afirmações com os conhecimentos científicos sobre a causa dos sintomas. Por certo a maioria está preparada para admitir que certos grupos de sintomas podem ser provocados em maior ou menor grau por processos psicológicos; mas o que dizer da grande maioria dos outros males cujas causas mostram ter uma indubitável origem física?

É neste ponto que colidimos com um obstáculo essencial ao nosso hábito normal de raciocínio. Tornou-se natural interpretar todos os fenômenos em termos de causalidade e correlacionar uma longa série de eventos cuja ligação como causa e efeito é óbvia. Assim, você pode ler estas linhas *porque* eu as escrevi e *porque* a editora publicou este livro e *porque* o dono da livraria o vendeu etc. O conceito de causalidade parece tão claro e compulsório que a maioria das pessoas o considera um pressuposto básico para a capacidade de compreensão humana. É por isso que procuramos, em todo lugar, por todos os tipos de causa possíveis para os mais variados fenômenos e esperamos assim obter mais clareza sobre seus inter-relacionamentos e sobre a possibilidade de interferir no processo. Qual será a causa do aumento dos preços, do desemprego, da criminalidade juvenil? Qual a causa de um terremoto ou de determinada doença? Perguntas e mais perguntas e, na resposta a todas elas, buscamos descobrir a verdadeira causa.

No entanto, a causalidade não é uma noção tão compulsória e descomplicada quanto parece à primeira vista. Poder-se-ia até mesmo dizer (e de fato cresce o número dos que o dizem) que o desejo da humanidade de explicar o mundo em termos causais trouxe muita confusão e suscitou várias controvérsias na história do conhecimento humano. Esse fato também levou a conseqüências que somente hoje vão se tornando lentamente mais claras. Desde Aristóteles, a idéia da causalidade foi dividida em quatro categorias distintas.

São identificadas como *causa efficiens*, a causa do impulso de agir; como *causa materialis*, a causa material, baseada na materialidade; como *causa formalis*, força de moldar, de dar forma e, finalmente, como *causa finalis*, a causa final, a causa do motivo que vem com o estabelecimento de metas.

Para compreender melhor as quatro categorias de causa usaremos o exemplo clássico da construção de uma casa. Assim, precisamos inicialmente da intenção de construir uma casa *(causa finalis)*; em seguida, de um estímulo, por exemplo, a energia que se revela no investimento financeiro e na força de trabalho *(causa efficiens)*; depois precisamos de plantas de construção *(causa formalis)* e, finalmente, precisamos de material de construção, como cimento, vigas, madeira etc. *(causa materialis)*. Se faltar uma dessas quatro causas, dificilmente se concretizará o desejo de construir uma casa.

Entretanto, devido à necessidade interior de estabelecer algum tipo de causa essencial, tendemos a simplificar essa imagem quádrupla da causalidade. E disto resultam duas abordagens contrastantes, cada uma delas voltada em direção contrária à outra. Os adeptos de uma enfatizam a *causa finalis*; a causa das causas, em última análise. No nosso exemplo, a intenção de construir uma casa seria o único pressuposto para todas as demais causas. Em outras palavras, a intenção ou o propósito é a causa real de tudo o que acontece. Nesse contexto, o que me levou a escrever estas linhas foi a minha intenção de publicar um livro.

Essa compreensão da causalidade orientada para o objetivo tornou-se o alicerce das ciências humanas espiritualizadas, das quais difere a ciência como tal, por adotar um modelo conceitual baseado na energia (*causa efficiens*).

Para a observação e a descrição das leis da natureza, a imposição de uma intenção ou de um motivo foi considerada muito hipotética. Para essa perspectiva faz mais sentido a aceitação de uma força ou de um impulso. Assim sendo, as ciências naturais adotaram uma abordagem baseada na energia da causalidade.

O contraste entre esses dois modelos de causalidade separa até hoje o conhecimento humanístico e a ciência, e torna difícil, se não impossível, que um compreenda o outro. O ponto de vista científico da causalidade remonta suas causas ao passado, ao passo que o modelo de causalidade orientado para o objetivo põe suas causas no futuro. Se considerarmos o assunto por este ângulo, essa última afirmação pode confundir muitas pessoas: como, afinal, é possível que a causa aconteça depois do efeito? Na prática, no entanto, ninguém hesita em defender essa idéia, por um momento sequer. Costumamos dizer, "eu estou saindo agora *porque* o meu trem parte daqui a uma hora", ou então, "comprei um presente *porque* o aniversário dela é na semana que vem". Em todas essas expressões um acontecimento futuro produz efeitos no presente.

Se observarmos os acontecimentos de nossa vida diária, comprovaremos que alguns se contentam com uma visão de causalidade que encontra suas raízes no passado, enquanto outros se sentem mais à vontade com uma abordagem que coloca as causas no futuro. Sendo assim, estamos sujeitos a ouvir, "eu estou fazendo compras hoje *porque* amanhã é domingo", mas também, "este vaso caiu *porque* eu esbarrei nele". Contudo, uma interpretação dupla é igualmente possível: assim poderíamos dizer que a louça quebrada durante uma briga conjugal se despedaçou porque foi arremessada ao chão, bem como que ela foi despedaçada porque um dos cônjuges quis aborrecer o outro. Todos esses exemplos deixam claro que as duas hipóteses causais contemplam âmbitos distintos, ambos com validade própria. A versão baseada na energia possibilita uma abordagem mecânica de inter-relacionamentos mútuos, sempre associada ao plano material, ao passo que a abordagem finalista trabalha com motivações que necessariamente têm origem psíquica e não material. O conflito resultante pode ser expresso de forma prática da seguinte maneira:

causa efficiens	—	*causa finalis*
passado	—	futuro
matéria	—	espírito
corpo	—	psique

Neste ponto seria útil usar de forma prática tudo aquilo que falamos sobre a polaridade. Por conseguinte, podemos transformar a expressão ou/ou em não só/mas também, e dessa forma compreender que ambas as abordagens estão longe de se excluir, tendendo antes a se completar. (É surpreendente como aprendemos pouca coisa com toda a pesquisa feita sobre a natureza corpúsculo-ondulatória da luz!) Também neste caso, tudo depende da direção em que se voltar o olhar, e não do que está certo ou errado. Se de uma máquina automática de vender cigarros saltar um maço de cigarros, posso ver o fato como conseqüência da moeda que coloquei na máquina ou da intenção que tive de fumar. (Isto é mais do que um jogo de palavras, pois sem o desejo e sem a intenção de fumar cigarros, não haveria caixas automáticas para vendê-los.)

Conseqüentemente, ambos os pontos de vista são válidos e não se excluem mutuamente. No entanto, uma abordagem isolada sempre terá de ser incompleta, pois a disponibilidade tanto de causas materiais como de causas energéticas ainda não dá vida a uma máquina automática de vender cigarros enquanto faltar o elemento intencional. Da mesma forma, apenas uma intenção ou um objetivo isolados não bastam para fazer qualquer coisa manifestar-se. Também neste caso um pólo vive em função de seu pólo oposto.

O que talvez pareça uma banalidade no caso da máquina automática de vender cigarros, basta para encher bibliotecas inteiras com livros sobre esse tema controvertido, quando se visa compreender a evolução. A causa para a vida humana, porém, se esgota na cadeia retrospectiva de eventos materiais do passado no fato de que estamos aqui por fenômenos ocasionais de desenvolvimento e por processos seletivos do átomo de hidrogênio, o que inclui até o próprio cérebro humano. Ou talvez esse lado da causalidade precise da intenção, que atua sobre nós vinda do futuro, fazendo com que a evolução aconteça rumo a um determinado objetivo.

Os cientistas acham este segundo aspecto "forçado demais, hipotético demais" e, por sua vez, os espiritualistas acham que o primeiro aspecto é "pequeno demais, e carente de imaginação". No entanto, se observarmos desenvolvimentos e "evoluções" menores sempre encontraremos ambos os aspectos da causalidade simultaneamente. A mera tecnologia não leva à construção de aviões enquanto não houver a idéia preexistente de alçar vôo. Muito menos a evolução é produto de decisões e desenvolvimentos acidentais; ela é a expressão física e biológica de um padrão eterno subjacente. Os processos materiais empurram de um lado, a *Gestalt* final puxa do outro, para que possa ocorrer uma manifestação central.

E assim chegamos ao próximo problema deste tema. Como pressuposto de sua existência, a causalidade depende da linearidade para assinalar um "antes" e um "depois" no sentido de uma atuação conjunta, de uma conexão causal. No entanto, por sua vez, a linearidade tem como condição prévia a noção de tempo, e é exatamente o tempo que não existe na realidade. Lembremo-nos de que o tempo surge em nossa consciência através da polaridade, a qual nos obriga a dividir a Unidade em "uma coisa depois de outra" (idéia de seqüência). O tempo é um fenômeno da nossa consciência, que projetamos no ambiente externo. E acreditamos que o tempo também existe independentemente de nós. Decorre disso imaginarmos que o fluxo do tempo sempre é linear, que ele corre numa direção. Achamos que o tempo provém do passado e flui para o futuro; deixamos, no entanto, de ver que neste ponto que denominamos presente, se encontram tanto o passado como o futuro.

Esse inter-relacionamento que, à primeira vista, consideramos difícil, pode ser melhor explicado através da seguinte analogia. Vamos supor que

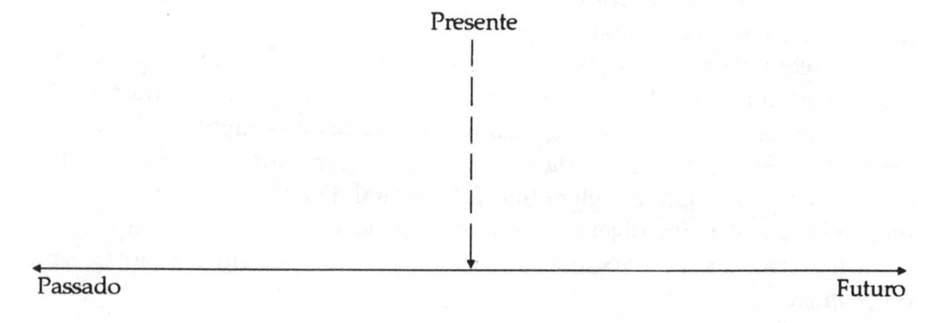

o decurso do tempo seja uma linha reta; uma de suas extremidades se estende para o passado e a outra para o que se chama futuro.

Porém, nós sabemos através da Geometria que, na realidade, não existem linhas paralelas, visto que como resultado da curva do espaço toda linha ao final forma um círculo, se for projetada ao infinito (Geometria de Riemann).

Portanto, toda linha reta é na realidade um segmento do círculo. Se usarmos esta noção para o eixo do tempo que apresentamos no diagrama acima, podemos ver que as duas direções que denominamos passado e futuro se encontram para formar um círculo. Veja este diagrama:

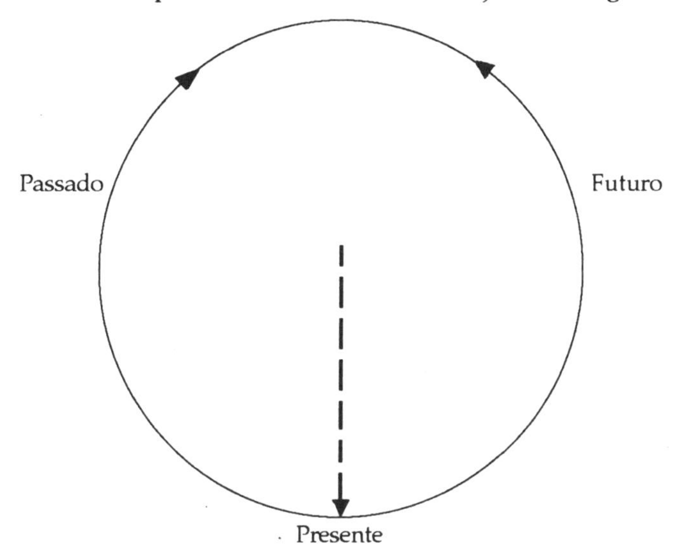

Em outras palavras: enquanto nossa vida sempre se baseia no passado este é, por sua vez, condicionado pelo nosso futuro. Ora, se usarmos o conceito de causalidade no modelo que apresentamos, logo vemos com nitidez a resposta ao nosso problema original: a causalidade flui para qualquer ponto de *ambas* as direções, tal qual o tempo. Talvez essas idéias pareçam estranhas, no entanto não são mais difíceis de compreender do que um fato comum ao qual estamos habituados: se dermos a volta ao redor do mundo voltaremos sempre ao ponto de partida, não importa o quanto nos tenhamos afastado dele durante o percurso.

Nos anos 20 deste século, o esoterista russo P. D. Ouspensky abordou o problema do tempo em sua meditação visionária sobre a 14ª carta do Tarô (A Temperança), nos seguintes termos: "O nome do anjo é tempo", disse a Voz. "Na sua testa vemos o sinal da Eternidade e da Vida. Nas mãos do anjo vemos duas taças, de ouro e de prata. Uma é o passado, a outra o futuro. O riacho irisado entre as duas é o presente. Você vê que ele está correndo em ambas as direções. Isso é o tempo, em seu aspecto mais incompreensível para o homem. Os homens pensam que todas as coisas fluem incessantemente para *uma* direção. Eles não vêem que elas se encontram eternamente, que uma corrente vem do passado e outra do futuro, e que o tempo é uma porção de círculos girando em diferentes direções. Compreenda esse mistério e aprenda a distinguir as correntes opostas no riacho irisado do presente." (Ouspensky, Um Novo Modelo do Universo.)

Hermann Hesse também abordou o tema do tempo repetidas vezes em suas obras. Ele põe as seguintes palavras na boca do moribundo Klein, quando este sente a proximidade da morte: "Que bom ter compreendido que o tempo não existe. Só o tempo separa o homem daquilo que ele deseja." Em sua obra *Sidarta,* Hermann Hesse menciona o tema da atemporalidade em vários trechos:

"Sidarta perguntou certa vez: 'Você aprendeu o segredo do rio, o segredo da inexistência do tempo?'

Um sorriso brilhou no rosto de Vasudeva.

'Sim, Sidarta', respondeu ele. 'Por certo significa o mesmo que quando você diz que o rio está em todo lugar ao mesmo tempo, em sua nascente e em seu delta, na cachoeira e no barco, na rapidez das corredeiras, no mar, nas montanhas. E para o rio só existe o presente, não existem as sombras do passado e do futuro.'

'É verdade', concordou Sidarta. 'E depois que aprendi isso, observei minha vida e vi que também é um rio; e o menino Sidarta está separado do adulto Sidarta e do ancião Sidarta somente pelas sombras, não pela realidade. E até mesmo as prévias encarnações de Sidarta não são passado e sua morte e sua volta para Brahma não é futuro. Nada foi, nada será: tudo é, tudo tem existência, tudo tem essência e presente.'"

Quando vamos paulatinamente nos conscientizando de que tanto o tempo quanto a linearidade não existem fora de nossa consciência, é inevitável que nosso modelo conceitual de causalidade sofra um abalo radical. Torna-se evidente que até mesmo a causalidade é uma mera forma subjetiva de pensamento humano, ou como disse David Hume, "uma necessidade da alma". Na verdade não há motivo para não observarmos o mundo pelo prisma causal; mas, da mesma forma, tampouco existe razão para interpretá-lo como causalidade. A pergunta que eliminar todas as dúvidas sobre o tema também não é causal: isso está certo ou errado? Antes, trata-se em casos isolados da seguinte questão: será apropriado ou não?

Deste último ponto de vista, entretanto, logo fica evidente que a abordagem causal é muito menos *apropriada* do que a usada rotineiramente em nossos dias. Sempre que temos de lidar com pequenas fatias da realidade no nível de nossa vida cotidiana e, na verdade, com realidades que não estão além do alcance de nossa visão direta, podemos nos arranjar muito bem com nossos conceitos de tempo, linearidade e causalidade. No entanto, quando as dimensões dessas realidades se agigantam e/ou o nível de responsabilidade de um questionamento se torna mais elevado, a abordagem causal nos leva a tirar conclusões insensatas no que se refere ao conhecimento. A causalidade, em especial, sempre precisa de termos, de limites estabelecidos para todos os questionamentos. Na visão causal das coisas, em última análise, toda manifestação tem uma causa e assim, não só é permitido, como fundamental, tentar também descobrir a causa da causa. É claro que este processo nos fará tentar descobrir a causa da causa da causa, mas essa busca nunca chega a um final. A causa primordial de todas as causas não pode ser encontrada. Ou nos detemos em determinado ponto e não fazemos mais perguntas, ou nos veremos diante de uma pergunta sem resposta, pois a resposta nunca terá mais sentido do que a conhecidíssima pergunta: o que veio antes, o ovo ou a galinha?

Com o que acabamos de expor, tentamos deixar claro que o conceito de causalidade, na melhor das hipóteses, pode tornar-se um auxiliar prático como função do pensamento na vida diária, mas nunca se tornará suficiente e útil como instrumento destinado à compreensão dos inter-relacionamentos científicos, filosóficos e metafísicos. A crença em interligações causais é falsa, pois ela constrói seus alicerces sobre a aceitação da linearidade e do tempo. Suponhamos, no entanto, que a causalidade seja um estilo filosófico subjetivo, possível aos homens (e assim sendo, incompleto!); nesse caso, seria por certo legítimo incluí-lo no lugar em que nos parecesse mais útil à vida.

Contudo, na nossa visão atual do mundo impera a opinião de que a causalidade que existe *per se* pode ser até mesmo comprovável, e é contra este equívoco que nos queremos insurgir. Como homens, os únicos relacionamentos que somos capazes de observar são aqueles do tipo "quando... então", ou "sempre... que". Mas tudo o que essas observações podem nos dizer é que dois fenômenos tendem a surgir sincronicamente no mesmo momento e que existe uma correlação entre eles. Se interpretarmos essas observações de forma causal, este último passo é uma expressão de determinada filosofia, mas não tem nada a ver com a interpretação ou a própria observação. Esse apego rígido a uma interpretação significou uma gravíssima limitação em nossa visão do mundo e em nossa possibilidade de conhecimento.

Dentro da ciência, foi a Física Quântica que primeiro conseguiu ultrapassar a visão causal do mundo e duvidou dela. Assim, Werner von Heisenberg formulou a questão nestes termos: "No nível de um espaço/tempo bem pequeno — ou seja, no nível da magnitude de partículas elementares — o espaço e o tempo estão de certo modo meio confusos, de tal modo que em intervalos muito pequenos de tempo não se pode definir de forma apropriada um *antes* e um *depois*. Em termos gerais, não se sabe de nada que tenha se alterado tanto como o que se refere à estrutura real do espaço-tempo; no entanto, precisamos reconhecer que existe a possibilidade de que, em experiências sobre processos de pequeno âmbito temporo-espacial, fique demonstrado que alguns deles ocorrem temporalmente na ordem inversa da prometida por sua seqüência causal."

Heisenberg é exato, porém cauteloso, quando faz afirmações relativas às suas experiências, pois como físico ele limita suas afirmações ao que observa. No entanto, essas observações correspondem com perfeição à visão de coisas que sempre foi ensinada pelos grandes sábios do mundo. A observação das partículas elementares acontece nas próprias fronteiras do mundo condicionado por nossas conhecidas noções de tempo e espaço; estamos, por assim dizer, no centro do autêntico "local de nascimento da matéria". Aqui se mesclam ainda, como diz Heisenberg, o tempo e o espaço. O antes e o depois se tornam, entretanto, cada vez mais nítidos à medida que penetramos nas estruturas maiores e mais grosseiras da matéria. Mas se formos em direção contrária, primeiro desaparece a diferenciação clara entre tempo e espaço, entre antes e depois, até que, finalmente, essa distinção acaba totalmente e chegamos naquele ponto onde imperam a unidade e a não-diferenciação. Nele não existe nem tempo nem espaço: reina o aqui-agora eterno. Trata-se do ponto que contém tudo e que, no entanto, é denominado "o nada". Tempo e espaço são as duas coordenadas que tecem o mundo da polaridade, o mundo da ilusão (*maya*), e o pressuposto para se poder alcançar a unidade é conseguir compreender a não-existência.

Neste mundo polarizado, a causalidade é então *uma* perspectiva de nossa forma consciente de interpretar os fatos; trata-se do modo de pensar do hemisfério esquerdo do cérebro. Já dissemos anteriormente que a visão científica do mundo é a que rege a metade esquerda do cérebro; portanto, não é de causar admiração o fato de nos termos apegado tanto à causalidade! O hemisfério cerebral direito não conhece a causalidade, pensa de forma analógica. Com a analogia é que encontramos aquela segunda maneira de ver a causalidade polarizada, nem melhor nem pior, mais correta ou mais incorreta, apenas a complementação necessária da unilateralidade da causalidade. Só ambas as visões juntas — causalidade e analogia — podem expandir o sistema de coordenadas que predomina em nosso mundo polarizado, para que este possa ser interpretado de modo significativo.

Tal como a causalidade nos torna cientes dos relacionamentos nivelados, a analogia busca os princípios subjacentes às associações perpendiculares através de todos os níveis de manifestação. A analogia não exige que haja uma seqüência de efeitos; em vez disso, ela se concentra no conteúdo normal de um amplo espectro de formas. Se a causalidade vê o tempo em termos de "antes" e "depois", a analogia se fundamenta na sincronicidade: "sempre que". Enquanto a causalidade leva a diferenciações cada vez maiores, a analogia reúne os vários fenômenos em padrões únicos, oniabrangentes.

A incapacidade de a ciência pensar de forma analógica a obriga, em determinados âmbitos, a reiniciar a pesquisa das leis desde o início. A ciência não ousa e também não pode abstrair um princípio que tenha descoberto de tal maneira que ele alcance validade geral para todos os âmbitos, como na perspectiva analógica. É por isso que a ciência pesquisa a polaridade, por exemplo, no campo da eletricidade, no nível atômico, nas ligações entre os ácidos e os alcalinos, nos hemisférios cerebrais, e em muitos outros setores, sempre a partir do início, e separando-os entre si. Já a analogia funciona de outro modo e estabelece uma semelhança entre as mais variadas formas, na medida em que descobre em todas elas o mesmo princípio primordial. É assim que o pólo elétrico positivo, a metade esquerda do cérebro, os ácidos, o sol, o fogo, o Yang chinês, passam a ter algo em comum, embora entre eles não existam ligações causais. A semelhança analógica deriva, em todas as formas mencionadas, do mesmo princípio primordial que, em nosso exemplo, também poderíamos chamar de princípio masculino ou princípio da atividade.

Esse modo de analisar as coisas vê o mundo como se este fosse feito de componentes arquetípicos e então observa todos os variados padrões que eles configuram. Por analogia, podemos descobri-los em todos os níveis de manifestação, tanto em cima, como embaixo. Esse tipo de percepção tem de ser ensinada, da mesma maneira que a abordagem causal. Apesar disso, ele pode nos desvendar um mundo totalmente novo e mostrar aspectos e relacionamentos que o nosso olhar causal não capta. Enquanto o campo de ação da causalidade é de preferência o funcional, a analogia tende para a revelação de semelhanças interiores. Graças à causalidade, o hemisfério esquerdo é capaz de separar todo tipo de coisas e de analisá-las; no entanto, ele nunca pode apreendê-las como um todo. O hemisfério direito, ao contrário, tem de renunciar à capacidade de manipular os acontecimentos deste mundo mas, em compensação, tem a visão aberta para o todo, para a *Gestalt*, e por isso está em posição de atuar de forma sensata. Essa sabedoria, no entanto, transcende toda finalidade e toda lógica ou, como nas palavras de Lao-Tsé:

> O Tao que pode ser pronunciado
> não é o Tao eterno.
> O Nome que pode ser proferido
> não é o Nome eterno.
> Ao princípio do Céu e da Terra chamo "Não-ser".
> À mãe dos seres individuais chamo "Ser".
> Dirigir-se para o "Não-ser" leva
> à contemplação da maravilhosa Essência;
> dirigir-se para o Ser leva
> à contemplação das limitações espaciais.
> Pela origem, ambos são uma coisa só,
> diferindo apenas no nome.
> Em sua Unidade, esse Um é mistério.
> O mistério dos mistérios
> é o portal por onde entram as maravilhas.

7
O Método do Questionamento Profundo

A vida toda nada mais é do que questões
materializadas que contêm em seu interior
as sementes de suas respostas — e respostas
que estão prenhes de questões. Quem consegue ver
algo mais na vida é um tolo.

Gustav Meyrinck, Golem

Antes de passar à Segunda Parte deste livro, na qual tentaremos mostrar o significado dos sintomas mais freqüentes das doenças, queremos dizer algo sobre o método do questionamento profundo. Não é nossa intenção apresentar um texto de interpretações, que as pessoas abram para descobrir o significado de seus sintomas, concordando ou não com o que estiver escrito. Manusear esta obra de tal forma seria uma grande ofensa. Nossa preocupação maior é transmitir um certo modo de ver e de pensar que permita ao interessado observar as suas doenças, ou as do próximo, com novos olhos.

Para tanto, porém, é necessário primeiro aprender determinados requisitos e técnicas, visto que a maioria das pessoas não sabe lidar com analogias e símbolos. Foi com a intenção de ajudá-las nesse sentido que apresentamos os exemplos concretos na Segunda Parte do livro. Eles se destinam a ensiná-las a desenvolver sua capacidade de pensar e ver. Só o cultivo da habilidade de formular interpretações pessoais é proveitoso, pois as interpretações "pré-fabricadas", na melhor das hipóteses, enquadram os casos individuais mas nunca se adaptam com exatidão a eles. Aqui acontece o mesmo que no caso da interpretação de sonhos: os livros destinados a esse fim são ótimos para se aprender a arte da interpretação, mas não se prestam a interpretar sonhos pessoais.

Por esse motivo, a Segunda Parte do livro não pretende ser exaustiva, embora nos tenhamos esforçado para mencionar o maior número possível de dimensões físicas e orgânicas, a fim de dar ao leitor os elementos essenciais à elaboração de seu sintoma concreto. Depois de nos termos esforçado até este ponto para explicar o que existe por trás dos planos filosófico e científico, vamos apresentar neste último capítulo os aspectos e as regras mais importantes do ponto de vista teórico para uma interpretação dos sintomas. Trata-se do instrumento que, aliado a alguma prática, torna possível aos autenticamente interessados fazer uma análise profunda dos sintomas e de seu significado.

A Causalidade na Medicina

O problema da causalidade é tão importante para o nosso tema porque tanto a medicina acadêmica como também a medicina natural, a psicologia e a sociologia se esforçam para pesquisar as verdadeiras e reais causas dos sintomas das doenças. Talvez o façam por desejar trazer cura ao mundo, através da eliminação dos sintomas existentes. Em conseqüência, alguns procuram as causas nos micróbios e na poluição ambiental, outros acham que foram provocados por eventos traumáticos ocorridos na mais tenra infância, ou por métodos severos demais de educação, ou ainda devido às condições do ambiente de trabalho. Desde o teor de chumbo na atmosfera até a própria sociedade, nada, nem ninguém, está livre de ser apontado como causa de alguma doença.

Nós, ao contrário, como autores desta obra, achamos que a busca das causas de uma doença não passa do principal beco sem saída da medicina e da psicologia. É claro que sempre descobriremos causas enquanto as buscarmos; no entanto, a crença no conceito de causalidade nos impede de ver que as causas encontradas nada mais são do que o resultado de nossas próprias expectativas. Na verdade, todas as *causas primordiais* não passam de algumas causas entre outras. O conceito de causalidade só pode ter uma aceitação parcial, pois a busca retrospectiva sempre tem de ser interrompida em algum ponto arbitrário. É nesse sentido que a causa de uma infecção pode ser atribuída a um determinado micróbio, e que logo se pode formular a questão acerca de o micróbio só causar infecção num dado caso em particular. Por certo é possível alegar uma queda no nível de imunidade do organismo, mas essa afirmação leva a indagar sobre o que teria causado o enfraquecimento do sistema imunológico. Pode-se continuar indefinidamente com esse jogo pois, mesmo que na busca pelas causas cheguemos até o Big-Bang, ainda restaria a questão sobre o que teria ocasionado essa grande explosão primordial...

Na prática, portanto, preferimos nos deter num ponto aleatório qualquer e fazer de conta que foi nesse ponto que o mundo começou a existir. Restringimo-nos a conceitos inconsistentes que, no mais das vezes, não definam nada, como *locus minoris resistentiae* ou área de menor resistência ou "tensão hereditária", ou "fraqueza constitucional", ou rótulos dúbios semelhantes. Mas qual a justificativa para se honrar um determinado elo da corrente com o título de "causa essencial"? Trata-se de pura desonestidade alguém falar de uma causa ou mencionar a "terapia causal", pois o conceito de causalidade nunca leva à descoberta da derradeira causa, como bem vimos.

Se fundamentássemos nosso trabalho no ponto de vista polarizado da causalidade com que começamos nossa dissertação sobre o assunto, nos aproximaríamos mais do cerne da questão. Segundo essa perspectiva, poderíamos ver que uma doença é causada por duas direções simultâneas: — o passado *e* o futuro. Nesse modelo, o resultado é que determinaria um padrão especial de sintomas, enquanto o aspecto eficaz da causalidade (*causa efficiens*) seria responsável pela criação de defesas físicas e materiais que dariam acabamento ao quadro. Olhando as coisas por este ângulo saltaria à vista o segundo aspecto da doença, que é inteiramente ignorado pela abordagem unilateral: a *intencionalidade* do desequilíbrio e a subseqüente importância de todo o processo. Afinal, a natureza de uma frase escrita não é meramente determinada pelo papel, pela tinta, pela impressora, pelas letras etc., mas também, e antes de tudo, pela intenção de transmitir uma informação.

No entanto, não deve ser assim tão difícil compreender como, através da redução a processos materiais, especialmente os condicionamentos do passado, se perde tudo o que é essencial e de importância vital. Todos os fenômenos têm forma e conteúdo, consistem em duas partes e num todo que é maior do que a soma das partes. Todo fenômeno é determinado pelo passado *e* pelo futuro. A doença não constitui exceção à regra. Por trás de todo sintoma existe uma finalidade, um conteúdo, que apenas se utiliza das possibilidades disponíveis no momento para se tornar visível em forma palpável. Por conseguinte, uma doença pode ter a causa que preferir.

É nesse ponto que fracassa o método de trabalho da medicina ortodoxa. Ela crê que a remoção das causas da doença a torne inviável e não calcula que a doença é tão flexível que pode procurar e encontrar novas causas para continuar existindo.

É fácil compreender essa idéia através de um exemplo: se alguém tem a intenção de construir uma casa, será difícil outra pessoa impedi-lo de realizar sua vontade roubando-lhe os tijolos; ele construiria uma casa de madeira. Bem, é verdade que se pode imaginar que é possível pôr fim à história eliminando todos os materiais de construção disponíveis no mercado; no entanto, no caso das doenças isso seria problemático, pois para se ter certeza de que não haveria mais causas possíveis para a doença seria necessário também eliminar o corpo do paciente...

Este livro trata apenas das *causas finais* da doença e deseja assim completar sua observação unilateral com a função do pólo ausente. Isso deve deixar claro que não negamos a existência dos processos materiais pesquisados e descritos pela medicina; no entanto, combatemos com insistência a afirmação de que esses processos sejam a única *causa* das doenças.

Como já dissemos, a doença tem uma intencionalidade e um objetivo que, em seu sentido mais geral e absoluto, descrevemos até agora como cura, no sentido de torná-la uma unidade. No entanto, se dividirmos a doença em todas as suas formas sintomáticas de expressão, que representam todos os passos no caminho rumo ao objetivo, podemos questionar a intenção de cada um dos sintomas e verificar sua mensagem, a fim de saber qual o próximo passo que se requer da pessoa. É necessário fazer essa pergunta em relação a cada um dos sintomas, sem nos deixarmos enganar pelas referências às suas causas funcionais. *Sempre* se pode descobri-las; mas, da mesma forma, *sempre* se pode descobrir o significado interior dos sintomas.

Conseqüentemente, a primeira diferença entre a nossa abordagem e a da psicossomática clássica é a nossa renúncia em optar por algum sintoma. Achamos que *todo* sintoma é interpretável e não admitimos exceção. A segunda diferença se refere à nossa recusa em aceitar o modelo de causalidade, típico da medicina psicossomática clássica, orientado para o passado. A nosso ver, é indiferente se a causa de determinado distúrbio é, por um lado, uma determinada bactéria ou, por outro, uma mãe malvada. A abordagem psicossomática não conseguiu livrar-se do erro básico de querer localizar um conceito causal unilateral. A nós não interessam as causas passadas, pois, como vimos, elas são numerosas e todas igualmente importantes e, ao mesmo tempo, sem importância nenhuma. Nossa perspectiva pode ser descrita em termos de uma "causalidade final" (teleologia), ou melhor ainda, através do conceito atemporal da analogia.

O ser humano possui uma *essência* independente do tempo que, de alguma maneira, precisa concretizar e tornar consciente no transcurso de sua existência pessoal. Esse padrão interior transcendente é denominado o "Si-mesmo". O caminho da vida dos homens é o caminho rumo a esse Si-mesmo, que é um símbolo da totalidade. O ser humano precisa de "tempo" para encontrar essa totalidade, que, não obstante, existe desde o início. É justamente nisso que consiste a ilusão do tempo: o homem precisa de tempo para descobrir aquilo que ele sempre foi. (Quando algo se torna incompreensível devemos voltar mais uma vez às ilustrações importantes. Num romance, por exemplo, o conteúdo do livro está presente desde o início; no entanto, o leitor precisa de tempo para ver a trama se desenvolver apesar de ela já existir desde o início.) Chamamos tal caminho de "evolução". A evolução é a compreensão consciente de um padrão sempre presente (atemporal). Ao longo da trilha rumo ao autoconhecimento, entretanto, surgem erros e dificuldades constantes, ou — em outras palavras — não podemos ou não queremos ver certas partes isoladas do padrão. Já denominamos tais aspectos de nós mesmos de sombra. No sintoma da doença, a sombra mostra que está presente e se concretiza. Para compreender o significado de um sintoma não precisamos em absoluto nem do conceito de tempo, nem do passado. A busca das causas no passado nos desvia da informação real, visto que abdicamos da responsabilidade que nos cabe, e projetamos a culpa numa causa hipotética.

Se analisarmos em profundidade o significado de um sintoma, o quadro obtido nos revelará algum aspecto do nosso próprio caráter. Se pesquisarmos o nosso passado, naturalmente encontraremos outra vez as mais diversas formas de expressão desse mesmo caráter (padrão). Tal fato não deve servir de álibi para tecermos de imediato uma trama causal ou uma seqüência de causas e efeitos; trata-se de manifestações paralelas de uma área problemática *naquela ocasião.* Para a resolução de seus problemas, uma criança necessita de pais, irmãos e professores, ao passo que os adultos precisam de um parceiro, dos filhos e dos colegas de trabalho. As circunstâncias exteriores não tornam ninguém doente, mas o ser humano usa todas as possibilidades de que dispõe a serviço de sua doença. É o doente o primeiro a transformar as condições em *causas.*

O doente é, ao mesmo tempo, o *malfeitor* e a *vítima*: ele sofre apenas devido à própria *in-consciência.* Nesta afirmação não vai nenhum juízo de valor, pois só a pessoa "iluminada" não tem mais sombra; no entanto, essa afirmação deve ao menos proteger-nos contra a ilusão de nos considerarmos vítimas das circunstâncias, pois se o fizermos, privar-nos-emos de toda e qualquer possibilidade de transformar a doença. Os micróbios e as emanações telúricas não provocam doenças, mas os homens usam esses pretextos para justificar suas enfermidades. (Talvez em outro nível essa frase se torne mais compreensível: As tintas e a tela não produzem um quadro. Nós os usamos como as ferramentas para criar a pintura.)

Depois do que dissemos até agora, surge a possibilidade de formular a primeira regra importante para se lidar com a interpretação de sintomas que será apresentada na Segunda Parte do livro.

1ª Regra: Ignore todas as relações causais aparentes no nível funcional quando for interpretar sintomas. Estas sempre serão encontradas e ninguém nega a sua existência. Mas não servem de substituto para a interpretação. Nós interpretamos os sintomas apenas em sua manifestação qualitativa e subjetiva. Para tanto, é irrelevante quais cadeias causais contribuíram para produzir os sintomas: se fisiológicas, químicas, neurais, ou quaisquer outras. Para reconhecer os conteúdos é importante que haja apenas uma coisa: sua existência — e *não o motivo* de sua existência.

A Qualidade Temporal da Sintomatologia

A despeito de o nosso passado temporal ser tão sem interesse para nossa discussão, a *seqüência temporal* em que os sintomas aparecem é bastante interessante e reveladora. O ponto exato no tempo em que o sintoma se manifesta pode nos dar informações importantes sobre a área problemática na qual ele se manifesta daquela maneira. Todos os acontecimentos sincrônicos que provocam o aparecimento de um sintoma formam o contexto sintomático e devem ser levados em conta.

Não se deve considerar unicamente os fatos *exteriores,* mas sobretudo os processos *interiores.* Que pensamentos, assuntos e divagações ocupavam nossa mente quando o sintoma apareceu? Qual era nosso estado de ânimo? Acaso recebemos alguma notícia, ou houve alguma mudança em nossa vida? O que verificamos com freqüência é que justamente aqueles acontecimentos que consideramos *sem significado* e *sem importância* eram de fato os únicos dados significativos. Visto que um sintoma é a manifestação de algo que está reprimido, todos os acontecimentos relacionados a ele têm seu valor minimizado e são avaliados como algo sem importância.

Em geral, não são os *grandes acontecimentos* da vida que importam, pois estamos mais ou menos preparados para lidar com eles *de forma consciente*. São as coisas pequenas e inócuas do dia-a-dia que, muitas vezes, servem como válvulas de escape para as áreas problemáticas que reprimimos. Sintomas agudos como resfriados, náuseas, diarréias, acidez, dores de cabeça, ferimentos e coisas afins tendem a acontecer em ocasiões bem determinadas. Aqui vale a pena perguntar-nos exatamente o que andamos fazendo, pensando ou imaginando naqueles momentos. Se tentarmos averiguar uma relação, convém analisar com atenção o primeiro pensamento espontâneo que aflorar em nosso íntimo, e não deixá-lo de lado devido à pressa, ou por considerá-lo sem importância.

Para isso, necessitamos de certa prática e de uma boa dose de honestidade para com nós mesmos; melhor dizendo, devemos desconfiar de nós mesmos. Quem parte do princípio de que se conhece bem e que por isso pode decidir, prontamente, o que está bem e o que não está, nunca terá sucesso no caminho do autoconhecimento. No caminho certo está, antes, aquele que parte do princípio de que qualquer ingênuo sabe avaliá-lo melhor do que ele mesmo.

2ª *Regra*: Analise com precisão em que momento surgiu o sintoma. Tente lembrar-se de sua situação de vida, de seus pensamentos, fantasias e sonhos, dos acontecimentos e das notícias que recebeu, pois tudo isso contextua naturalmente o sintoma.

Analogia e Simbolismo dos Sintomas

Agora chegamos à técnica fundamental da interpretação, que não é fácil de apresentar e explicar em palavras. Em primeiro lugar, é necessário desenvolver um relacionamento íntimo com a linguagem e aprender a ouvir, com consciência, o que as pessoas dizem. A língua é um meio grandioso de ajuda para se perceber as interligações profundas e invisíveis, já que possui uma sabedoria própria que apenas se revela a quem sabe ouvir. As pessoas modernas demonstram uma atitude displicente e bastante volúvel para com a língua e assim perdem o acesso ao verdadeiro sentido dos conceitos. Como também a língua participa da polaridade, ela sempre é ambivalente, bilateral e sujeita ao duplo sentido. Quase todos os conceitos vibram em numerosos níveis ao mesmo tempo. Sendo assim, temos de reaprender a conhecer cada palavra, em todos os seus níveis simultâneos.

Quase todas as frases que aparecem na Segunda Parte deste livro se relacionam com ao menos dois planos; se alguma sentença lhes parecer banal, este é um indício de que o Segundo Plano, a dupla interpretação, deixou de ser entendido. Nos esforçamos ao longo do livro todo para chamar a atenção para pontos específicos com a ajuda de aspas, caracteres em itálico e hífens. Em última análise, porém, nosso esforço se perde ou não dependendo da pura dimensionalidade da língua. O ouvido para a língua depende tão pouco de aprendizado como o ouvido musical; no entanto, ambos podem ser treinados.

Nossa linguagem é psicossomática. Quase todas as fórmulas e palavras com que descrevemos estados psíquicos e processos são emprestadas do que sentimos no corpo físico. O ser humano só é capaz de *com-preender* e *captar* aquilo que pode pegar com as mãos ou calcar sob os pés num dado momento. Este ponto basta para induzir uma linha de raciocínio altamente pertinente à nossa discussão maior, da qual agora faremos um sumário da seguinte forma: toda experiência e toda ampliação da percepção precisa ser feita através do corpo. É-nos impossível integrar conscientemente qualquer princípio antes que ele se manifeste de forma física. Nossa corporalidade nos envolve demais numa relação que impõe medo; mas sem essa *relação* também não teríamos ligação com o princípio. Essa linha de raciocínio leva ainda ao conhecimento de que o homem não pode ser protegido das doenças.

Mas, voltemos à importância que a linguagem tem para este nosso empreendimento. Qualquer pessoa que tenha aprendido a ouvir a ambivalência psicossomática das palavras, logo se surpreenderá ao descobrir que todos os que estão doentes em geral descrevem, junto com os sintomas físicos da doença, também uma parte de seu problema psíquico: um vê mal, a ponto de não distinguir mais os objetos; o outro está resfriado e "com as coisas pelo nariz"; outro ainda não consegue curvar-se porque está rígido demais; outro não pode engolir, e outro sofre de incontinência; outro não pode ouvir, e existe aquele que gostaria de arrancar a pele de tanto se coçar. Nesses casos não há muito que interpretar; podemos apenas ouvir, acenar com a cabeça e constatar: "A doença torna as pessoas honestas!" (Através do uso da nomenclatura latina para as doenças, a medicina acadêmica providenciou para que não houvesse mais relação direta entre o conteúdo da doença e a língua!)

Em todos esses casos, o corpo precisa viver aquilo que a pessoa envolvida nunca se permitiria ou confessaria desejar viver em sua psique. Assim sendo, ninguém confessa que não gostaria de estar na própria pele, isto é, que gostaria de ultrapassar todos os limites habituais; o desejo inconsciente, porém, se concretiza no corpo e utiliza o comichão como sintoma a fim de tornar esse desejo consciente. Tendo o comichão como *causa* oculta da doença, o paciente se atreve de repente a dar voz ao seu desejo: "Eu gostaria de não estar na minha pele!" Afinal ele tem um álibi físico e, atualmente, todos dão atenção a esse tipo de coisas. Uma secretária não se atreve a dizer ao patrão que está esgotada e que gostaria de tirar alguns dias de férias; no nível físico, no entanto, o fato de estar "até aqui" (com a mão na frente do nariz) do trabalho se manifesta e produz o sucesso desejado, na forma de um resfriado.

Além de prestar atenção ao duplo sentido das palavras, também é importante a capacidade para o raciocínio analógico, visto que essa função lingüística se fundamenta na analogia. É por isso que a ninguém ocorreria a idéia de não existir em alguém esse órgão quando falamos de um homem sem coração. Com a expressão "falta de coração" estamos nos referindo à carência de uma virtude, que, em razão de um simbolismo arquetípico, sempre foi associada com o coração, ou seja, estamos falando de um homem impiedoso. O mesmo princípio também é representado pelo Sol e pelo ouro.

O raciocínio analógico requer a habilidade da abstração, pois é necessário reconhecer o princípio que se expressa de forma concreta para poder transportá-lo para um outro nível. Assim, por exemplo, a pele do corpo humano tem, entre outras, a função de limitar, separar, o interior do exterior. Se alguém "deseja não estar na própria pele" isso quer dizer que essa pessoa deseja romper os limites e ultrapassá-los. Existe ainda, em outras palavras, uma analogia entre a pele e, por exemplo, várias normas e padrões que representam o mesmo papel, no nível psicológico, que a pele representa no nível físico. Igualar a pele com essas normas não significa, contudo, que são a mesma coisa, nem que haja qualquer relação causal entre elas; trata-se de um simples modo de falar sobre a atuação analógica do princípio envolvido. Como ainda veremos mais adiante, as toxinas acumuladas no corpo correspondem aos conflitos reprimidos dentro da psique. No entanto, essa analogia não significa que os conflitos produzem as toxinas, ou, ao contrário, que as toxinas provocam os conflitos. Significa que ambos são fenômenos que atuam de modo analógico, em níveis diferentes.

Nem a psique "provoca" os sintomas físicos, nem os processos físicos "provocam" mudanças psicológicas. Contudo, qualquer padrão determinado sempre pode ser visto em ambos os níveis. Todos os conteúdos psicológicos têm suas contrapartidas corporais, e vice-versa. Nesse sentido, por certo tudo é um sintoma. Lábios estreitos ou gostar de andar são tão sintomáticos quanto amígdalas inflamadas (compare a abordagem da homeopatia com os casos clínicos dos pacientes). O que diferencia um sintoma do outro é somente a nossa avaliação subjetiva em ambos os casos. Em última instância, são nossas resistência e rejeição que transformam meros sintomas em sintomas de doenças. O próprio fato de resistirmos revela que eles são "corporificações" de aspectos de nossa sombra, pois ficamos perfeitamente felizes com todos aqueles sintomas que revelam o aspecto consciente de nossa psique. Nós até mesmo os defendemos como expressões de nossa personalidade.

A velha e controvertida questão acerca do limite entre a doença e a saúde, entre o que é normal e anormal, só pode ser resolvida mediante avaliações subjetivas, se isso for possível. Quando nos dedicamos à interpretação de sintomas físicos, fazemo-lo a fim de ajudar, sobretudo, aquelas pessoas que estão preocupadas em descobrir os âmbitos que ainda não localizaram (ou definiram): só desejamos mostrar-lhes que ainda não o fizeram. Assim como os processos ocorrem no corpo, da mesma forma acontecem na alma; embaixo, como em cima. Não temos pressa para mudar ou curar seja lá o que for. Ao contrário, vale a pena aceitar tudo o que acontece, pois negar os fatos apenas serviria para relegar de volta à sombra todo esse âmbito de vivências.

Só a observação pode nos tornar conscientes. Se houver uma modificação subjetiva espontânea na consciência, tanto melhor! Contudo, a intenção de mudar alguma coisa só consegue provocar o efeito contrário. Quando queremos adormecer depressa, esse é o modo mais seguro de termos dificuldade para adormecer. Se não nos preocuparmos, o sono logo chega por si mesmo. Num caso como esse, a ausência de intenção significa o ponto exato entre impedir e desejar impor. Trata-se da paz meridiana, que possibilita o surgimento de algo novo. Nem a insistente perseguição do objetivo, nem a resistência nos aproximam de nossas metas.

Se, enquanto estivermos interpretando os sintomas, nós acharmos que nossa interpretação é maldosa ou até mesmo negativa, essa impressão é um sinal da auto-imagem em que ainda estamos estagnados. Nem palavras, nem coisas, muito menos fatos, podem ser bons ou maus, positivos ou negativos por si mesmos. Uma avaliação não passa do produto das opiniões do observador.

Corremos, portanto, o grande risco de ser malcompreendidos, tendo em vista que os sintomas das doenças *en-carnam* todos os princípios que são tidos como negativos pela sociedade assim como pelos indivíduos. Por conseguinte, tais sintomas não são vividos nem considerados. É essa a razão de nos defrontarmos várias vezes com temas como agressão e sexualidade, visto que esses são os âmbitos mais sujeitos à repressão, pois temos de nos adaptar às normas e valores da sociedade. Por isso somos depois forçados a oferecer-lhes vias de expressão através de modos sutilmente transmutados. Contudo, afirmar que determinado sintoma se deve à agressividade latente não tem um sentido acusatório, nem vai nisso qualquer censura. Apontamos o fato apenas para fazer com que o paciente o entenda e aceite. Respondendo às possíveis indagações dos leitores preocupados sobre que coisas terríveis podem acontecer, por agirem segundo sua vontade, apenas diremos que a agressividade não desaparece só porque nos recusamos a olhar para ela, assim como observá-la não a torna maior ou pior. Na verdade, durante todo o tempo em que a agressão (ou qualquer outro impulso) se mantém oculta na sombra, ela desaparece de nossa consciência e é essa a principal razão por que se torna tão perigosa.

Para completar nossa exposição sobre este tema, achamos que devemos abrir mão de todos os valores que nos legaram. Seria igualmente conveniente substituir um raciocínio demasiado analítico e racional pela habilidade de pensar de forma imagética, simbólica e analógica. Relacionamentos e associações lingüísticas nos permitirão reconhecer a *Gestalt* mais rapidamente do que o mero raciocínio linear estéril. São as habilidades do hemisfério cerebral direito que se tornam mais necessárias para trazer à luz os sintomas das doenças.

3ª Regra: Abstraia o acontecimento sintomático formulando-o em termos de um princípio, e transfira esse modelo para o plano psíquico. Muitas vezes, ouvir o modo como as coisas são ditas pode servir de chave para entender o fato de nossa linguagem ser psicossomática.

As Conseqüências Forçadas

Quase todos os sintomas obrigam as pessoas a mudar seu comportamento, e essas mudanças podem ser classificadas em dois grupos: de um lado, aqueles sintomas que nos impedem de fazer coisas que gostaríamos de fazer e, por outro, os que nos obrigam a fazer aquilo que não gostaríamos de fazer. Por exemplo, uma gripe nos impede de aceitar um convite e nos obriga a ficar de cama. Uma perna quebrada nos impede de praticar esportes e nos obriga a ficar quietos. Se atribuirmos intenção e sentido à doença, então exatamente aqueles comportamentos que ela nos impõe nos dão belas chaves para descobrir o que esses sintomas querem de nós. Uma mudança de comportamento imposta é uma correção e, portanto, deve ser levada a sério. O doente tende a resistir com pertinácia às mudanças em seu estilo de vida e, na maioria das vezes, tenta, com todos os meios a seu dispor, tornar o corretivo sem efeito tão depressa quanto possível para poder seguir seu caminho da forma como vinha fazendo até então.

Contrariando essa atitude, nós achamos importante permitir que um distúrbio nos perturbe bastante mesmo. Um sintoma sempre corrige apenas unilateralidades — a pessoa hiperativa é obrigada a aquietar-se, os que não passam sem comunicar-se são forçados a retirar-se um pouco da agitação social. O sintoma impõe o pólo não vivido. Deveríamos prestar mais atenção a isso e de forma voluntária renunciar ao que nos foi retirado, aceitando o que é imposto. A doença sempre significa uma crise, e toda crise é sinônimo de desenvolvimento. Toda tentativa de obter outra vez o status *precedente* à doença representa uma ingenuidade ou uma tolice, pois a doença quer levar o enfermo adiante para dimensões desconhecidas e situações não vividas, e só quando seguirmos esse chamado de forma voluntária e consciente daremos significado à crise.

4ª Regra: As duas perguntas: "O que o sintoma me impede de fazer?" e "Ao que me obriga esse sintoma?" levam, na maioria das vezes e bem depressa, ao tema central da doença.

O Significado Comum de Sintomas Contraditórios

Ao falar sobre polaridade, já vimos que por trás de cada assim chamado par de opostos existe uma unidade. Também uma sintomática exterior de forças polarizadas gira ao redor do mesmo tema. Assim sendo, não se trata de nenhuma contradição se aconselharmos como atitude central a "descontração" tanto para um caso de prisão de ventre como para um caso de disenteria. Tanto nos casos de hipertensão como nos de pressão baixa descobriremos uma fuga de conflitos. Da mesma forma que a alegria pode se expressar através do riso *e* das lágrimas de felicidade e o medo, em certos casos, provoca paralisia e em outros pânico e fuga, todo tema tem a possibilidade de se manifestar através de sintomas aparentemente opostos.

Também cabe citar a este respeito o fato de que viver de forma intensa demais determinado campo de ação não representa um indício de que a pessoa não tenha problemas com esse setor ou de que tenha consciência de tal fato. Uma agressividade anormal também não significa que o indivíduo não tenha medo, assim como uma vida sexual exuberante não significa que a pessoa não tenha problemas de natureza sexual. Nesses casos recomendamos igualmente que a pessoa adote uma perspectiva polarizada. Qualquer extremo indica, com bastante certeza, que existe um problema. Tanto a pessoa tímida como a pessoa exibida sentem falta de segurança. O covarde e o corajoso têm medo. A falta de problemas pode ser vista no meio, entre os extremos. Se um fato é especialmente enfatizado, ele mostra que existe algum relacionamento problemático e ainda não resolvido.

Um determinado tema ou problema pode expressar-se através de uma grande variedade de órgãos e sistemas. Não existe uma estrutura fixa de correlação pela qual determinado assunto tem de optar por determinado sintoma para concretizar-se. Por meio dessa flexibilidade na escolha de formas de manifestação tanto somos bem sucedidos como podemos fracassar em nossos esforços para combater os sintomas. Sem dúvida é fato que um sintoma pode ser vencido do ponto de vista funcional, ou pode ser impedido com medidas preventivas; no entanto, o problema correspondente opta por outra forma de concretização, apoiando-se num processo conhecido como *mudança de sintomas*. Assim, o problema de se estar sob tensão excessiva, por exemplo, pode aparecer como hipertensão, como tônus muscular elevado, como aumento de pressão ocular (glaucoma), como abscesso, ou então como tendência de pressionar as demais pessoas. Cada uma dessas alternativas ainda tem nuanças particulares especiais, mas todos os sintomas mencionados expressam o mesmo problema essencial. Quem observar o histórico médico de alguém, deste ponto de vista detalhado, logo descobrirá um indício visível que, na maioria das vezes, passou despercebido pela pessoa doente.

Níveis de Escala

Um sintoma de fato nos torna um todo, na medida em que concretiza no corpo aquilo que falta à consciência; no entanto, esse processo não resolve o problema em definitivo, pois a consciência do ser humano continua incompleta até que ele integre sua sombra. Nesse processo, o sintoma físico é um dinamismo necessário, mas nunca a solução. Só o próprio homem pode aprender, amadurecer, ter experiências e vivê-las em sua consciência. No caso em que o corpo serve como instrumento imprescindível a essa vivência, devemos aceitar o fato de que o trabalho de percepção, elaboração, acontece na consciência.

Isso significa, por exemplo, que sentimos dor exclusivamente na consciência, não no corpo físico. O corpo, também nesse caso, serve mais precisamente de *meio* para que ocorram as experiências nesse nível (em última análise, o corpo nem sequer é obrigatório, como podemos constatar no caso das dores fantasmas*). Entretanto, consideramos de suma importância distinguir muito bem esses dois casos, apesar da estreita troca recíproca de efeitos entre a consciência e o corpo, para que possamos compreender bem o processo de aprendizado provocado pela doença. Literalmente falando, o corpo é o lugar em que um processo vindo "de cima" atinge seu ponto máximo de profundidade e, por isso mesmo, reverte o movimento em sentido contrário. Uma bola que cai ao solo precisa da resistência oferecida pelo próprio chão a fim de poder pular outra vez para o alto. Continuemos usando essa analogia "em cima-embaixo", e veremos que os processos da consciência mergulham e tornam a subir à tona no plano material a fim de sofrerem na matéria a sua repolarização, tendo então a possibilidade de ascender outra vez à esfera imaterial da consciência.

Todo princípio arquetípico tem de se densificar no corpo físico e aparecer de forma material para que o homem de fato o experimente e compreenda. No entanto, nessa vivência nem sempre abandonamos o nível físico e nos elevamos ao nível da consciência. Todo passo consciente de aprendizagem dá ensejo a uma manifestação e, ao mesmo tempo, a dissolve outra vez ao eliminá-la. No caso de uma doença, isso significa concretamente que um sintoma não resolve o problema no plano corporal, mas é apenas o pressuposto de uma etapa de aprendizado.

Qualquer coisa que aconteça no corpo enseja-nos a oportunidade de uma vivência. O quanto essa experiência penetrará na nossa consciência, porém, não pode ser previsto no caso de cada pessoa. Aqui cabem as mesmas leis válidas em qualquer outro processo de ensino-aprendizagem. Sendo assim, é inevitável que uma criança aprenda numa lição alguma coisa de matemática, mesmo que pouco, mas fica em aberto quando irá compreender de forma definitiva o conceito matemático do problema. Enquanto a criança não o compreender, todo exercício será para ela uma experiência dolorosa. Só a compreensão do princípio (o conceito) pode tirar do exercício (a forma) seu desagradável efeito colateral. De modo análogo, então, todo sintoma pode oferecer tanto um desafio como uma oportunidade de descobrir e entender o problema latente. Enquanto não fizermos isso (talvez por ainda estarmos inteiramente na projeção e achar-

---

* Dor fantasma = dor num membro que não existe mais devido à amputação.

mos que o sintoma é uma perturbação ocasional das funções físicas) o desafio não só continuará a existir como se tornará mais exigente, cobrando cada vez mais a compreensão do problema. Esse *continuum* resultante, que começa como uma suave provocação e acaba por se transformar numa pressão insuportável, é denominado por nós de níveis de escala. Cada nível representa um aumento na intensidade com que somos bombardeados pelo destino, que pretende que modifiquemos nossa visão costumeira, questionando sua validade, e que integremos de forma consciente à nossa vida algo que até agora está reprimido no inconsciente. Quanto maior for nossa resistência, tanto maior será a pressão exercida pelo sintoma.

Na tabela abaixo, apresentamos de forma sumária esse processo, que dividimos numa escala de sete níveis. Tal divisão não deve ser entendida como um sistema rígido, mas como uma tentativa de tornar compreensível a idéia da escala.

1. Expressão psíquica (idéias, desejos, fantasias).
2. Distúrbios funcionais.
3. Distúrbios físicos agudos (inflamações, ferimentos, pequenos acidentes).
4. Distúrbios crônicos.
5. Processos incuráveis, modificação de órgãos, câncer.
6. Morte (por doença ou acidente).
7. Deformações congênitas e perturbações de nascença (karma).

Antes que um problema se manifeste no corpo como sintoma, ele se apresenta na psique como tema, idéia, desejo ou fantasia. Quanto mais receptiva a pessoa for a seus impulsos inconscientes, e quanto mais ela estiver disposta a providenciar espaço para esses impulsos, tanto mais repleta de energia (e original) será sua vida. Mas, se ela adota preceitos e normas muito rígidos, não pode aceitar que se manifestem esses impulsos, pois questionam os preceitos válidos até o momento e estabelecem novas prioridades. A pessoa rígida acaba por se transformar no continente de auto-repressão em que usualmente os impulsos são contidos. Ela continua a viver com a convicção de que "esses problemas" não existem.

Essa tentativa de nos "fecharmos" ao nosso lado psicológico leva diretamente ao primeiro nível da escala: temos um sintoma — leve, inócuo e, no entanto, confiável. Ele significa a maneira de o impulso se manifestar de alguma forma, apesar de todos os esforços em contrário. Até mesmo impulsos psíquicos exigem uma transmutação, ou seja, desejam adquirir vida real, descendo ao nível físico. Se não permitirmos essa transformação de livre e espontânea vontade ela acontecerá de qualquer maneira, só que então por meio da sintomatização. Isso demonstra, sem sombra de dúvida, a regra invariável de que conter a manifestação de um impulso psíquico provoca através do corpo uma reação que parece proceder "do exterior". Depois dos distúrbios funcionais, com os quais aprendemos a conviver depois de certa resistência inicial, são os sintomas de inflamações agudas que mais se fazem sentir em qualquer parte do corpo, dependendo da área problemática. As pessoas leigas reconhecem com facilidade esses sintomas devido ao sufixo *-itis* (ite) das palavras. Toda condição inflamatória nos desafia a perceber alguma coisa, bastante específica, e seu objetivo — como veremos em mais detalhes na Segunda Parte do livro — é tornar visível algum conflito inconsciente. Se não conseguir alcançar essa meta — afinal, nosso mundo é hostil não só aos conflitos, mas também às infecções — as inflamações agudas se transformam em condições crônicas (sufixo *-ose*). Quem deixar de entender esse apelo urgente para mudar recebe um lembrete constante que serve de companhia durante anos a fio. Lentamente, contudo, esses processos crônicos acabam por acarretar mudanças físicas irreversíveis que passam a denominar-se doenças incuráveis.

Mais cedo ou mais tarde, essas doenças levam à morte. Aqui pode-se argumentar que, seja como for, todas as nossas vidas têm de acabar com a morte e que, nesse caso, a morte não pode ser um "nível de escala" como propomos. Entretanto, ninguém deve ignorar que a morte sempre nos traz uma mensagem, na medida em que ela nos lembra, da maneira mais crua possível, uma verdade insofismável: toda vida material tem começo e fim, e, sendo assim, é tolice apegarmo-nos ao viver. O desafio da morte é sempre *desapegar-nos* da ilusão do tempo, da ilusão do ego. A morte é um sintoma porque é uma expressão de polaridade e, como qualquer outro sintoma, pode ser curada através da obtenção da Unidade.

Com o derradeiro nível do processo escalatório — as doenças congênitas e as deficiências — o fim da linha se une outra vez ao começo. O que não foi entendido na hora da morte é levado como problema da consciência para a encarnação seguinte. Aqui abordamos um assunto que ainda não se tornou um tema normal em nossa cultura. O ponto a que chegamos no livro não é apropriado para uma discussão sobre o tema da reencarnação, mas é difícil evitar de demonstrar que aceitamos a teoria da reencarnação, caso contrário a nossa explicação sobre a doença e a cura, em alguns casos, nem sequer teria sentido. Para muitas pessoas, o conceito de um conteúdo interior dos sintomas não pode ser aplicado no caso das doenças infantis, e menos ainda no caso de malformações congênitas.

É justamente nesses casos, no entanto, que a teoria da reencarnação facilita o entendimento do problema. Por certo existe o risco de as pessoas buscarem as causas de suas doenças em vidas passadas, e sem dúvida essa abordagem faz com que se desviem do rumo certo na busca das causas presentes nesta vida. No entanto, já vimos que nossa consciência precisa do conceito de linearidade e de tempo para observar o que acontece no nível polarizado da existência. Nesse sentido, o conceito de "vidas anteriores" também é necessário à observação consciente do currículo da nossa consciência.

Vamos ilustrar esse inter-relacionamento com um exemplo: alguém acorda, certo dia pela manhã. Para essa pessoa, o dia é novo e ela resolve fazer planos para aproveitá-lo segundo sua vontade. Mas, sem levar em conta esses planos, justamente nessa manhã aparece o oficial de justiça exigindo o pagamento de determinada quantia, embora a pessoa não tenha gastado nem emprestado dinheiro nessa manhã. O grau de surpresa da pessoa em questão dependerá do fato de ela estar disposta a estender sua identidade a todos os dias, meses e anos precedentes a essa data, ou de então preferir identificar-se somente com esse dia. No primeiro caso, ela não ficará surpresa ao ver o oficial de justiça, nem se espantará com as atividades físicas e as outras circunstâncias que terá de enfrentar durante o dia. Compreenderá que não pode mais fazer as coisas do modo que pretendia, pois os atos de sua vida passada — apesar de interrompidos por uma noite de sono — continuam a exercer seus efeitos inclusive no novo dia. Mas, se essa pessoa usasse a interrupção da noite de sono como um pretexto para se identificar única e exclusivamente com o novo dia, descartando sua ligação com tudo o que aconteceu antes, ela acharia que todos os fenômenos mencionados acima são uma grande injustiça, feita no sentido de frustrar seus objetivos do modo mais gratuito e arbitrário possível.

Se, agora, substituirmos o dia deste exemplo pela vida de uma pessoa, e a noite pela morte, é fácil ver a diferença provocada pela aceitação ou pela rejeição da reencarnação em nosso modo geral de ver os acontecimentos. A idéia da reencarnação amplia nosso campo de visão, amplia o modo de ver as coisas e, conseqüentemente, facilita a compreensão do padrão geral da vida. Usar essa teoria apenas para empurrar as causas de eventos presentes ainda mais para o passado — o que muitas vezes acontece — é fazer um uso inadequado da mesma. Por outro lado, nos torna conscientes de que esta vida não passa de uma minúscula parte de nosso currículo geral, e isso torna fácil dar um sentido lógico às diferentes situações do início de vida das pessoas. Se cada vida fosse apenas uma viagem de ida sem retorno, provocada por uma mistura aleatória de dados genéticos, seria mais difícil enxergar esse significado.

Para o nosso assunto, basta estarmos cientes de que, embora venhamos a este mundo com um corpo novo, voltamos com uma consciência velha. O estado de consciência que trazemos conosco ao nascer é a expressão do que aprendemos em outras vidas. Portanto, trazemos conosco determinados problemas e, em seguida, usamos o novo mundo ao nosso redor para *concretizá-los* e, depois, resolvê-los. Os problemas não são criados nesta vida: eles agora só se tornam visíveis.

Decerto concordamos que os problemas também não surgem em vidas passadas, visto que sua origem não está no mundo formal. Os problemas e conflitos, como a culpa e o pecado, são formas de expressão inevitáveis da polaridade e, portanto, existem *a priori*. Certa vez encontramos num texto esotérico o seguinte ensinamento: "A culpa é a imperfeição da fruta que não está madura." Crianças têm tantos problemas e conflitos como os adultos. Mas, quanto a isto, as crianças estão em contato mais íntimo com seu inconsciente e, por conseguinte, não têm medo de expressar com espontaneidade os impulsos quando eles surgem, na medida em que os adultos "sabidos" o permitirem. À medida que envelhecemos, no entanto, aumentamos gradativamente a distância que nos separa do nosso inconsciente e estabelecemos cada vez mais nossas regras de conduta, o que equivale dizer que estagnamos em nossas normas e em nossas mentiras pessoais. Em virtude desse fato, também nossa tendência a apresentar sintomas de doenças cresce naturalmente com a idade. Mas, afinal, todo ser vivente que participa da polaridade é essencialmente *im-perfeito* e, usando o mesmo critério, doente.

Acontece o mesmo com os animais. A correlação entre doença e desenvolvimento da sombra pode ser vista também aqui. Quanto menor a diferenciação do organismo e a conseqüente sujeição à polaridade, tanto menor sua vulnerabilidade à doença. Quanto mais uma criatura viva avança na direção da polaridade, ou seja, da autoconsciência, tanto maior é a sua tendência para a doença. Os seres humanos exibem a mais elevada forma de autopercepção que existe no mundo, e é por isso que nós, homens, sentimos com maior força a tensão da polaridade. Conseqüentemente, é no nível humano que a doença assume seu maior grau de importância.

As características dos níveis na escala da doença devem nos mostrar como cada um nos apresenta, gradativamente, um novo e maior desafio, e como aumenta a pressão que sofremos. Não existem doenças graves ou acidentes que caiam de modo imprevisível de um céu sem nuvens; isso só acontece com quem acredita na existência de um céu sem nuvens. No entanto, quem não se ilude também não sofre desilusões!

A Cegueira Pessoal

Quando analisamos perfis de doenças como as que seguem, convém pensar em alguém que conhecemos, um parente ou amigo que esteja sofrendo com o sintoma em questão. Isso nos dará a chance de testarmos a importância de nossa interpretação, pois nesses casos pode-se ver até que ponto ela é procedente. Ao mesmo tempo, podemos aumentar nosso conhecimento acerca do funcionamento do ser humano. Mas, convém fazer isso em segredo, apenas para si próprio, e, em nenhuma hipótese, interpretar para os outros suas doenças. Pois, em última análise, nada temos que ver com os sintomas dos demais, muito menos temos que nos preocupar com seus problemas. E toda observação que fizermos a alguém, sem que essa pessoa a tenha pedido, é de fato um ataque. Cada qual deve se preocupar com os próprios problemas; isso é tudo o que pode fazer para a perfeição deste universo. Mas, quando aconselhamos que apesar de tudo averiguemos os sintomas das outras pessoas, tal procedimento só serve ao objetivo de assegurar a correção do método e dos inter-relacionamentos. Se cada um analisar os próprios sintomas concluirá com toda certeza que, nesse "caso muito especial", a interpretação não é exata, aliás, é justamente o contrário.

Esse é o maior problema da nossa proposta: "Somos cegos quanto ao que acontece na nossa própria casa." Teoricamente, essa cegueira no que se refere a nós mesmos é de fato bastante simples de explicar. Afinal, um sintoma é o sinal vivo de um princípio que está ausente da consciência. Nossa interpretação define esse princípio e assinala que ele de fato ainda existe em nosso íntimo, mas apenas como parte da sombra; por isso, ele não pode ser visto. Contudo, o paciente sempre compara essa afirmativa com aquilo que existe em seu consciente e, então, constata que não existe. Na maioria das vezes, o paciente aceita tal fato como a *prova* de que, em seu caso, a interpretação é incorreta. Entretanto, ele deixa de ver que se trata justamente do problema em questão e que faz parte do trabalho aprender o que o sintoma pretende ensinar! No entanto, isso exige um trabalho consciente e um confronto consigo mesmo; não é algo que se resolva num piscar de olhos.

Se um de nossos sintomas, por exemplo, envolver agressividade, o motivo de apresentarmos esse sintoma é, em outras palavras, o fato de não estarmos percebendo tal agressividade em nosso íntimo e, portanto, não a estamos expressando. Se soubermos alguma coisa do significado da agressividade, apresentaremos uma veemente resistência, como sempre acontece, pois, caso contrário, ela não teria sido relegada à sombra. Assim, não é de causar surpresa que não consigamos descobrir a agressividade em nós mesmos, pois se fôssemos capazes de vê-la, por certo não apresentaríamos tal sintoma. Na base deste inter-relacionamento está contida a regra geral de que podemos descobrir a correção de uma interpretação simplesmente pela força da reação a ela. Sempre que essa interpretação atinge o alvo provoca mal-estar, ansiedade e, portanto, resistência. Nesses casos é valioso ter um amigo ou um parceiro honesto ao qual recorrer, com a coragem de descrever francamente as fraquezas que nota em nossa personalidade. Mais seguro ainda, no entanto, é ouvir as críticas e as opiniões de nossos inimigos: quase sempre eles têm razão!

Regra básica:
Se a carapuça servir, use-a!

Resumo da Teoria

1. A consciência humana é polarizada. Isso possibilita, por um lado, a capacidade da autopercepção; por outro, nos torna im-perfeitos e incompletos.

2. O ser humano está doente. A doença é uma expressão da sua imperfeição e, dentro da polaridade, é um acontecimento inevitável.

3. A doença humana manifesta-se através dos sintomas. Sintomas, portanto, são partes da sombra da nossa consciência que se precipitaram em forma física.

4. Como um microcosmo, o homem contém em estado latente, na sua consciência, todos os princípios do macrocosmo. Em virtude da sua capacidade de discriminação, o ser humano sempre se identifica apenas com a metade de todos os princípios; a outra metade é relegada à sombra e, desta forma, foge à consciência.

5. Qualquer princípio não vivido na consciência insiste no seu direito à vida, através dos sintomas físicos. Com nossos sintomas somos constantemente forçados a viver e a concretizar aquelas coisas que não pretendíamos realizar. É assim que os sintomas compensam qualquer unilateralidade.

6. O sintoma torna as pessoas honestas!

7. Como sintoma, o ser humano *tem* aquilo que lhe *faz falta* na consciência.

8. A cura só é possível na medida em que nos conscientizarmos dos aspectos ocultos de nós mesmos, que formam a nossa sombra, e na medida em que os integrarmos. Assim que descobrimos o que nos faz falta, o sintoma torna-se supérfluo.

9. O objetivo da cura é a unicidade e a totalidade. O ser humano é perfeito quando enfim descobre seu verdadeiro *self* e se torna uno com tudo o que existe.

10. A doença obriga o ser humano a permanecer na trilha rumo à unidade, e por isso

A DOENÇA É UM CAMINHO PARA A PERFEIÇÃO.

2ª Parte

Interpretação e Significado dos Sintomas das Doenças

Você disse:
"Qual é o sinal do caminho, ó dervixe?"
"Ouça o que eu digo,
e, enquanto ouvir, pense!
Pois o sinal para você
é que cada passo para a frente,
fará com que seu sofrimento se torne maior."

Fariduddin Attar

1
A Infecção

A infecção representa um dos aspectos mais comuns e básicos do processo de doença dentro do nosso organismo. A maioria dos sintomas agudos são inflamações de um tipo ou outro, desde os resfriados simples numa extremidade do espectro das infecções pulmonares, até o cólera e a varíola. Na terminologia médica clássica, sempre é o sufixo *-itis* (ite) que revela um processo inflamatório em ação (colite, hepatite, e assim por diante). Foi no âmbito geral das doenças infecciosas que a moderna medicina acadêmica teve seus maiores sucessos, através da descoberta dos antibióticos (como a penicilina) e das vacinas. Houve época em que era comum morrer-se de infecção; no entanto, hoje em dia esse tipo de morte constitui uma exceção, principalmente nos países desenvolvidos que contam com grande aparelhagem médica. Isso não significa porém um decréscimo das doenças infecciosas; indica apenas que agora dispomos de melhores armas para combatê-las.

Se a tonalidade da exposição (aliás, bastante usual) lhe soar um tanto belicosa, lembre-se de que não se pode deixar de levar em conta que no processo inflamatório trata-se de fato de uma "guerra no interior do corpo": um teor de agentes patogênicos (bactérias, vírus, toxinas) é combatido pelo sistema imunológico, assim que se torna excessivo e passa a representar uma ameaça. Nós sentimos esse conflito na forma de vários sintomas, entre os quais inchaços, vermelhidões, dores e febre. Se, finalmente, o corpo conseguir vencer esses estimulantes da doença, vencemos a infecção mas, se esses agentes vencerem, o paciente morre. Com esse exemplo, é fácil compreender a analogia, ou seja, a correspondência entre a inflamação e a guerra. No caso, a analogia significa que tanto a guerra como a inflamação — embora não exista interligação causal entre elas — demonstram ter a mesma estrutura, além de ambas concretizarem o mesmo princípio, embora em campos diferentes de manifestação.

Nossa língua conhece muito bem essas correspondências interiores. A própria palavra *in-flamação* já contém a famosa "centelha explosiva" que pode levar pelos ares todo um barril de pólvora. A palavra inglesa correspondente, *inflammation*, significa literalmente o *ato de pôr fogo*. Eis que nos encontramos em meio a imagens lingüísticas que também usamos para conflitos bélicos: um *conflito pendente se acende* (ou se incendeia) *outra vez; pomos fogo no pavio; a tocha é arremessada contra a casa: a Europa pegou fogo* etc. Com tanto material combustível ao redor, mais cedo ou mais tarde acontecerá uma explosão, assim como tudo o que se vai acumulando certo dia explode, num processo que podemos observar não só na guerra, mas também no nosso próprio corpo, sempre que uma espinha ou até mesmo abscessos maiores terminam irrompendo e estourando.

Entretanto, para nossas próximas reflexões, é importante que incluamos mais um nível de analogia, mais precisamente o nível psíquico. Um ser humano também pode *explodir*. No entanto, nesse caso, explosão não se refere a um abscesso, mas a uma reação emocional através da qual é descarregado um conflito interno. Nas próximas linhas iremos fazer referências contínuas a esses três âmbitos simultâneos (psique, corpo e nação) para que possamos apreciar a analogia direta que existe entre conflito, inflamação e guerra, pois é essa analogia que realmente detém a chave para se compreender a doença em questão.

A polaridade da nossa consciência como seres humanos nos coloca constantemente em situação de conflito, no campo de tensão entre duas possibilidades. O tempo todo temos de decidir-nos (o significado original deste termo é tirar a espada da bainha para lutar!), rejeitando sempre uma possibilidade se quisermos concretizar a outra.

É por isso que sempre nos está faltando algo, que continuamos imperfeitos. Felizes daqueles que admitem essa tensão, que têm consciência desse conflito inerente à natureza humana, visto que a maioria prefere pretender que a nossa inconsciência acerca de conflitos interiores significa que não os temos. É com a mesma ingenuidade que criancinhas imaginam que podem tornar-se invisíveis bastando para tanto fechar os olhos. Contudo, os conflitos pouco se importam com o fato de termos ou não conhecimento de sua existência; eles simplesmente existem. Aqueles que não estão dispostos a elaborar seus conflitos e trabalhar no sentido de resolvê-los pouco a pouco, sofrem sua precipitação para a forma física onde se tornam visíveis através das inflamações. *Qualquer infecção é um conflito que se manifestou em forma física.* Evitar o conflito no nível psíquico — com toda a ansiedade e os riscos que acarreta — simplesmente faz com que ele encontre uma justificativa para aparecer no nível físico, na forma de inflamações.

Vamos acompanhar o caminho desse processo e suas respectivas correspondências nos três níveis: inflamação — conflito — guerra.

1. *Estímulo.* Os bacilos penetram no corpo: podem ser bactérias, vírus ou venenos (toxinas). Essa invasão não depende tanto assim — como muitos leigos costumam acreditar — da existência dos bacilos, mas muito mais da disposição do corpo em deixá-los atacar. A medicina dá a isso o nome de deficiência imunológica. O problema da infecção não consiste — como pensam os fanáticos pela esterilização — na presença dos bacilos, mas na capacidade de conviver com eles. Essa afirmação também pode ser transposta para o nível da consciência, quase em sentido literal, pois também

nesse nível não se trata do fato de o homem viver num ambiente livre de problemas e de conflitos, mas do fato de ele ser capaz de conviver *com* eles. O fato de a reação imunológica ser psicologicamente influenciada não precisa de mais explicações, dada a atual pesquisa científica, cada vez mais minuciosa nessa área (estresse e processos afins).

O que não podemos deixar de notar, entretanto, é essa mesma interligação dentro de nós. Os que não estão dispostos a tomar consciência dos conflitos que os podem irritar são forçados a tornar-se organicamente receptivos às irritações. Os agentes da doença se localizam nos pontos mais suscetíveis do corpo, conhecidos como *loci minoris resistentiae* (do latim = locais de menor resistência) e os médicos os descrevem com termos como "deficiência congênita ou hereditária". Quem não consegue pensar em termos analógicos, ver-se-á daqui por diante envolvido, na maioria das vezes, num conflito teórico insolúvel. A medicina acadêmica atribui a essa fraqueza orgânica inata a tendência de determinados órgãos às inflamações, o que aparentemente exclui a possibilidade de maiores interpretações, ou torna impossível a descoberta de seu significado. A psicossomática sempre chamou a atenção para o fato de determinadas áreas problemáticas estarem correlacionadas a determinados órgãos; no entanto, com este conceito, ela resiste à teoria da medicina acadêmica sobre o *loci minoris resistentiae.*

Essa aparente contradição, no entanto, logo se desfaz se observarmos a disputa de um terceiro ponto de vista. O corpo é a expressão visível da consciência, da mesma forma que uma casa é a expressão concreta da idéia de um arquiteto. Idéia e manifestação se correspondem, assim como uma fotografia corresponde ao negativo, sem serem exatamente a mesma coisa. Da mesma forma, cada parte do corpo humano e cada órgão corresponde a um determinado conteúdo psíquico, a uma emoção e a um determinado círculo de problemas (dentre essas correspondências podemos citar, por exemplo, a fisiognomonia, a bioenergética, as técnicas de massagem psíquica, entre outras). Um ser humano encarna com determinada consciência, cuja situação momentânea é expressão de seu aprendizado de vida até o momento. Ele traz consigo certo conjunto de âmbitos problemáticos, cujo gradativo aparecimento, bem como a exigência de solucioná-los, constitui o caminho de seu destino. Sim, pois caráter + tempo = destino. O caráter não é herdado, nem formado pelo meio ambiente; ele é "trazido junto", ele é a expressão da consciência que se encarnou.

Essa condição da consciência com sua constelação específica de problemas e de tarefas de vida é o que, por exemplo, a astrologia mostra através da medição simbólica da qualidade do tempo por meio de um horóscopo. (Para saber mais sobre o assunto, leia *O Desafio do Destino.*) Mas, se o corpo é a expressão da consciência, também no corpo existe o padrão psíquico correspondente. Isso também significa que determinados âmbitos problemáticos correspondem a certos órgãos e pode-se ver essa correlação em alguns casos. Por exemplo, a iridologia utiliza essa correlação através do diagnóstico da visão, mas até agora ainda não observou uma possível correlação psicológica.

O *locus minoris resistentiae* é aquele órgão que sempre tem de servir de instrumento para o aprendizado no nível físico, quando a pessoa não elabora conscientemente o problema psíquico correspondente àquele órgão. Nos próximos capítulos deste livro iremos gradativamente verificando que órgão corresponde a que problema. Quem conhece essas correlações percebe uma realidade totalmente nova por trás dos fatos relativos às doenças. Quem não ousar desapegar-se do sistema causal de raciocínio terá de renunciar a esse conhecimento.

Agora analisaremos o curso de uma inflamação típica, sem no entanto interpretarmos especificamente qualquer elemento da sua verdadeira localização. Já vimos o que acontece na primeira fase (estímulo) em que os bacilos invadem o corpo. Esse processo corresponde, no nível psíquico, a sermos desafiados por um dado problema. Um impulso com o qual ainda não chegamos a termo atravessa a barreira das defesas de nossa consciência e nos irrita e excita. Ele exacerba ou inflama a tensão inerente a determinada polaridade e, a partir de então, nós a sentiremos como um conflito consciente. Se nossa defesa psicológica estiver funcionando bem, o impulso não atinge diretamente nossa consciência, pois estamos imunes ao desafio; portanto, estamos imunes à experiência e ao autodesenvolvimento também!

Neste caso, a polaridade "ou/ou" continua em ação. Se baixarmos a guarda no nível da consciência, nossa imunidade física será preservada. Por outro lado, se nossa consciência for imune a novos impulsos, o corpo ficará receptivo aos micróbios e outros bacilos. Não podemos evitar a irritação; podemos apenas escolher o nível em que ela acontece. No contexto bélico, a primeira fase irritante corresponde à invasão do país pelos inimigos (a violação das fronteiras). Esse ataque nos faz dar toda atenção a nosso poder militar e político contra o nosso inimigo. Ficamos excessivamente ativos, voltamos toda nossa energia para esse novo problema, formamos as tropas, mobilizamos os homens, buscamos aliados. Em síntese, concentramo-nos no centro da tempestade. No contexto físico, toda essa atividade corresponde à fase de exsudação.

2. *Fase de exsudação.* Os bacilos agora estão firmes em suas posições e formam um centro de inflamação. Fluidos corporais ocorrem de todos os lados e sentimos um inchaço dos tecidos; na maioria dos casos, podemos até mesmo sentir a pressão desse fluxo. Se analisarmos nosso conflito psicológico nesta segunda fase, a pressão e a tensão correspondente também aumentam nesse nível. Nossa atenção se focaliza no novo problema, e não conseguimos pensar em mais nada. Todos os nossos pensamentos giram ao redor desse tema central. Não conseguimos falar de outra coisa, toda a nossa concentração e, virtualmente, toda a nossa energia psicológica fluem rumo ao problema, ou seja, literalmente alimentamos a situação e com isso ela assume proporções exageradas e nos parece tão insuperável quanto

escalar um pico de montanha. O conflito mobiliza todas as nossas energias psicológicas e as atrai de modo irresistível em sua direção.

3. *Reação de defesa.* O corpo, com base nos bacilos (= antígenos), forma anticorpos específicos (no sangue e na medula óssea). Linfócitos e granulócitos formam uma parede ao redor dos bacilos (a assim chamada camada granulosa) e os macrófagos começam a devorar os bacilos. No nível físico, a guerra está em pleno andamento: o inimigo está cercado e é atacado. Se o conflito não puder ser resolvido no nível local (uma guerra limitada) acontece uma mobilização geral: toda a população se envolve e dedica sua atividade integral à batalha. No corpo, essa situação corresponde à febre.

4. *A febre.* Pelo ataque das forças de resistência, os bacilos são perturbados e os venenos que liberam durante o processo levam a uma reação febril. Quando se tem febre, o corpo todo reage à inflamação local com uma elevação geral de temperatura. A cada grau que a febre aumenta, duplica-se a velocidade do metabolismo — um fato que mostra até que ponto a febre deve intensificar seu processo defensivo (não é sem razão que a sabedoria popular diz que a febre é saudável). Assim, existe uma correlação entre o grau da febre e a rapidez do curso da doença. Portanto, devemos confiantemente limitar as medidas para baixar a febre ao fator risco de vida, e não combater qualquer pequeno aumento de temperatura com medo e pânico.

No âmbito psíquico, o conflito que entrou nessa fase já terá absorvido toda a nossa vida e toda a nossa energia. As semelhanças entre a febre do corpo e uma agitação psíquica são bastante óbvias, tanto que falamos em *estar ardendo para resolver uma situação*, ou estarmos *febril de antecipação*, ou *estarmos numa expectativa ou tensão febris.* (A conhecida canção "*pop*", "Febre", desenvolve o duplo significado dessa palavra.) É assim que ficamos quentes de agitação, nossa batida cardíaca se acelera, ficamos corados (seja de amor ou de raiva...), suamos de tanta agitação e trememos de expectativa. Tudo isso não é nada agradável; no entanto, é saudável. Pois não só a febre é saudável; o confronto com os conflitos o é ainda mais e, no entanto, se tenta de todas as maneiras sufocar desde o início tanto a febre como os conflitos. E ainda nos orgulhamos de nossa arte em reprimi-los (se ao menos a repressão não fosse tão divertida!).

5. *Alívio (relaxamento).* Vamos imaginar que as forças de resistência do corpo obtiveram êxito total: elas reprimiram os corpos estranhos, em parte os incorporaram (comeram!), e assim aconteceu a destruição dos anticorpos e dos bacilos. O resultado é um pus amarelado (há perda de ambos os lados!). Os bacilos saem do corpo de forma transformada, são inócuos. No entanto, com isso também o corpo se transformou, pois agora ele possui: a) a informação dos bacilos, e a isso chamamos de "imunidade específica", e b) suas forças de resistência, em geral, estão treinadas e com isso também

fortalecidas; a isso chamamos de "imunidade geral". Em termos militares, a vitória é dada a um dos lados, depois que ambos sofreram baixas. O vencedor, entretanto, sai da luta mais forte do que se apresentou diante do vencido, e daqui em diante saberá como lhe reagir de forma específica.

6. *A morte.* Pode acontecer de os bacilos vencerem a batalha e o resultado da conflagração será a morte do paciente. Apesar de considerarmos esta como a mais infeliz solução — fato que se deve à nossa posição parcial — aqui acontece o mesmo que num jogo de futebol: tudo depende do clube com que nos identificamos. Vitória é vitória, seja qual for o lado que possa considerá-la sua — e a guerra, também nesse caso, se encerra. O júbilo é grande, só que desta vez a vitória pertence ao outro lado.

7. *A doença crônica.* Se nenhuma parte consegue resolver o conflito a seu favor, o resultado é um acordo entre os bacilos e as forças de resistência: os bacilos continuam no corpo sem vencer de fato (morte), mas também sem serem vencidos por completo (cura no sentido de uma recuperação integral). Temos então o quadro de uma doença que se torna crônica. Os indícios sintomáticos desse estado são um aumento de linfócitos e granulócitos, de anticorpos, um leve aumento da sedimentação sangüínea e estados febris. A situação não resolvida forma um foco de doença no corpo que, a partir desse momento, estará sempre absorvendo energia do resto do organismo: o paciente fica abatido, cansado, falta-lhe o ânimo, ele se torna abúlico e apático. Não está exatamente doente e também não está totalmente sadio, não houve uma verdadeira guerra e não se firmou de fato a paz; houve apenas um acordo e, como tal, é *corrompido* da mesma forma como todos os acordos do mundo. O acordo é o maior objetivo dos covardes, dos "mornos". (Jesus disse: "Gostaria que fôsseis quentes ou frios, mas como sois mornos, nem frios nem quentes, vos cuspirei de minha boca.") Estes são os que vivem no medo constante das conseqüências de seus atos e da responsabilidade que estes colocam em seus ombros. No entanto, um acordo nunca é uma solução, pois não representa o equilíbrio absoluto entre dois pólos opostos, além de não ter força unificadora. Os acordos provocam discórdias a longo prazo e, conseqüentemente, estagnação. No plano militar, correspondem a uma guerra de trincheiras (como na 1ª Guerra Mundial) e isso faz com que se continue usando energia e matérias-primas que poderiam ser melhor aproveitadas em outros setores importantes, como a ciência, a cultura etc; que então arrefecem quando não estagnam.

No plano bélico psicológico, a doença que se torna crônica corresponde a uma guerra de fronteiras. Ficamos presos no conflito e não temos ânimo nem coragem para forçar uma decisão. Toda decisão representa um sacrifício; somente podemos fazer uma coisa *ou* outra de cada vez, e esse sacrifício voluntário nos infunde medo. Assim, muitas pessoas se enrijecem em meio aos seus conflitos, incapazes de definir o impasse por um pólo ou outro. Ficam pesando o tempo todo qual decisão será a correta ou a incorreta, sem compreender que não existe *certo* ou *errado* no sentido abstrato, pois para ficarmos *perfeitos*, precisamos sempre dos dois pólos. Porém, dentro da polaridade, não podemos concretizar a ambos ao mesmo tempo, só um depois do outro. Portanto, comecemos com um deles, tomemos uma decisão!

Qualquer decisão liberta. O conflito demorado, tornado crônico, apenas nos rouba energia, o que do ponto de vista psíquico resulta na falta de vontade, na falta de desejo, e chega à resignação. Mas, se nos esforçarmos por libertar um dos pólos do conflito, logo sentiremos como flui depressa a energia assim mobilizada. Assim como o corpo sai mais forte de uma infecção, também a psique sai fortalecida de cada conflito, pois o confronto com o problema a ensinou, através do seu esforço para decidir entre dois pólos conflitantes, a ampliar suas fronteiras; dessa forma, ela se tornou mais consciente. De cada conflito vivido tiramos o lucro de uma informação (conscientização) que, analogamente à imunidade específica, capacita a pessoa a lidar com problemas futuros de um modo que não envolva riscos.

Além disso, todo conflito por que passamos nos ensina a enfrentar melhor e com mais confiança os conflitos em geral, fenômeno esse que corresponde à imunidade geral do corpo. Assim como cada resolução, no nível físico, exige grandes sacrifícios, também cada decisão da parte psíquica implica grande número de sacrifícios, pois temos de eliminar muitos pontos de vista antigos, muitas opiniões e muitas atitudes rotineiras e estilos conhecidos de vida! E então, assim como as grandes feridas às vezes deixam cicatrizes, também na psique muitas vezes sobram cicatrizes de mágoas passadas; no entanto, quando as recordamos, vemos que significaram pontos de mutação fundamentais em nossa vida.

Houve tempo em que os pais sabiam que quando um filho sobrevivia a uma doença infantil (todas as doenças infantis são de origem infecciosa) ele passava por um amadurecimento, ou seja, vencia mais uma etapa do desenvolvimento. Depois de uma doença infantil, a criança não é mais a mesma. A doença a mudou, amadurecendo-a. Mas não são só as doenças infantis que provocam amadurecimento. Assim como o corpo sai mais forte após uma vitória contra uma doença infecciosa, a pessoa sai de cada conflito resoluta, fortalecida, e mais madura. Só as provas nos tornam fortes. Todas as grandes culturas surgiram por terem enfrentado grandes necessidades e exigências; até mesmo Darwin atribuiu o desenvolvimento de várias espécies ao seu sucesso em dominar condições ambientais hostis (este aspecto do darwinismo não é aceito universalmente).

"A guerra é o pai de todas as coisas", disse Heráclito, e quem compreender corretamente essa sentença sabe que ela contém uma grande sabedoria. A guerra, o conflito, a tensão entre os pólos liberam energia vital e asseguram progresso e desenvolvimento. Essas frases parecem perigosas numa época em que os lobos vestem peles de cordeiros e demonstram sua agressividade reprimida como se fosse o amor pela paz.

Fizemos uma deliberada comparação gradual entre o desenvolvimento de uma infecção e o que acontece numa guerra. Isso pode dar ao nosso argumento uma intensidade que talvez encoraje o leitor a esquecer depressa demais o que acabamos de dizer, ou a passar adiante com um mero aceno de cabeça. Estamos vivendo numa era e numa cultura que se opõe ao máximo a conflitos. Em todos os níveis, as pessoas estão fazendo tudo o que podem para evitar conflitos; no entanto, elas não compreendem que com essa atitude estão trabalhando contra o desenvolvimento de sua percepção. Admitimos que num mundo polarizado sempre é possível dar vários passos práticos no sentido de evitar conflitos específicos, mas essas tentativas apenas os fazem estourar em outras esferas e assumir transmutações cada vez mais complicadas e, até agora, quase ninguém se deu conta disso.

Nosso assunto neste momento — as doenças infecciosas — é um bom exemplo para o caso em questão. Até agora, na verdade, nos limitamos a apresentar a estrutura dos conflitos e a estrutura das inflamações, estabelecendo analogias, a fim de reconhecermos suas semelhanças; porém, ambos não andam num paralelo exato no caso dos homens (isso acontece apenas raras vezes). Ao contrário, o que costuma acontecer é que um aspecto substitui o outro segundo um padrão "ou um, ou outro". Se um impulso consegue romper as defesas da psique e nos torna conscientes do conflito em pauta, o processo já delineado para lidar com o conflito acontece apenas no interior da psique e, via de regra, resulta numa infecção do corpo. Se, por outro lado, nos recusarmos a ser receptivos ao conflito, resistindo a tudo o que possa solapar a integridade artificialmente mantida de nosso mundo familiar, o conflito invade o corpo, onde tem de ser experimentado como uma inflamação física.

A inflamação é um conflito transferido para o nível físico. Isso não deve nos enganar, levando-nos a considerar nossas doenças infecciosas de modo superficial, concluindo que de fato não "temos conflitos interiores". É justamente essa recusa em aceitar nosso próprio conflito interior que levou à doença. Se de fato quisermos descobrir o que está havendo, temos de sofrer um pouco mais, fazendo algo que vá além de uma mera análise superficial. É preciso ser de uma honestidade a toda prova, o que provoca bastante desconforto à psique e causa tantas dores quanto as que a infecção impõe ao corpo. É justamente esse mal-estar, esse sofrimento pleno, que estamos ansiosos por evitar.

Decerto concordamos que os conflitos sempre machucam. Não importa o nível em que os sentimos — seja uma guerra, seja um conflito interno, seja uma doença — eles nunca são agradáveis. Ora, considerações do tipo "agradável", "desagradável", não servem de base para o assunto que estamos discutindo pois, assim que admitimos que não podemos evitar quaisquer conflitos, a questão deixa de existir. Aqueles de nós que não se permitem uma explosão psíquica, acabam sofrendo uma explosão no corpo (um abscesso) e, nesse caso, pode-se indagar qual explosão é *mais bela* ou *melhor?* A doença provoca a honestidade!

No entanto, os louváveis esforços que hoje fazemos no sentido de evitar problemas também são honestos. Tendo em vista o que dissemos, até mesmo a tentativa de combatermos as infecções pode ser vista sob uma nova luz. A luta contra as infecções é a luta contra os conflitos no nível psíquico. E aqui o nome dado à principal arma usada é por certo honesto: antibióticos. Essa palavra se compõe de dois radicais gregos, *anti* (contra) e *bio* (vida). Portanto, antibióticos são substâncias direcionadas contra a vida. Mas que honestidade admitir isto!

Essa "hostilidade" contra a vida, característica dos antibióticos, se adapta ao caso em dois níveis. Se nos lembrarmos que o conflito é, na verdade, a própria mola propulsora do desenvolvimento da vida, então a repressão de qualquer conflito é ao mesmo tempo um ataque à dinâmica da vida.

No entanto, também no sentido médico os antibióticos são hostis à vida. As inflamações representam um esclarecimento agudo, ou seja, rápido e imediato dos problemas, o que provoca a expulsão das toxinas do corpo através da supuração (formação de pus). Se esses processos de limpeza são neutralizados repetidamente e por um longo prazo, as toxinas têm de ser armazenadas no corpo (na maior parte das vezes no tecido conjuntivo), e seus efeitos degenerativos podem levar a uma maior capacidade de formação de tumores cancerosos. Aqui acontece então o efeito "lata-de-lixo": pode-se esvaziar várias vezes a lata-de-lixo (infecção), ou juntar tanto lixo até que os microrganismos, que ali nascem, ponham em risco toda a casa (câncer). Os antibióticos são substâncias estranhas que os pacientes não produziram com seus esforços pessoais, e que, conseqüentemente os iludem quanto aos reais frutos de sua doença — os frutos do aprendizado que têm de ser colhidos, lidando-se de frente com os problemas em pauta.

Deste ponto de vista, devemos agora fazer uma breve citação sobre o assunto da vacinação. Conhecemos dois tipos básicos de vacinação: a imunização ativa e a imunização passiva. No caso da imunização passiva, se injeta no corpo anticorpos produzidos dentro de outros organismos. Recorremos a este tipo de vacina quando uma doença já se manifestou (por exemplo, *Tetagam,* contra os bacilos do tétano). No nível psicológico, isso corresponderia à aceitação de soluções pré-fabricadas, leis e normas morais impostas pelo social. Seja como for, usamos remédios aconselhados por outras pessoas, evitando desta forma entrar em luta com nós mesmos e obter a experiência pessoal: trata-se de um caminho confortável, que *não é* um caminho, pois falta a *movimentação* rumo a algum objetivo.

Na imunização ativa são administrados germes enfraquecidos (desarmados) para que, através desse impacto, o próprio corpo produza os anticorpos. Todas as vacinas profiláticas caem nessa categoria, como a antipólio, a vacina contra o sarampo, a antitetânica e outras. Este método corresponde, no nível psicológico, ao treinamento em resolução de problemas numa situação pacífica (o que equivale às manobras militares). Vários esforços pedagógicos, e também a maioria das terapias de grupo, são classificados nessa categoria. Em situações protegidas, deve-se aprender estratégias para a solução de problemas que permitam ao ser humano lidar de forma mais consciente com conflitos sérios e graves.

Não se deve interpretar mal todas essas idéias considerando-as meras receitas. Não se trata aqui da questão da oportunidade ou não de uma vacinação em determinado caso pessoal, ou do fato de nunca ser apropriado o uso de antibióticos. Em última instância, pouco importa a nossa atitude, desde que *saibamos* o que estamos fazendo! Aqui nos preocupamos com a conscientização, não com mandamentos e proibições adrede preparados.

No entanto, permanece a questão de o processo da doença física estar ou não por si mesmo em condições de substituir o processo psicológico. Não se trata de uma questão fácil de responder, tendo em vista que nossa divisão mental entre *psique* e *soma* é um mero *recurso* e não algo palpável, que se encontre na prática em termos claros. Tudo o que acontece no corpo é sempre registrado na consciência, na psique. Se machucamos o polegar com um martelo dizemos: "Meu dedão está doendo." Mas essa não é uma verdade exata, visto que a dor acontece apenas no nível do cérebro, não no polegar. A dor é uma percepção psíquica que simplesmente projetamos no polegar.

É justamente pelo fato de essa dor ser um fenômeno psicológico que somos capazes de exercer tanta influência sobre ela, através do divertimento, da hipnose, da narcose, da acupuntura e assim por diante. (Quem acha despropositada a afirmação acima, por favor lembre-se do fenômeno da dor fantasma em membros amputados!) Tudo o que sentimos e sofremos no desenvolvimento de uma doença física ocorre exclusivamente em nossa consciência. A diferenciação entre "psíquico" e "somático" se refere apenas à tela particular onde a projetarmos. As pessoas que sofrem de paixão projetam suas percepções em algo não-físico — mais precisamente, no amor — ao passo que os que têm angina projetam o que sentem, por exemplo, na região da garganta; entretanto, ambas as pessoas estão sofrendo só na mente. A matéria — inclusive o corpo — só pode servir como tela de projeção: em si mesma, nunca é o lugar onde se podem resolver os problemas. Nesta função, o corpo pode prestar uma ajuda ideal a um melhor reconhecimento; no entanto, a solução só pode ser descoberta pela própria consciência. Assim, o processo de toda doença física representa a concretização simbólica de um problema específico cujos frutos educativos só fecundam a consciência. É esse também o motivo pelo qual cada doença traz, atrás de si, um passo rumo ao amadurecimento.

Nessa medida, surge um ritmo entre as elaborações física e psíquica de um problema. Se não se puder resolvê-lo apenas no âmbito da consciência, o corpo é utilizado como um meio material de ajuda, na medida em que a dificuldade ainda não solucionada é dramatizada de forma simbólica. O efeito do aprendizado resultante é devolvido à psique, depois da cura da doença. Se, apesar da experiência obtida, a psique ainda não conseguir *entender* o problema, ele se precipita outra vez em forma física, para que novas experiências práticas possam ser colhidas. (Não é sem razão que conceitos como *com-preender* e *en-tender* sejam posturas bem concretas do corpo!) Essa troca é repetida tantas vezes quantas forem necessárias para que as experiências feitas capacitem à consciência resolver em definitivo o problema ou solucionar de vez o conflito.

Podemos tornar esse processo mais inteligível através da seguinte imagem: digamos que um aluno tenha de aprender a calcular mentalmente. Assim sendo, lhe apresentamos uma lição (problema). Se ele não conseguir fazer a conta só de cabeça, nós lhe damos um caderno de anotações (material) para ajudá-lo. Então, ele passa o problema para o papel e, por esse meio (bem como em sua cabeça), acaba resolvendo a conta. Depois lhe damos outro exercício para que o faça sem a ajuda do caderno. Se não conseguir, ele recebe outra vez ajuda material, e o processo se repete até que ele consiga aprender a fazer o cálculo de cabeça, sem precisar mais escrever. Em última análise, os cálculos sempre são feitos de cabeça, nunca sobre o papel, mas o fato de projetar o problema para o nível visível torna o processo de aprendizado mais rápido.

Insistimos bastante neste ponto porque decorre da verdadeira compreensão desse inter-relacionamento entre corpo e psique uma conseqüência que não consideramos muito natural, a saber, que o corpo não é o lugar onde um problema pode ser resolvido! Já a medicina acadêmica, como um todo, segue por esse caminho. Todos ficam fascinados com o que acontece no corpo e tentam resolver a doença no nível físico.

No entanto, nesse nível nada há a solucionar. Isso equivaleria à tentativa de remodelar o caderno de anotações, cada vez que o nosso aluno tivesse dificuldade para encontrar a solução do problema. Ser um ser humano é algo que ocorre na consciência e se reflete no corpo. Ficar polindo continuamente o espelho não modifica nada aquele que ali se reflete. (Tomara Deus permitisse que isso fosse assim tão fácil!) Devemos parar de procurar no espelho a causa e a evolução de todos os problemas refletidos. Devemos usar o espelho apenas para o autoconhecimento.

Infecção — um conflito que se materializou

Quem mostra predisposição a inflamações está tentando evitar conflitos. No caso de contrairmos uma doença infecciosa, devemos nos fazer as seguintes perguntas:

1. Qual o conflito existente em minha vida que até agora eu não vejo?

2. Que conflito estarei evitando?

3. Que conflito tento fingir que não existe?

Para descobrir de que conflito se trata, basta prestar atenção ao simbolismo do órgão afetado ou da parte doente do corpo.

2
O Sistema Imunológico

Resistir significa *não deixar entrar.* O pólo oposto da resistência é o amor. Podemos definir o amor de vários ângulos de visão: no entanto, qualquer forma de amor pode ser reduzida ao *ato de deixar entrar.* No amor, o ser humano abre suas fronteiras e deixa entrar algo que até então ficava do lado de fora. Na maior parte das vezes, denominamos essa fronteira de eu (ego) e tratamos tudo o que fica fora dessa identidade pessoal como *tu* (o não-eu). No amor, essa fronteira se abre para que o *tu* possa entrar e, através da união, se transforme também em *eu.* Em toda parte onde colocarmos fronteiras, não amamos; por outro lado, sempre que deixarmos entrar, amamos. Desde Freud usamos a expressão "mecanismos de defesa" para aqueles jogos da consciência cuja missão é impedir que venham à tona conteúdos de aparência ameaçadora, oriundos do nosso inconsciente.

Torna-se importante enfatizar neste ponto, para não perdermos de vista a igualdade entre microcosmo e macrocosmo, que toda forma de recusa e resistência a qualquer manifestação proveniente do ambiente é sempre a expressão externa de uma resistência psíquica interna. Toda resistência fortalece o nosso ego, visto que ela acentua a fronteira. É por isso que o ser humano acha mais fácil dizer *não* do que dizer *sim.* Toda negativa, toda oposição, deixa intacta nossa fronteira, permite que sintamos o nosso *eu.* No entanto, a fronteira desaparece e se torna difusa cada vez que "estamos de acordo", pois, ao concordar, não sentimos a nós mesmos. É difícil pôr em palavras o que são os mecanismos de defesa, pois, na melhor das hipóteses, tudo o que descrevermos somente reconheceremos nas outras pessoas. Os mecanismos de resistência são a soma daquilo que nos impede de chegarmos à perfeição. O caminho para a iluminação, teoricamente, é fácil de descrever: Tudo o que existe é bom. Concorde com tudo o que existe e torne-se uno com tudo o que existe. Esse é o caminho do amor.

Contudo, todo "sim, mas..." que surge neste ponto é resistência e impede a nossa unicidade. É aí que se iniciam as coloridas e versáteis manobras do ego, que não se incomoda de utilizar as mais honestas, simples e nobres teorias para demarcar suas fronteiras. É assim que continuamos a fazer o jogo do mundo.

Pessoas inteligentes podem argumentar que se tudo o que existe é bom, também a resistência tem de ser boa! Está certo, ela de fato é boa, pois nos ajuda a enfrentar tantos atritos num mundo polarizado que acabamos por evoluir, através do aumento de nosso conhecimento; contudo, em última análise, ela não passa de um meio de ajuda que deve tornar-se supérfluo por si mesmo. No mesmo sentido, também uma doença tem sua justificativa e, no entanto, nós sempre desejamos transmutá-la em cura.

Assim como a resistência psíquica se volta contra os conteúdos *interiores* da consciência que são classificados como perigosos e que, por essa razão, não têm acesso à mente consciente, da mesma forma a resistência física se volta contra os inimigos externos, denominados bacilos ou toxinas. Mas estamos tão acostumados a nos gabar do sistema de valores que nós mesmos forjamos que, na maioria das vezes, acreditamos que essas medidas são absolutas. Não existe, porém, outro inimigo a não ser aquele que declaramos como tal. (É bastante interessante ver, por exemplo, o prazer que os militantes políticos sentem em identificar "inimigos".) Não existe quase nada que um sistema não rotule como terrivelmente prejudicial, ao mesmo tempo que seus rivais, numa total contradição, recomendam aquelas mesmas coisas como inteiramente saudáveis. De nossa parte, aconselhamos em especial a seguinte dieta: leia na íntegra todos os livros sobre regimes que encontrar e, em seguida, coma tudo o que gostar. Há pessoas que, de fato, são originais na descoberta de entidades hostis e são tão peremptórias que chegam a rotulá-las de doentias. Referimo-nos aqui às pessoas que se queixam de alergias.

A *alergia* é uma reação excessiva a alguma substância considerada hostil. Considerando-se os mecanismos inatos de sobrevivência, esta reação de defesa do corpo é totalmente válida. O sistema imunológico forma anticorpos contra os fatores alérgenos e responde — do ponto de vista do corpo — com uma reação significativa contra os intrusos hostis. Os que sofrem de alergias, entretanto, apresentam essa reação defensiva sensivelmente exagerada e até mesmo desproporcional. Elas constroem um nível elevado de defesas e, desta forma, ampliam o campo de ação dos elementos hostis estendendo-o a uma área maior. Cada vez mais substâncias são identificadas como inimigas e, portanto, as defesas são aumentadas e fortalecidas a fim de conter eficazmente a horda inimiga. Entretanto, tal como um nível elevado de armas num campo de batalha sempre significa um grande nível de agressão, também as alergias são um sinal de grande resistência e agressividade represada na forma humana corporal. Os alérgicos têm o problema de uma agressividade que não constatam e que, por conseguinte, também não extravasam.

(Para evitar mal-entendidos neste ponto, lembramos outra vez ao leitor que falamos de um aspecto psíquico *reprimido* quando a pessoa envolvida não toma conhecimento de sua existência. Pode acontecer que esse aspecto seja vivido muito bem por ela; no entanto, a pessoa não reconhece essa característica em si mesma. Pode acontecer também que essa característica tenha sido tão incansavelmente reprimida que a pessoa nem sequer a vive mais. Assim sendo, será possível que, tanto uma pessoa agressiva, como uma pessoa muito tensa, tenham reprimido sua agressividade?)

No caso da alergia, a agressividade se precipitou da consciência para o corpo físico, onde tenta fazer-se notar. Os pacientes podem defender e atacar, lutar e vencer para seu contentamento pessoal. Mas, para que essa ocupação tão prazerosa não chegue logo ao final devido à falta de inimigos, objetos inócuos são focos de hostilidade: o pólen das flores, pêlos de gatos ou cavalos, poeira, sabões em pó, fumo, morangos, cães, tomates. A escolha é ilimitada: a pessoa alérgica não se intimida com nada. Para ela, lutar contra tudo e contra todos é uma necessidade; no entanto, dá preferência a alguns elementos favoritos, carregados de simbolismo.

É fato bem conhecido a estreita relação existente entre a agressividade e o medo. Só atacamos quando estamos com medo. Se observarmos mais atentamente os alérgenos prediletos de uma pessoa, logo descobriremos quais âmbitos da vida inspiram-lhe tanto medo a ponto de ela lutar apaixonadamente contra os mesmos através de seus representantes simbólicos. Em primeiro lugar, são citados os pêlos de animais domésticos, principalmente de gatos. As pessoas associam o pêlo do gato (como também todos os pêlos em geral) a carinhos e carícias — afinal, ele é macio e gostoso de pegar, gostoso de sentir junto à pele — sem perder sua característica "animalesca". É um símbolo para o amor e tem uma conotação sexual (compare com os bichinhos de pelúcia que criancinhas pequenas levam junto para a cama na hora de dormir). O mesmo vale para o pêlo dos coelhos. No caso dos cavalos, são acentuados os componentes impulsivos; no do cão, os componentes agressivos. Todas essas porém são diferenças sutis, não tão significativas, visto que um símbolo nunca apresenta limites muito rígidos.

As mesmas correlações são válidas para o pólen das flores que provocam a febre de feno, por exemplo, com seus alérgenos. O pólen é um símbolo da fecundidade e da reprodução, bem como o auge da primavera é aquela estação do ano na qual os que sofrem da febre de feno mais padecem. Pêlos de animais e pólen, enquanto fatores alérgenos, nos mostram que os temas "amor", "sexualidade", "desejo" e "fertilidade" estão repletos de ansiedade e, por isso, as pessoas resistem a eles de forma agressiva, ou seja, impedindo que entrem em seu interior.

Algo semelhante nos mostra o medo da sujeira, da falta de limpeza, que se manifesta como alergia à poeira doméstica. (Convém observar expressões como *piadas sujas, lavar roupa suja em público, levar uma vida impoluta etc.*) Assim como a pessoa alérgica tenta evitar os alérgenos, ela procura fugir aos respectivos planos da vida que lhe infundem temor; nesse caso, é de grande utilidade uma medicina de horizontes largos e a compreensão do meio ambiente. Os alérgicos também não têm limites em seus jogos de poder: os animais de estimação são eliminados, ninguém pode fumar em sua presença etc. Nessa tirania sobre o meio ambiente, o alérgico encontra um belo campo de ação para concretizar sua agressividade reprimida sem se dar conta da manipulação envolvida.

O método de "dessensibilização" é uma boa idéia em princípio, só que devia ser usado no âmbito psíquico e não no físico, caso se queira obter bons resultados, pois o fato é que a pessoa alérgica só encontrará a cura quando aprender a enfrentar de maneira consciente aqueles elementos que evita, e quando assimilá-los e integrá-los em sua consciência. Não prestamos um bom serviço ao alérgico ao apoiarmos suas estratégias de justificação: ele tem de se haver com seus inimigos, tem de aprender a amá-los. O fato de os alérgenos exercerem um efeito exclusivamente simbólico e nunca um efeito material e químico sobre os alérgicos deve ficar claro até para o materialista mais radical, quando este descobrir que sua alergia sempre necessita da consciência para poder se manifestar. Assim sendo, na anestesia não há alergia e, da mesma forma, qualquer alergia desaparece durante uma psicose. Ao contrário, representações como a fotografia de um gato, ou a figura de uma locomotiva fumegante, por exemplo, deram ensejo ao ataque de asma de um alérgico. A reação independe da presença material dos alérgenos.

A maioria dos alérgenos é uma expressão de vida: sexualidade, amor, fecundidade, agressividade, sujeira — em todos esses âmbitos a vida se mostra em sua forma mais vital. Mas é exatamente essa vitalidade em busca de um modo de se expressar que infunde grande medo aos alérgicos; em última análise, eles são hostis à vida. Seu ideal é uma existência isenta de sementes, estéril, infecunda, livre de impulsos e de agressividade. Trata-se de um estado que mal merece ser denominado "vida". Assim, também não é de causar admiração o fato de a alergia, em tantos casos, assumir proporções imensas levando a ameaçadoras doenças auto-agressivas, em que o corpo de pessoas (ai, tão ternas) tem de passar por violentas batalhas até chegar ao fim. Nesse caso, a recusa em viver, o retiro auto-imposto, a proteção dentro de uma espécie de carapaça, atingem a forma extrema cuja concretização está no caixão — uma câmara realmente isenta de alérgenos...

Alergia — uma agressividade que se materializou

A pessoa alérgica deve fazer a si mesma as seguintes perguntas:

1. Por que não suporto tomar consciência da minha agressividade, e a transfiro para a manifestação corporal?

2. Quais âmbitos da vida me inspiram tanto medo que procuro evitá-los?

3. Para que temas apontam os meus alérgenos?

4. Até que ponto uso minha alergia para manipular o meio ambiente?

5. Como encaro o amor, qual é a minha capacidade de amar?

3
A Respiração

A respiração é um fenômeno rítmico. Ela se compõe de duas fases, a inspiração e a expiração. A respiração serve como um ótimo exemplo para a lei da polaridade: os dois pólos, inspiração e expiração, formam um ritmo por sua troca contínua. É assim que um pólo obriga o surgimento do oposto, pois a inspiração provoca a expiração etc. Também podemos dizer: cada pólo vive da existência do pólo contrário, pois se destruirmos uma fase a outra também desaparece. Um pólo compensa o outro e ambos formam a totalidade. A respiração consiste em ritmo, e ritmo é o alicerce de tudo o que vive. Apenas podemos substituir com facilidade os pólos da respiração pelos conceitos de *tensão* e *relaxamento* (contração e descontração). Essa correlação entre inspiração/contração e expiração/descontração se torna muito visível quando suspiramos. Existe um suspiro de inspiração que leva à contração, e existe um suspiro na expiração que leva à descontração.

No que se refere ao corpo, o fenômeno central da respiração é um processo de troca: através da inspiração, o oxigênio contido no ar é levado aos corpúsculos vermelhos do sangue; quando expiramos, expelimos dióxido de carbono. A respiração abrange a polaridade da recepção e da entrega, do dar e do receber. Com isso, chegamos ao simbolismo mais importante da respiração. Nas palavras de Goethe:

> Há duas bênçãos na respiração,
> absorver o ar e soltá-lo outra vez;
> uma nos pressiona, outra nos refresca,
> que mistura maravilhosa é a vida!

Todas as línguas antigas usam a mesma palavra para respiração e para designar a alma ou o espírito. Em latim, *spirare* significa "respirar" e *spiritus* significa espírito; mais uma vez, reencontramos a raiz de ambas as palavras num único termo: "inspiração" que, literalmente, significa "inspirar" e assim está ligada inseparavelmente a respirar para dentro, ou seja, deixar entrar. Em grego, *psyche* significa tanto "respiração" como "alma". Em sânscrito encontramos a palavra *atman*, na qual podemos logo ver o elo que a liga à palavra germânica *atmen* (respirar). Na língua hindu, descobrimos também que uma pessoa que atingiu a perfeição é chamada de *Mahatma*, o que significa, literalmente, tanto "grande alma" como "grande respiração". Da doutrina hindu aprendemos também que a respiração é a portadora da verdadeira força vital à qual os indianos chamam *prana*. Na história bíblica da Criação aprendemos que Deus soprou seu hálito divino no torrão de barro que formara e que, ao fazê-lo, deu a Adão uma alma viva.

Essa imagem nos mostra de forma muito bela como é insuflado, no corpo material, no aspecto formal, algo que não provém da Criação, o hálito divino. Somente esse "alento" que transcende o mundo criado é que nos transforma em seres vivos, animados. E eis-nos aqui muito próximos do segredo da respiração. A respiração nem faz parte de nós, nem nos pertence. Não é a respiração que está em nós, porém somos nós que estamos *na respiração*. Por meio da respiração estamos eternamente ligados a algo que transcende a Criação, que está além da forma. A respiração faz com que essa ligação com o âmbito metafísico (no sentido literal: com o que está *por trás da natureza*) não se desfaça. Vivemos na respiração como se estivéssemos dentro de um útero gigantesco, que se estende muito além de nossa pequena e limitada existência, pois ele é a vida, aquele derradeiro grande mistério que não conseguimos explicar, nem definir, que só podemos sentir abrindo-nos e permitindo que flua através de nós. A respiração é o cordão umbilical através do qual esta vida flui para nós. É a respiração que faz com que continuemos fiéis a esse dar e receber.

É nisso que reside sua grande importância. A respiração nos impede de nos isolarmos, de nos encerrarmos em nós mesmos, impede que tornemos as fronteiras do nosso eu inteiramente impenetráveis. Embora como seres humanos gostemos de nos encapsularmos em nosso ego, a respiração nos obriga a manter nosso vínculo com o não-eu. Convém tornarmo-nos cientes de que o inimigo respira o mesmo ar que nós inspiramos e expiramos. O animal e a planta também. É a respiração que nos liga continuamente a tudo o que existe. Não importa o quanto o ser humano tente se isolar, a respiração o vinculará a tudo e a todos. O ar que respiramos nos une num todo, quer queiramos quer não. A respiração, portanto, tem algo a ver com "contato" e com "relacionamento".

Esse contato entre o que vem do exterior e o nosso corpo acontece nas vesículas pulmonares (alvéolos). Nosso pulmão possui uma superfície interna de cerca de setenta metros quadrados, ao passo que a superfície de nossa pele mede apenas até dois metros e meio quadrados. O pulmão é o nosso grande órgão de contato. Se observarmos melhor, podemos reconhecer também as sutis diferenças existentes entre os dois grandes órgãos humanos de contato, os pulmões e a pele. O contato da pele é muito direto, é mais palpável e intenso do que o dos pulmões, e depende de nossa vontade. Podemos tocar em alguém ou deixar que nos toquem. O contato que estabelecemos através dos pulmões é indireto, apesar de compulsório. Não podemos impedi-lo, mesmo que *não possamos suportar alguém*. Uma outra pessoa pode nos *fazer faltar o ar*. Um sintoma de doença pode muitas vezes ser atribuído alternadamente a estes dois órgãos de contato, a pele e os pulmões. Um abscesso cutâneo suprimido pode surgir como ataque de asma e então, depois que esta foi tratada, surgir outra vez como erupção cutânea. Pois, tal como as erupções cutâneas, a asma também é uma expressão do mesmo problema de personalidade — contato, toque, relacionamento. A relutância em estabelecer contato através da respiração pode surgir na forma de espasmos durante a expiração, como acontece com a pessoa asmática.

Se prestarmos mais atenção ao uso das expressões lingüísticas relacionadas com a respiração ou o ar, descobriremos que existem situações em que *sentimos falta de ar* ou em que *não conseguimos mais respirar livremente.* É nesse ponto que começamos a tocar no assunto da liberdade e da restrição. Começamos a vida com nossa primeira respiração; terminamos a vida num último suspiro. No entanto, ao respirarmos pela primeira vez damos o primeiro passo para o mundo exterior, livrando-nos de nossa união simbólica com a mãe: tornamo-nos independentes, auto-suficientes, livres. Toda dificuldade respiratória, muitas vezes, é sinal de medo, medo de dar o primeiro passo rumo à liberdade e à independência. Nesses casos, a liberdade produz o efeito de "nos tirar o fôlego", ou seja, provoca o medo do desconhecido. O mesmo elo entre liberdade e respiração pode ser visto nas pessoas que se livram de algum tipo de restrição, passando a um contexto de vida que lhes dá a sensação de liberdade, ou, na verdade, a liberdade de estarem ao ar livre: a primeira coisa que fazem é inspirar profundamente pois afinal agora podem respirar livremente outra vez.

Até mesmo a expressão *"preciso de ar"*, sensação que nos acomete quando estamos num ambiente constrangedor, significa fome de liberdade e de espaço livre.

Resumindo, a respiração simboliza principalmente os seguintes temas:

Ritmo, no sentido de "não só/mas também"
Contração — descontração
Receber — dar
Contato — resistência ao contato
Liberdade — restrição

Respiração — Assimilação da Vida

No caso de doenças que tenham relação com a respiração, a pessoa doente deve fazer a si mesma as seguintes perguntas:

1. O que me faz sentir falta de ar?

2. O que me recuso a aceitar?

3. O que estou evitando dar?

4. Com o que não desejo entrar em contato?

5. Acaso terei medo de dar o passo para uma nova liberdade?

A Bronquite Asmática

Depois destas considerações gerais sobre a respiração, vamos também analisar com mais detalhes o sintoma da bronquite asmática — essa doença que sempre serviu de exemplo impressionante para as correlações psicossomáticas.

Por bronquite asmática se define "um ataque de falta de ar, com uma expiração caracteristicamente sibilante. Existe um estreitamento dos pequenos brônquios e bronquíolos, que, através de uma contração da musculatura lisa, pode causar um prurido inflamatório das vias aéreas, um inchaço alérgico e uma secreção das membranas mucosas". Essa definição é de Bräutigam.

O ataque de asma é sentido pelo paciente como um sufocamento que põe em risco a sua vida; o paciente luta pelo ar e sua respiração é resfolegante; ao que parece, a expiração é especialmente sufocada. Os asmáticos têm diversos problemas simultâneos mas, apesar da semelhança de seu conteúdo, vamos expô-los em separado por razões didáticas.

1. *Dar e receber*. O asmático tenta receber em demasia. Ele inspira com força total, os pulmões incham demais, e isso produz um espasmo no momento de expirar. Em outros termos, ele se enche de ar tanto quanto possível, até as bordas, e quando se trata de eliminá-lo acontece o acesso. Vemos aqui com nitidez a perturbação do equilíbrio; as polaridades dar e receber precisam ser equivalentes para poderem formar um ritmo. A lei da transformação vive do equilíbrio interior; todo excesso de peso interrompe o fluxo. Na pessoa asmática, este fluxo respiratório é interrompido justamente porque ela só pensa em receber e em ser excelente nisso. Depois, não é mais capaz de dar e, de repente, também não consegue mais receber aquilo de que tanto gostaria. Ao inspirar tomamos oxigênio, ao expirar liberamos gás carbônico. O asmático quer reter tudo e por isso acaba se envenenando pelo fato de não poder expelir o ar usado. Esse dar e receber coartado leva literalmente à sensação de asfixia.

Existem muitas pessoas para as quais a desproporção entre dar e receber está tão nitidamente representada pela asma que vale a pena pensar no assunto. Parece simples; contudo, é aí que muitos começam a fracassar. No caso, não importa o que se quer ter: dinheiro, fama, sabedoria, conhecimento. Em todas as circunstâncias deve haver equilíbrio entre dar e receber, caso contrário sufocaremos com o que tomamos. A pessoa só recebe na medida em que dá. Quando pára de dar, interrompe-se a corrente e esta não flui mais. Como são dignos de pena os que querem levar seu conhecimento para a sepultura! Protegem com tanto zelo o pouquinho que conseguiram obter, renunciando à plenitude, que terminam tendo de esperar por todos os que aprenderam a distribuir de forma transformada o que obtiveram. Ah, se o ser humano fosse capaz de compreender que existe mais do que o suficiente de tudo para todos!

Se alguém carece de algo, isso só acontece porque ele se isolou do que lhe faz falta. Analisemos os asmáticos. Eles lutam pelo ar; no entanto, há tanto ar em disponibilidade! Mas muitos não *podem deixar de desejar ter cada vez mais...*

2. *O desejo de se isolar.* Podemos induzir experimentalmente a asma em qualquer pessoa, bastando dar-lhe gases apropriados para cheirar como, por exemplo, o amoníaco. A partir de determinado teor de concentração, cada pessoa exibe uma reação reflexa de proteção através da combinação de uma paralisia do diafragma, da constrição dos brônquios e da secreção de muco. Conhece-se este fenômeno como Reflexo de Kretschmer. Esse fenômeno reflexo consiste num fechamento e num isolamento, para que algo de fora não possa entrar. Trata-se, no caso do amoníaco, de uma reação sensata que visa preservar a vida; mas, nos asmáticos, ela ocorre em outro nível. Como resultado, em sua inconsciência, acham que até mesmo as mais inofensivas substâncias do mundo ao seu redor representam uma ameaça à sua vida e imediatamente se fecham a elas. Já analisamos, com certos detalhes, o significado da alergia no capítulo anterior; portanto, aqui basta mencionar mais uma vez a questão da resistência e do medo em termos gerais, pois, na verdade, a asma está muito perto de ser considerada uma alergia.

Em grego, asma se diz "peito comprimido"; em latim, a palavra para tanto é *angustus*, que se associa à palavra alemã *Angst* (medo ou angústia). Tornaremos a encontrar o *angustus* latino em *angina* (estreitamento sufocante doloroso) e em *angina pectoris* (ataque cardíaco doloroso com estreitamento dos vasos cardíacos). Para nós vale a pena notar que *Angst* (medo ou angústia) e *Enge* (aperto) estão intimamente associados. O aperto asmático tem muito a ver com medo, com o receio de deixar entrar determinados dinamismos da vida, como já dissemos quando falamos sobre os fatores alérgenos. O desejo de isolar-se mantém-se sempre ativo no caso do asmático até que, finalmente, o processo atinge o auge com a morte. A morte é para os vivos, sua última possibilidade de fecharem-se, de enclausurarem-se, de encapsularem-se. (Nesta correlação serão interessantes as seguintes observações: pode-se deixar um asmático muito zangado com a sugestão de que sua asma nunca põe em risco sua vida e que ele não pode morrer de asma. Ele dá grande valor ao risco de vida de sua doença!)

3. *Desejo de poder e sensação de inferioridade.* Os asmáticos sentem um grande desejo de ter poder, coisa que não confessam nem a si mesmos, e que por isso é transferida para o âmbito do corpo, onde aparece outra vez como a "hiperinflamação" dos asmáticos. Essa hiperinflamação mostra de forma ostensiva a sua arrogância e o seu desejo de comandar que cuida-

dosamente reprimem e afastam da consciência. É por esse motivo que tantas vezes o asmático busca refúgio no idealismo e no formalismo. No momento em que um asmático se defronta com o desejo de outra pessoa pelo poder e pelo controle (a lei das semelhanças), o choque atinge os seus pulmões e ele fica sem fala, a mesma fala que é modulada pela expiração. Não consegue mais expirar — o choque lhe tira literalmente o ar.

Os asmáticos usam os sintomas de sua doença para dominar o mundo ao seu redor. As pessoas têm de desfazer-se de seus animais de estimação, deve-se remover todo grão de pó, ninguém tem permissão para fumar, e assim por diante.

O ponto máximo dessa ânsia pelo poder são os ataques que põem sua vida em risco, e que se manifestam exatamente quando mostramos ao asmático seu desejo pelo poder. São acessos chantagistas e perigosos para o próprio paciente, pois podem levá-lo a uma situação de risco de vida tal que fuja ao seu controle. É sempre impressionante observar até que ponto um doente causa a própria ruína apenas para exercer o seu poder. Na psicoterapia um acesso destes costuma ser a última saída quando o terapeuta se aproxima demasiado da verdade!

Entretanto, só o reconhecimento da conexão entre essa ânsia por exercer o poder e o auto-sacrifício nos mostra algo da ambivalência desse anseio inconsciente por domínio. Ao lado do desenvolvimento do impulso pelo poder e do desejo de constantemente sobressair-se cada vez mais, cresce na mesma proporção a tendência contrária, ou seja, uma sensação de impotência, de inferioridade e de desamparo. Aceitar e compreender de forma consciente essa sensação de pequenez é, portanto, uma das lições que o asmático tem de aprender.

Depois que a doença persistiu por um longo tempo, pode ocorrer uma ampliação e uma consolidação do tórax, criando uma condição a que em geral nos referimos como tórax em forma de barril. A aparência do paciente é excelente; no entanto, o peito largo permite apenas um restrito volume respiratório, visto que não existe elasticidade dos tecidos. O conflito não poderia se expressar de forma mais gráfica: pretensão e realidade.

O fato de os músculos peitorais estarem tão hipertrofiados demonstra a existência de uma boa porção de agressividade. Os asmáticos nunca aprenderam a articular verbalmente sua agressividade de forma adequada. Por conseguinte, não só estão ansiosos por "demonstrar importância" como na verdade se sentem "prestes a explodir". Entretanto, toda a intenção que têm de dar vazão à sua agressividade por meio de gritos ou queixas, "fica presa na garganta". Desse modo, as formas agressivas de auto-expressão se voltam para o nível físico onde se manifestam como tosse e expectoração. Basta pensarmos um pouco no significado das expressões idiomáticas: "Expelir algo contra alguém" — cuspir na cara de alguém — ficar sem ar de tanta raiva.

A agressividade também se manifesta nos componentes alérgicos associados na maioria das vezes à asma.

4. *Recusa a enfrentar o lado sombrio da vida.* O asmático ama a limpeza, a pureza, as coisas claras e estéreis, e evita o escuro, as coisas profundas, as coisas materiais, o que, quase sempre, se evidencia pela manifestação dos fatores alérgenos. A pessoa quer agregar-se ao nível superior, sem ter contato com o pólo inferior. Por isso, na maior parte das vezes, se trata de uma pessoa predominantemente intelectual (sabemos que, para a teoria dos elementos, o pensamento corresponde ao ar). A sexualidade, que também pertence ao pólo inferior, é mobilizada para cima, na direção do peito, o que provoca o excesso de produção de muco pelo asmático, num processo que em última análise deveria restringir-se aos órgãos sexuais. O asmático expele o excesso de muco pela boca (quando seu nível se torna demasiado elevado). Essa solução só nos aparece em toda a sua originalidade quando temos consciência da correlação existente entre a boca e os órgãos genitais (num próximo capítulo daremos mais detalhes sobre este tópico).

O asmático precisa de ar puro. Ele daria preferência à vida nas montanhas (às vezes, consegue realizar seu desejo submetendo-se a uma "terapia climática"). Eis aí outra manifestação de seu traço dominador de caráter, pois, ficando no topo de uma montanha, ele pode observar "de cima" tudo o que ocorre no vale lá embaixo, ali, o ar é puro e ele está a uma distância segura dos acontecimentos, longe do torvelinho onde imperam o instinto e a sexualidade, bem no alto da montanha onde a vida adquire uma clareza cristalina. Nesse lugar, os asmáticos vivem de fato a "fuga para as alturas" que sempre desejaram. E, recentemente, contam com a aprovação dos meteorologistas que indicam essa mudança na qualidade do ar. Outro lugar procurado para a cura é o litoral por causa da maresia. Eis aí o mesmo simbolismo: o sal (do ar) é o símbolo do deserto, dos minerais, e da ausência de vida. Essa é a região que os asmáticos tanto se esforçam por atingir, pois é da própria vida que eles têm medo.

As pessoas asmáticas anseiam por amor. Pelo fato de desejarem tanto ser amadas é que inspiram tanto ar. Como não conseguem dar amor aos outros, são impedidas de expirar.

O que poderia ajudá-las nesse caso? Como se dá com todos os demais sintomas, só existe uma receita: a autopercepção e uma impiedosa honestidade consigo mesmas. Assim que admitirem os próprios receios, cessarão de evitar as áreas que as assustam e passarão a enfrentá-las até conseguirem amá-las e integrá-las em sua personalidade. Esse processo indispensável é muito bem simbolizado por uma terapia não reconhecida pela medicina acadêmica, embora seja uma das medidas mais eficazes da medicina natural para os casos de asma e de alergia: terapia auto-urinária. Consiste em injetar na pessoa a sua própria urina, via intramuscular. Se considerarmos esse tipo de tratamento do ponto de vista simbólico, vemos que ele obriga o paciente a aceitar de volta aquilo que rejeitou, ou seja, *sua própria sujeira e detritos;* obriga o paciente a lidar com seus resíduos, a integrá-los outra vez no seu organismo! Esse processo cura!

Asma

Perguntas que a pessoa asmática deve fazer a si mesma:

1. Em que âmbitos da vida quero receber sem dar nada em troca?

2. Consigo confessar conscientemente minhas agressões? Que possibilidades disponho para expressá-las?

3. Como lido com o conflito entre a vontade de dominar e a sensação de inferioridade?

4. Quais setores da vida valorizo e quais rejeito? Posso sentir algo do medo que fundamenta meu sistema de valores?

5. Quais setores da vida procuro evitar por considerá-los sujos, baixos, ignóbeis?

Não se esqueça: Sempre que se sente uma limitação, ela de fato é medo! O único modo de combater o medo é expandindo-se. A expansão ocorre se a pessoa deixar entrar aquilo que até agora rejeitou!

Gripes e resfriados

Antes de abandonarmos o assunto da respiração, resolvemos fazer uma breve menção à sintomatologia dos resfriados, visto que os mais atingidos por eles são os órgãos respiratórios. Tanto a gripe como os resfriados são processos inflamatórios agudos. Sabemos que são expressões da elaboração de conflitos. Por conseguinte, só nos resta interpretar o local ou área onde o processo inflamatório se manifesta. O resfriado sempre aflige a pessoa quando ela enfrenta situações críticas, quando se "sente entupida até o nariz" ou "está a ponto de sufocar" com algo. Talvez muitos leitores considerem bombástica demais a expressão "situação de crise". Por certo não nos estamos referindo àquelas crises mais drásticas da vida que se expressam através de sintomas correspondentemente mais graves. Por "situação de crise" significamos agora aquelas situações freqüentes de excesso de tensão, corriqueiras, mas importantes para a nossa psique; nossos desejos de fuga devido ao cansaço se manifestam pela necessidade de repouso, que assim tem uma justificativa legítima. Pelo fato de não estarmos preparados para lidar com esses desafios menores da vida diária, ocorre uma somatização pois o nosso corpo demonstra de fato *"o nariz entupido"* e o nosso *resfriado*. Através desse caminho (inconsciente) atingimos nosso objetivo, com inclusive a vantagem de contar com a simpatia de terceiros em virtude do nosso estado, o que não seria o caso se estivéssemos elaborando conscientemente os conflitos. Nosso resfriado permite que nos afastemos primeiro da situação desagradável e que nos dediquemos um pouco mais a nós mesmos. Nossa sensibilidade pode extravasar-se através do âmbito corporal.

A cabeça dói (nesse estado não podemos por certo enfrentar conscientemente uma briga!), os olhos lacrimejam, o corpo todo fica mole e tudo nos irrita. Essa sensibilidade generalizada pode aumentar até formar o que se chama de "catarro pruriginoso". Ninguém tem permissão para aproximar-se de nós, nada e ninguém deve nos tocar. O nariz está entupido e torna qualquer tipo de comunicação impossível (afinal, respirar é um tipo de contato!). Com a ameaça "Não se aproxime, estou resfriado" podemos manter qualquer pessoa a distância. Alguns espirros bem dados também são boa arma protetora, enfatizando nossa atitude defensiva. Até mesmo a fala como meio de comunicação é reduzida ao mínimo pela garganta inflamada e, seja como for, não é possível brigar quando se está nessas condições. Uma "tosse de cão" torna bem visível que o diálogo tem de se limitar, na melhor das hipóteses, *a comunicar algo em meio a acessos de tosse.*

Com toda essa resistência também as amígdalas — um dos órgãos mais importantes de defesa do corpo humano — trabalham sob alta pressão, o que não causa nenhuma surpresa. Durante esse processo elas incham tanto que *não mais é possível engolir tudo*; esse é um estado que deveria encorajar o doente a indagar de si mesmo o que ele não deseja mais "engolir". Afinal, engolir é o ato de fazer entrar, é um ato de aceitação. É exatamente isso que o doente não quer mais fazer. Sendo assim, gripes e resfriados nos mostram uma boa porção de coisas em quase todos os níveis. Os membros doloridos e a coriza que acompanham os resfriados limitam todos os movimentos e, muitas vezes, até as dores nas costas dão a nítida sensação do peso dos problemas que temos de carregar nos ombros e que não mais estamos dispostos a suportar.

Tentamos expelir grande parte desses problemas em forma de pus e muco. Quanto mais nos livramos deles, tanto mais aliviados nos sentimos. O muco pegajoso, que antes bloqueava tudo e interrompia o fluxo da conversação, tem de dissolver-se e tornar-se liquefeito, antes de poder restabelecer esse fluxo e pô-lo outra vez em movimento. É por isso que todo resfriado termina pondo algo em ordem e esse é um sinal de progresso em nosso desenvolvimento. Portanto, a medicina natural tem razão quando vê no resfriado um processo saudável de purificação através do qual as toxinas são expulsas do corpo; no âmbito psíquico, as toxinas correspondem aos problemas que, analogamente, são liquefeitos e expelidos. Corpo e alma saem fortalecidos da crise, até a próxima vez em que as coisas "ultrapassarem o limite do nariz"...

4
A Digestão

O processo digestivo se assemelha bastante ao processo respiratório. Através da respiração nós captamos o ambiente à nossa volta, assimilando-o e devolvendo aquilo que não pudemos assimilar. O mesmo acontece com a digestão, apesar de esta ter uma relação mais profunda com a dimensão material do corpo. A respiração é regida pelo elemento Ar, enquanto a digestão pertence ao elemento Terra, o que, portanto, lhe outorga uma dinâmica mais material. Em oposição à respiração, falta à digestão um ritmo nítido. Com o elemento Terra, que é mais moroso, a assimilação e a excreção dos nutrientes perde sua clareza e sua definição.

Da mesma forma, a digestão apresenta semelhanças com as atividades cerebrais, pois é o cérebro (ou consciência) que consome e digere as impressões imateriais do mundo (já que o ser humano não vive só de pão!). Através da digestão, por outro lado, lidamos com as impressões materiais. Assim, a digestão abrange

1. a captação das impressões materiais do mundo;
2. a discriminação do que é "suportável" e do que é "insuportável";
3. a assimilação dos materiais benéficos;
4. a expulsão dos materiais indigeríveis.

Antes de abordarmos os problemas que podem ocorrer na esfera digestiva, será bom considerarmos o simbolismo dos alimentos. Há muito que aprender numa ponderação direta dos alimentos e iguarias a que as pessoas dão preferência ou recusam-se a comer (diga-me o que comes e dir-te-ei quem és!). Afinal, trata-se de um hábito saudável aguçar nossa visão e nossa percepção até o ponto de podermos — mesmo quanto aos mais corriqueiros fatos da vida do dia-a-dia — reconhecer os elos de ligação que atuam por trás dos bastidores, visto que eles nunca são acidentais. Se temos apetite por algo especial, esta é uma expressão específica de uma determinada afinidade, que revela algo sobre nós. Quando alguma coisa não é "do nosso agrado", essa antipatia pode da mesma forma ser interpretada como a decisão num teste psicológico. A fome é um símbolo do desejo de ter, de introduzir em si mesmo, é a expressão de certa gula. Comer é a satisfação do desejo através da integração, através da ingestão e da satisfação.

Se alguém está faminto de amor, e essa fome não está sendo adequadamente saciada, ela torna a surgir no corpo como um apetite exagerado por doces. Este padrão alimentar, bem como a vontade de "beliscar "entre as refeições sempre é expressão de uma fome de amor que não foi saciada. O duplo significado da palavra *doce* e *petiscar* se torna bem visível quando dizemos que determinada garota "é um petisco" que gostaríamos de provar. Amor e doçura são sinônimos. Quando as crianças petiscam à noite, esse é um sinal bem evidente de que não estão se sentindo queridas. Os pais protestam depressa demais ante essa possibilidade, dizendo que afinal "fazem tudo por seus filhos". No entanto, esse "fazer tudo" e o "amar" nem sempre são a mesma coisa. Quem petisca está com desejo de ser amado e de se auto-afirmar. Essa regra é mais confiável do que a auto-análise da capacidade de amar. Também há pais que inundam os filhos de doces e demonstram com esse ato que não estão em condições de dar amor ao filho; por isso lhe oferecem uma compensação em outro âmbito.

As pessoas que pensam demais e realizam um trabalho intelectual sentem desejo de comidas salgadas e iguarias bem condimentadas. Homens de moral conservadora dão preferência a alimentos em conserva, especificamente produtos defumados, além de apreciarem chás fortes que tomam sem açúcar (em geral alimentos ricos em tanino). Pessoas que preferem comidas bem temperadas, até apimentadas, mostram que estão em busca de novos estímulos e impressões. São pessoas que gostam de desafios, mesmo quando estes são insuportáveis e de difícil digestão. O oposto acontece com os que adotam uma dieta sem sal e sem temperos. Essas pessoas *se poupam* de todas as novas impressões. Lidam medrosamente com os desafios do caminho, sentem temor diante de toda confrontação. Esse medo pode chegar a ponto de terem de adotar uma dieta líquida, típica para os que sofrem do estômago, e cuja personalidade discutiremos em detalhes mais adiante. Uma dieta líquida é, essencialmente, a mesma que se dá a um bebê. Este fato mostra, de forma inequívoca, que a pessoa que sofre do estômago voltou à despreocupação típica da infância quando não havia a obrigação de *decidir-se* entre aceitar ou recusar alguma coisa. Por conseguinte, pode continuar sem mastigar os alimentos (comportamento demasiado agressivo) ou sem digeri-los. Em outras palavras, essas pessoas consideram a vida adulta "difícil demais de engolir" ou "dura demais de roer".

O medo exagerado das espinhas de peixe simboliza medo de agressões. Medo de caroços mostra medo dos problemas — não se gosta de chegar até o cerne dos fatos. Também nesse caso há o grupo oposto: os macrobióticos. Essas pessoas procuram problemas. Querem a todo custo chegar ao cerne das coisas e, portanto, são receptivas a alimentos duros. A coisa se desenvolve de tal maneira que inclusive se torna perceptível uma rejeição às áreas não-problemáticas da vida: a sobremesa doce também deve ser algo que se possa morder com força. É assim que os macrobióticos se traem: eles têm certo medo de amor e carinho; portanto, também sentem dificuldade em aceitá-los. Alguns chegam a exacerbar de tal forma sua animosidade por conflitos que finalmente têm de ser alimentados por via intravenosa. Trata-se, sem sombra de dúvida, da forma mais segura de continuar vegetando, sem ter participação direta no processo conflitivo da vida.

Os Dentes

Primeiro, a comida é introduzida na boca, onde é reduzida a pedacinhos pelos dentes. É com estes que mordemos e mastigamos os alimentos. Morder é uma atividade bastante agressiva, a expressão da capacidade de cuidar de nós mesmos, de enfrentar os fatos e de "agarrar as coisas com os dentes". Assim como um cão arreganha os dentes a fim de deixar claro o quanto pode ser perigoso e agressivo, também falamos de "mostrar os dentes a alguém" querendo dizer com isso que tomamos uma resolução, que defenderemos nosso ponto de vista. Dentes ruins e doentes são um indício de que a pessoa não consegue demonstrar muito bem sua agressividade ou encontra dificuldade em se impor.

Essa ligação não perde de forma alguma sua validade pelo fato de a maioria das pessoas terem atualmente dentes ruins, o que se pode comprovar até mesmo em criancinhas. Claro que essa afirmação está correta; no entanto, sintomas coletivos apontam precisamente para problemas coletivos. A agressividade tornou-se um dos problemas centrais de todas as culturas socialmente desenvolvidas da atualidade. Exige-se "adaptabilidade social", o que na prática equivale a dizer: "Reprima sua agressividade." As condutas agressivas, reprimidas pelos nossos cidadãos socialmente tão adaptados e pacíficos, tornam a aparecer como "doenças" à luz do dia e, em última análise, atacam toda a comunidade com a mesma malignidade que teriam na sua configuração original. Conseqüentemente, nossos hospitais e clínicas são os campos de batalha da sociedade moderna. É neles que as agressões reprimidas lutam contra seus repressores e onde se travam as batalhas mais amargas. As pessoas sofrem devido à própria maldade, por não terem tido coragem de descobri-la e elaborá-la conscientemente, durante toda a sua vida.

Não devemos nos surpreender se a maioria dos sintomas de doenças sempre torna a apontar para os âmbitos da agressividade e da sexualidade. Esses são os setores problemáticos da vida, aqueles que mais atormentam os homens da época atual.

Talvez alguém argumente que a escalada da criminalidade, o aumento no número de atos de violência e a onda cada vez maior de sexualidade sejam depoimentos contrários a nosso argumento. No entanto, podemos contra-argumentar que tanto a falta de manifestação das agressões, como a violência manifesta, são sintomas de repressão da agressividade. Ambas são fases distintas de um mesmo processo. Apenas quando a agressividade não precisar mais ser reprimida, conquistando, em princípio, um espaço próprio, e na medida em que pudermos reunir experiências usando essa energia, será possível integrar de forma consciente a parte agressiva da natureza humana. A agressividade integrada torna-se disponível à personalidade como vitalidade geral e como força interior sem que haja necessidade de extravasar-se como fraqueza de caráter, nem em acessos de brutalidade. Para tanto, a pessoa deve contar com oportunidades de amadurecimento através da experiência. As agressões reprimidas levam diretamente à formação da sombra, com a qual temos depois de nos haver na forma pervertida de uma doença. Tudo o que dissemos também vale, por analogia, para a sexualidade e para todas as outras funções psíquicas.

Voltemos então aos dentes que, tanto no corpo animal como no corpo humano, representam o dinamismo agressivo e a habilidade para enfrentar a vida (abrir caminho "abocanhando" o que nos interessa). Os povos primitivos são citados várias vezes como exemplo de uma dentição sadia que é atribuída à sua dieta natural. Mas também entre eles encontramos uma maneira muito diferente de lidar com as agressões. Ao lado da sintomatologia coletiva, o estado dos dentes nos leva sobretudo a uma interpretação pessoal. Além da agressividade a que já nos referimos, os dentes também revelam o estado de nossa vitalidade ou energia vital (na verdade, agressividade e vitalidade são apenas dois aspectos distintos de uma e mesma força, embora os dois conceitos despertem em nós associações bastante diversas). Lembremos a expressão: "Não se olham os dentes de um cavalo dado." Essa expressão significa o hábito de examinar a boca do cavalo a fim de avaliar sua vitalidade pelo estado de seus dentes. Também a interpretação psicanalítica dos sonhos interpreta a imagem onírica de uma queda dos dentes como indicação de uma perda de energia e potência vital.

Há pessoas que *"rangem os dentes"* regularmente à noite, às vezes de forma tão intensa que é preciso fazê-las usar mordedores para que não gastem totalmente os dentes com a fricção. O simbolismo é evidente. Ranger os dentes significa, sob essa óptica, exatamente a conduta para expressar uma agressividade impotente. Quem não consegue satisfazer seu desejo de morder algo durante o dia, range os dentes à noite por tempo suficiente para gastar e aparar recursos potencialmente tão perigosos em sua pessoa....

A pessoa que tem dentes ruins carece tanto de vitalidade como da capacidade de enfrentar e conquistar a vida. Tem de lidar com problemas "difíceis de roer" ou "mastigar". É por isso que a propaganda de um creme dental atinge a meta desejada com a expressão: "...para que possa morder outra vez com força total!"

A assim chamada "terceira dentição" possibilita uma falsa aparência externa de vitalidade e uma capacidade de resistência já inexistentes. No entanto, resta — como acontece no caso de todas as próteses — esse ato de ilusão que talvez corresponda ao truque de anunciar a existência de um medroso e tímido cão de estimação com uma tabuleta afixada à grade do jardim onde se lê "Cuidado — Cão bravo". A dentadura não passa de uma exibição comprada de agressividade.

A gengiva é a base dos dentes, é onde eles estão fixos. Analogamente, a gengiva representa o alicerce da vitalidade e da agressividade, da confiança primordial e da auto-segurança. Se faltar essa porção de autoconfiança às pessoas, elas não conseguirão lidar com os problemas de forma ativa e vital, nunca terão a coragem de quebrar nozes duras de roer ou de se defender das agruras da vida. É a confiança que tem de estruturar essa aptidão, tal como a gengiva serve de base segura para os dentes. A gengiva não pode fazer isto, no entanto, se for sensível demais e sangrar à mínima fricção. O sangue é o símbolo da vida e, assim, uma gengiva que sangra com facilidade nos mostra, de forma bastante óbvia, que nossa autoconfiança corre o risco de escoar e perder-se, mesmo diante da mínima exigência à nossa vitalidade.

Engolir

Depois que os alimentos são reduzidos a pequenos pedaços, engolimos o bolo formado pela saliva. Ao engolir, nós integramos, aceitamos; engolir significa incorporar. Durante todo o tempo em que algo fica em nossa boca ainda podemos cuspi-lo fora. Mas, quando engolimos, não é fácil reverter o processo. Pedaços grandes, no entanto, achamos "difíceis de engolir". Na verdade, se o bocado for grande demais não podemos engoli-lo. Muitas vezes temos de engolir coisas na vida que, de fato, nem queremos, como por exemplo, ser despedidos do emprego. Há más notícias que nos causam dificuldade para engolir.

É exatamente nesses casos que fica mais fácil engolir alguma coisa se lhe acrescentarmos algo líquido, especialmente se se tratar de *"um bom gole"*. Na sua linguagem característica, os alcoólatras mencionam alguém que bebe demais como *"um bom copo"* (beberrão). O gole de bebida alcoólica serve, na maioria das vezes, para ajudar a engolir uma coisa "entalada", ou talvez até mesmo para suplantar a necessidade de engolir. Bebemos os líquidos, pois há coisas na vida que não podemos e também não queremos engolir. É por isso que o alcoólatra substitui a comida pela bebida (beber demais leva à anorexia): ele troca a alimentação dura, sólida, difícil de engolir, pelo gole mais fácil, simplesmente bebendo da garrafa.

Há grande número de distúrbios que atrapalham a nossa capacidade de engolir, como por exemplo, a sensação de ter um nó na garganta, ou até mesmo dores de garganta como a angina, que mostram a todas as pessoas o *fato de não mais podermos engolir*. Nesses casos, o paciente sempre deve fazer uma pergunta a si mesmo: "O que está acontecendo, agora, na minha vida que não posso ou não quero engolir?" Entre os distúrbios dèsse tipo existe uma variante muito interessante, mais precisamente o fato de engolirmos ar, também denominado de "aerofagia". Literalmente, aerofagia significa "devorar ar". A expressão torna claro o que acontece nesse caso. Não queremos engolir determinada coisa, não queremos assimilá-la, mas fingimos estar dispostos a fazê-lo na medida em que "engolimos ar". Essa resistência disfarçada contra o ato de engolir se expressa depois como um arroto ou, então, na forma de gases intestinais. (Compare com "contaminar o ambiente com mau cheiro".)

Náuseas e Vômitos

Depois que engolimos os alimentos e os aceitamos no nosso organismo, pode acontecer de eles serem de *difícil digestão* ou de *pesarem como pedras no nosso estômago.* Uma pedra — tal como o caroço — é na verdade o símbolo de um problema (por isso existe também uma proverbial "*pedra no sapato*"). Todos sabemos que os problemas pesam no estômago e podem estragar nosso apetite. O apetite depende, em grande medida, da situação psíquica. Muitas expressões lingüísticas mostram essa analogia entre os processos físicos e os processos somáticos: *Isso estragou o meu apetite,* ou *Quando penso naquilo me dá frio na barriga,* ou ainda *Sinto enjôo só de vê-lo.* A náusea sinaliza que recusamos algo e que por essa razão "*causa mal-estar estomacal*". Também a mistura exagerada de diversos alimentos pode causar náusea. Isso não vale só para o âmbito físico; também na consciência o homem pode se empanturrar simultaneamente com elementos incompatíveis, de tal forma que acaba passando mal porque não tem condições de digeri-las.

O ponto máximo da náusea está no vômito. Livramo-nos das coisas e das impressões que não desejamos, que não queremos assimilar nem integrar. Vomitar é uma expressão evidente de resistência e de recusa. Em 1933, o pintor judeu Max Liebermann disse o seguinte a respeito das condições políticas e artísticas reinantes: "Nem sequer posso comer tanto quanto gostaria de vomitar!"

Vomitar é "não-aceitar". Essa correlação se torna bem clara no caso dos vômitos durante a gravidez. No fato de vomitar se expressa a resistência inconsciente contra o filho, ou melhor, contra o sêmen do homem que a mulher não quis "incorporar". Se ampliarmos esse pensamento podemos chegar à conclusão de que os vômitos durante a gravidez também podem ser uma recusa em aceitar o próprio papel feminino e em expressá-lo (maternidade).

O Estômago

O ponto seguinte atingido pela alimentação que ingerimos, e não vomitamos, é o estômago, cuja primeira função é aceitar os alimentos. Ele recebe todas as impressões que provêm de fora e que deve digerir. Poder receber implica estar aberto, exige passividade e propensão no sentido de uma capacidade de entrega. Com essas características, o estômago representa o pólo feminino. Assim como o princípio masculino é conhecido pela capacidade de irradiação e de atividade (elemento Fogo) o princípio feminino se mostra numa disposição para a aceitação, na impressionabilidade e na aptidão para receber e guardar (elemento Água). No âmbito psíquico, trata-se da capacidade de sentir, do mundo dos sentimentos (não o das emoções!) que aqui simbolizam o elemento feminino. Se alguém excluir da sua consciência a capacidade de sentir, essa função recai no corpo e o estômago precisa receber e digerir os alimentos psíquicos, além dos elementos nutritivos. Num tal caso, não significa *"que se conquista um homem pelo estômago"* mas que também *algo nos atinge no estômago*, ou então, *tivemos de engolir algo que nos roeu por dentro.* Mais tarde, isso se torna visível e conhecido como a *"obesidade do carente"*.

Ao lado da capacidade de recepção, o estômago cumpre outra função que devemos atribuir ao pólo masculino: a produção e distribuição do suco gástrico (ácido). Os ácidos atacam: ardem, mordem, corroem, são visivelmente agressivos. Uma pessoa que se aborrece e fica com algo atravessado no estômago diz: *"Estou azedo."* Se não conseguir dominar conscientemente esse aborrecimento, nem transformá-lo em agressividade, preferindo em vez disso a literal resolução de *engolir a própria raiva*, sua agressividade se somatiza, e seu estado de ânimo azedo se transforma em acidez estomacal. O estômago reage com um aumento do seu teor de acidez produzindo sucos corrosivos no nível físico numa tentativa de digerir e de lidar com sentimentos que simplesmente não são materiais — um empreendimento difícil, que provoca vários arrotos e sensação de uma pressão ascendente cuja função é nos lembrar que é preferível não engolir os sentimentos, poupando ao estômago a tarefa de digeri-los. Em outras palavras, o ácido sobe porque precisa ser expresso.

É aí que o paciente tem problemas estomacais. Falta-lhe a capacidade para lidar com seus aborrecimentos e com sua agressividade de forma consciente, resolvendo seus conflitos e problemas através de um senso de responsabilidade pessoal. A pessoa que sofre do estômago deixa totalmente de demonstrar sua agressividade (engolindo tudo) ou exagera na agressividade — embora ambos os extremos não a ajudem a resolver de fato os problemas, pois ela carece de uma base segura de autoconfiança e da sensação fundamental de proteção para confrontar com independência os obstáculos. Já abordamos esse problema ao falar sobre o tema das gengivas e dos dentes. Todos sabem que alimentos mal mastigados não são bem recebidos por um estômago com excesso de acidez. Contudo, mastigar é um ato agressivo. Se faltar o comportamento agressivo da mastigação, isso por sua vez sobrecarregará o estômago e ele aumentará seu teor de acidez.

A pessoa que sofre do estômago é alguém que não se quer permitir ter conflitos. Sente saudade da infância livre de conflitos, embora não tenha consciência do fato. Seu estômago gostaria de alimentar-se outra vez de mingaus. Assim, o paciente ingere alimentos pastosos, peneirados, filtrados, de comprovada inocuidade. Não pode haver qualquer bocado sólido nesse alimento pastoso. Os problemas ficam na peneira. Pacientes que sofrem do estômago não suportam alimentos crus; trata-se de estímulos em bruto, primordiais, demasiado perigosos. Primeiro os alimentos precisam ser expurgados de seus componentes agressivos, através do cozimento, para que eles tenham a coragem de comê-los. Também pão de trigo integral é de difícil digestão porque ainda contém muitos resíduos sólidos. Todos os acepipes temperados, as bebidas alcoólicas, o café, a nicotina e os doces são estimulantes demais para um doente do estômago suportar. Viver e comer devem estar isentos de quaisquer exigências prévias. A acidez estomacal provoca uma sensação de pressão que impede a aceitação de novas impressões.

Na maior parte dos casos em que se usam antiácidos estomacais, o máximo efeito que se consegue é um arroto que proporciona algum alívio, pois arrotar é uma expressão agressiva "para fora". Consegue-se, outra vez, um pouco de ar e parte da pressão é aliviada. A terapia com tranqüilizantes (como por exemplo, o Valium), usada com freqüência pela medicina acadêmica, nos mostra o mesmo inter-relacionamento: por meio do remédio é quimicamente interrompida a ligação entre a psique e o sistema vegetativo (a assim chamada separação psicovegetativa); esse passo também pode ser dado através de uma cirurgia, nos casos mais difíceis, na medida em que se operam pessoas com úlcera a fim de separar determinadas ramificações nervosas responsáveis pela produção da acidez (vagotonia). Nos casos das formas convencionais de intervenção médica, o elo entre o sentimento e o estômago do paciente é rompido, e assim este não precisa mais digerir fisicamente o que sente. O estômago é protegido dos estímulos externos. Essa conexão íntima entre as secreções psíquicas e as secreções estomacais é muito bem conhecida desde a época dos experimentos de Pavlov. (Através da alimentação que era oferecida em sincronia com o som de um sino, Pavlov foi capaz de induzir os assim chamados reflexos condicionados nos cães que pesquisava; depois de certo número de situações em que ambos os estímulos foram apresentados ao mesmo tempo, bastava o som do sino tocando para produzir a salivagem, originalmente suscitada pela visão do alimento.)

A tendência básica de dirigir os nossos sentimentos para dentro, em vez de para fora, provoca com o tempo a formação de úlceras gástricas (elas não são de fato excrescências ou tumores, mas perfurações na parede do estômago). Nesse caso, o estômago digere não algo que provém do exterior, mas sua própria parede! A pessoa está digerindo a si mesma. O termo mais apropriado para descrever esse processo seria "autodescarnação". O que as pessoas com problemas estomacais têm de aprender é tornarem-se mais conscientes de seus próprios sentimentos, lidar de forma consciente com seus conflitos e digerir, também conscientemente, suas impressões. Além do mais, os pacientes portadores de úlceras não só precisam conscientizar-se, mas também admitir seu desejo infantil de dependência e segurança maternal, além de sua ânsia em serem amados e atendidos, mesmo quando tais necessidades estiverem muito bem disfarçadas por trás de uma fachada de independência, competência e orgulho. É o estômago que, como sempre, revela a verdade.

Males Estomacais e Digestivos

No caso de males estomacais e digestivos, devemos nos fazer as seguintes perguntas:

1. O que não posso ou não quero engolir?

2. Algo está me roendo por dentro?

3. Como lido com meus sentimentos?

4. O que me deixa tão azedo?

5. Como expresso a minha agressividade?

6. Como fujo dos conflitos?

7. Existe em mim alguma saudade reprimida de um paraíso infantil, livre de conflitos, em que eu só seja amado e cuidado, sem precisar me esforçar para nada?

Intestino Grosso e Delgado

No intestino delgado ocorre a verdadeira digestão dos alimentos, através de um processo de divisão dos mesmos em seus elementos componentes (análise) e sua possível assimilação. O que nos chama a atenção neste caso é a semelhança flagrante entre o intestino delgado e o cérebro. Ambos têm funções e tarefas idênticas: o cérebro digere as impressões do nível imaterial, enquanto o intestino delgado digere os mais variados componentes materiais. Distúrbios no intestino delgado, portanto, devem nos alertar para a possibilidade de estarmos sendo demasiado analíticos, pois a função desse órgão é analisar, separar as partes, verificar os detalhes. Pessoas que sofrem do intestino delgado, via de regra, tendem a uma análise e a uma crítica excessivas dos fatos, encontrando defeitos em tudo. O intestino delgado também indica muito bem o medo que temos no sentido de nossa sobrevivência. Afinal, é no intestino delgado que os alimentos são aproveitados, "beneficiados". Por trás de uma ênfase descabida na avaliação e no aproveitamento, sempre existe um grande tema existencial, o medo de não conseguir aproveitar o suficiente e morrer de fome. É mais raro, mas distúrbios do intestino delgado podem indicar também o contrário: uma capacidade subdesenvolvida de fazer críticas. Esse é o caso das adiposidades localizadas, devidas a uma insuficiência pancreática.

Outros sintomas muito comuns associados ao intestino delgado são a disenteria e a diarréia. A sabedoria popular diz: *"Ele está 'cagando' de medo"*, ou também *"Se borrou todo de tanto medo"*. Estar "cagado" significa estar com medo. Na diarréia temos um indício da problemática do medo. Quando ficamos com medo não temos mais tempo de nos preocupar com a análise das impressões. Em vez disso, deixamos que elas sejam expelidas sem ser digeridas. Não sobra "nada". Nos retiramos para um lugar tranqüilo e solitário, onde podemos *deixar os acontecimentos seguirem seu curso.* Ao fazer isso, perdemos muito líquido. Esse líquido simboliza a flexibilidade necessária para expandir e transpor as fronteiras do eu que nos infundem medo (e causam uma sensação de aperto). Já mencionamos antes que o medo sempre está associado à limitação e ao apego. A terapia do medo sempre exige a mesma coisa: desapegar-se e distender-se, tornar-se flexível e deixar as coisas acontecerem! No caso da diarréia, a terapia se esgota na administração de bastante líquido ao paciente. É assim que este recebe simbolicamente a flexibilidade de que carece a fim de expandir os limites que lhe dão medo. Seja a diarréia crônica ou aguda, ela sempre nos revela que temos medo, que estamos nos apegando demasiado, além de nos ensinar a deixar as coisas fluírem e a nós desapegarmos.

No intestino grosso se encerra a digestão propriamente dita. É nele que é retirada a água do que resta dos alimentos não digeridos. O distúrbio que mais ocorre nessa área é a prisão de ventre. Desde Freud, a psicanálise interpreta a defecação como um ato de doação e generosidade. O fato de os excrementos terem relação simbólica com dinheiro logo se torna evidente quando pensamos na expressão "ele caga dinheiro", ou nos lembramos do conto de fadas em que o asno defeca moedas de ouro em vez de fezes. A *vox populi* também associa o fato de alguém pisar em fezes de cachorro com a expectativa de receber uma quantia inesperada de dinheiro. Essas indicações devem bastar para todos os leitores entenderem também a teoria da correlação simbólica entre fezes e dinheiro, ou entre o ato de defecar e *dar algo*. A prisão de ventre indica que *não se quer dar nada*, ou o *fato de se apegar* e sempre aborda o círculo problemático da avareza. Em nossa época, a prisão de ventre é uma doença muito comum, ou seja, é um sintoma que aflige a maioria das pessoas. Ele evidencia um apego excessivo às coisas materiais e à incapacidade de conseguir desapegar-se desse âmbito da vida.

No caso do intestino grosso ainda vemos outro importante fator simbólico. Assim como o intestino delgado corresponde ao pensamento consciente, analítico, o intestino grosso corresponde ao inconsciente, no sentido literal "ao submundo". Simbolicamente, o inconsciente sempre foi considerado o reino dos mortos, pois nele são encontrados todos aqueles elementos que não podem ser trazidos à vida. Também é onde pode ocorrer a fermentação. Esta, aliás, é tanto um processo de putrefação como um processo mortal. Se, no plano físico, o intestino grosso simboliza o inconsciente, o nosso "lado sombrio", as fezes então correspondem aos conteúdos do inconsciente. Aqui podemos reconhecer com nitidez o outro significado da prisão de ventre: o medo de permitir que o conteúdo do inconsciente venha à luz do dia. Trata-se de uma tentativa de mantê-lo oculto, fechado no nosso interior. As impressões psíquicas vão sendo armazenadas no nosso íntimo a tal ponto que não conseguiremos mais livrar-nos delas. As pessoas que sofrem de prisão de ventre são literalmente incapazes de *deixar para trás o que é seu*. Por esse motivo, a psicoterapia será muito útil se, em primeiro lugar, o paciente curar a prisão de ventre física para que, analogamente, também os conteúdos inconscientes venham à luz. A prisão de ventre nos mostra que temos dificuldades para dar e receber, que *não queremos tornar visíveis* nem as coisas materiais, nem os conteúdos do nosso inconsciente.

À inflamação crônica do intestino grosso, que começa por uma crise aguda, damos o nome de *colite ulcerosa*. Essas inflamações do intestino grosso são acompanhadas por dores no corpo todo, por corrimentos sanguinolentos e por muco ao defecar. Também nesse caso a sabedoria popular tem um profundo conhecimento psicossomático: todos conhecem as pessoas "pegajosas"; "grudentas" também é mencionado. Uma pessoa pegajosa age de forma sub-reptícia a fim de se fingir de "boazinha". No entanto, agindo assim, ela tem de sacrificar a própria personalidade, tem de renunciar à vida pessoal, a fim de viver "por empréstimo" (quando se vive "puxando o saco" de alguém, acaba-se por ter uma unidade simbiótica com essa pessoa). Sangue e muco são matérias vitais, são símbolos primordiais da vida. (Há mitos de certas culturas primitivas que contam como a vida se formou do muco.) Quem teme perder a vida, ou afirmar a própria personalidade, perde sangue e muco. Viver a própria vida, entretanto, exige assumir uma posição contra os outros, o que traz certa solidão (perda da simbiose). É disto que a pessoa que sofre de colite tem medo. Por medo *ela sua sangue e água* através do intestino. Sacrifica, através dos intestinos (o inconsciente), os símbolos de sua própria vida: sangue e muco. Só poderá ajudá-la o conhecimento de que todo ser humano tem de ser responsável pela própria vida, caso contrário corre o risco de perdê-la.

O Pâncreas

O pâncreas pertence ao sistema digestivo no qual exerce duas funções importantes: sua parte exócrina produz os sucos digestivos vitais cuja atividade revela sua natureza obviamente agressiva. A parte endócrina do pâncreas contém os grupos de células conhecidas como placas celulares que produzem a insulina. A redução da produção de insulina leva aos bem-conhecidos sintomas da diabete (doença do açúcar). A palavra *diabetes* provém do verbo grego *diabeinein* que significa "arremessar através de" ou "atravessar". Originalmente, essa doença se chamava glicosúria, ou "diarréia de açúcar". Se voltarmos ao simbolismo da alimentação que apresentamos no início do livro, podemos traduzir livremente a expressão "diarréia de açúcar" por diarréia de amor . O diabético não pode (devido à falta de insulina) assimilar o açúcar contido nos alimentos; o açúcar escoa e ele o elimina através da urina. Se substituirmos a palavra açúcar pela palavra amor, teremos delineado com exatidão qual o nível de problema dos diabéticos. Alimentos doces são um mero substituto para outros desejos doces, que tornam a vida uma *doçura*. Por trás do desejo de comer doces, e por trás da simultânea incapacidade de assimilar o açúcar introduzindo-o nas próprias células, está o inconfessado desejo da realização amorosa, ao lado da incapacidade tanto de aceitar o amor como de entregar-se a ele. O diabético tem de viver com "alimentos substitutivos" especiais, viver com substitutos dos próprios desejos. A diabete leva a um excesso de acidez em todo o corpo, que pode chegar a ponto de o paciente entrar em coma. Já sabemos que os ácidos são elementos de agressão. Repetidas vezes nos vimos diante da polaridade existente entre o amor e a agressividade, entre o açúcar e o ácido (portanto, na mitologia, entre Vênus e Marte). O corpo nos previne de que os que não têm amor se tornam azedos — ou, para dizer o mesmo com palavras mais compreensíveis — os que não têm tolerância acabam logo por tornar-se intoleráveis.

As únicas pessoas que aceitam o amor são aquelas que também são capazes de dá-lo; os diabéticos se restringem a demonstrar amor apenas através da urina, na forma de açúcar não assimilado. Os indivíduos insuficientemente preparados para "liberar as coisas" acabam por ver que o açúcar "libera-se por si mesmo"; no caso deles, através do corpo (na forma de glicosúria). As pessoas diabéticas desejam amor (em forma de doces); no entanto, não se atrevem a procurá-lo ativamente ("de fato, não devo comer nada doce!"). Contudo, continuam desejando e ansiando por ele ("...eu gostaria tanto, mas sei que não devo!"). Como não conseguem obtê-lo, já que não aprenderam a dar amor, este passa por elas sem deixar sinal, e essas pessoas têm de expelir o açúcar que não assimilaram. Mas não é por isso que devem tornar-se azedas!

O Fígado

Analisar o fígado não é nada fácil visto que ele exerce múltiplas funções. Trata-se de um dos maiores órgãos do corpo humano, e além disso, é o elemento central do metabolismo intermediário — ou, para deixar clara a imagem — o laboratório do corpo. Vamos analisar rapidamente suas funções mais importantes:

1. *Armazenagem de energia*: o fígado produz glicogênio (amido) e o armazena (cerca de quinhentas calorias por quilo). Simultaneamente, os carboidratos são transformados em gordura e armazenados em depósitos de gordura por todo o corpo.

2. *Geração de energia*: com os aminoácidos e os componentes gordurosos ingeridos nos alimentos, o fígado produz glicose (= energia). Toda essa gordura vai para o fígado e pode ser usada e queimada para produzir energia.

3. *Metabolismo da albumina*: além de criar aminoácidos, o fígado também é capaz de sintetizar outros. Assim se torna um órgão de ligação entre a albumina (proteína) dos reinos animal e vegetal, que constitui a nossa alimentação, e a proteína humana. Os vários tipos de proteína são por certo bastante diferentes entre si, no entanto, os componentes que formam as proteínas — os aminoácidos — são universais. (A título de analogia, uma grande variedade de tipos de casa individuais — as proteínas — podem ser construídas com os mesmos tijolos — os aminoácidos.) As diferenças específicas entre a proteína vegetal, a animal e a humana são as funções dos vários padrões em que os aminoácidos são organizados, sendo a seqüência exata codificada no ADN.

4. *Desintoxicação*: tanto as toxinas do próprio corpo como as de outras procedências são desativadas no fígado e solubilizadas para serem eliminadas através da vesícula e dos rins. Além disso, a bilirrubina (um sub-

produto da decomposição das células vermelhas do sangue, a hemoglobina) tem de ser transformada pelo fígado numa substância que possa ser expelida. Qualquer interrupção desse processo provoca icterícia. Finalmente, o fígado sintetiza a uréia que é expelida através dos rins.

Eis o sumário das funções mais importantes deste órgão tão versátil. Vamos iniciar nossa interpretação simbólica com o ponto mencionado por último, a desintoxicação. A capacidade desintoxicante do fígado pressupõe uma possibilidade de discriminar e de avaliar, pois a desintoxicação se torna impossível quando não se consegue separar o que é venenoso do que não é. Portanto, distúrbios hepáticos sugerem problemas de avaliação e valorização, indicam incapacidade de optar pelo que é útil ou inútil (nutrição ou veneno?). Enquanto formos capazes de avaliar o que nos serve e o que não nos serve e soubermos até que ponto podemos processar e digerir os alimentos, nunca surgirá o problema de "cometer excessos". O fígado só adoece devido aos excessos que cometemos: demasiada gordura, comer demais, beber em excesso, tomar drogas de forma exagerada etc. Um fígado doente mostra que a pessoa está assimilando algo em demasia, algo que ultrapassa sua capacidade de elaboração; mostra a falta de moderação, idéias exageradas de expansão e ideais elevados demais.

É o fígado que gera e distribui a nossa energia. O doente que sofre do fígado sofre conseqüentemente da perda dessa força vital e dessa energia: perde a potência, perde o apetite por comidas e bebidas. Perde, na verdade, a vontade em todos os âmbitos relacionados às manifestações de vida, e assim, corrige e compensa o problema através do sintoma que, nesse caso, se chama excesso. Trata-se de uma reação física contra sua imoderação e sua mania de grandeza, e a lição administrada é desapegar-se desses excessos. Visto que não são mais formados os fatores de coagulação sangüínea, o sangue se torna fluido demais; assim, o sangue do paciente, seu suco vital, literalmente se escoa. Através da doença, os pacientes aprendem a ser moderados, a ter paciência e a se controlar no que se refere a excesso de sexo, bebidas e alimentação. Podemos ver nitidamente essa condição no caso da hepatite.

Além disso, o fígado tem uma forte conotação simbólica nos âmbitos filosófico e religioso, embora talvez não seja muito fácil para as pessoas chegarem a esta conclusão. Vejamos melhor o processo da síntese de proteínas. A proteína é o "tijolo de construção", o elemento básico de toda vida. Ela é manufaturada a partir dos aminoácidos. O fígado extrai a proteína animal e vegetal dos alimentos que ingerimos, alterando a organização espacial das moléculas dos aminoácidos. Em outras palavras, enquanto retém os componentes isolados de formação individual (os aminoácidos), o fígado altera o modo como os mesmos são estruturados no espaço, provocando um salto qualitativo e, por conseguinte, um salto evolutivo do reino vegetal e animal, para o reino humano. Ao mesmo tempo, porém, apesar deste avanço evolutivo, a identidade das moléculas é mantida e por isso elas conservam o elo com sua fonte. Portanto, a síntese da proteína é um exemplo microcósmico total daquilo que chamamos de "evolução" no nível macrocósmico. Por meio de uma reorganização e de uma alteração do padrão qualitativo das "moléculas primordiais" sempre idênticas se cria uma infinita multiplicidade de formas. Através da constância do "material" tudo continua interligado, e é por isso que os sábios dizem que o todo está nas partes e que cada parte é o todo (*pars pro toto*).

Uma outra expressão para transmitir esse conhecimento é a palavra *religio*, literalmente "conexão retrospectiva". A *religião* busca nos unir com a fonte, com a origem, com o Todo-Uno e redescobre essa conexão em virtude do fato de a diversidade que nos separa da unidade ser, em última análise, apenas uma ilusão (*maya*), que só acontece graças ao jogo dos vários arranjos (padrões) da mesma essência comum. É por esse motivo que o caminho de volta só pode ser descoberto pelos que conseguiram enxergar através da ilusão das diferenças de forma. O muito e o uno — é no campo entre ambos os pólos de tensão que trabalha o fígado.

Doenças Hepáticas

A pessoa que sofre do fígado deve fazer a si mesma as seguintes perguntas:

1. Em que âmbitos perdi a capacidade de fazer uma avaliação e uma discriminação corretas?

2. Onde é que não consigo mais decidir entre aquilo que posso suportar e aquilo que é um "veneno" para mim?

3. Em que sentido ando cometendo excessos? Até que ponto estou "voando alto demais" (ilusões de grandeza) e onde venho ultrapassando os limites?

4. Acaso me preocupo comigo mesmo e com o âmbito da minha "religio", de minha *religação* com a fonte primordial? Ou o mundo da multiplicidade está impedindo minha *percepção intuitiva*? Os temas filosóficos ocupam uma parte muito pequena na minha vida?

5. Confio nos outros?

A Vesícula Biliar

A vesícula conserva a bílis produzida pelo fígado. Se as vias biliares, porém, estiverem obstruídas, a bílis não chega ao sistema digestivo; é o que acontece no caso dos cálculos (pedras na vesícula). O modo como as pessoas falam no cotidiano deixa claro que a bile (ou fel) corresponde à agressividade.

Dizemos: "Aquela pessoa é um poço de fel" e chama-se "verde de raiva" quem sofre dessa agressividade biliosa, bloqueada.

É bastante evidente que as pedras na vesícula aparecem mais em mulheres; os homens estão mais sujeitos às pedras nos rins. Além disso, a incidência de cálculos biliares é significativamente maior em mulheres casadas com filhos do que em mulheres solteiras. Essa análise estatística talvez torne o curso de nossa interpretação um tanto mais fácil. É necessário que a energia flua. Se ela for impedida de fluir, acontece um bloqueio energético. Se durante algum tempo esse bloqueio não encontrar uma saída, essa energia tende a se solidificar. Sedimentações e pedras dentro do corpo sempre são manifestações de energia petrificada. Pedras na vesícula são impulsos fossilizados de agressividade. (Energia e agressividade sempre foram conceitos equivalentes. Que fique bem claro, no entanto, que termos como "agressividade" não têm conotação negativa neste caso: precisamos da agressividade tanto quanto precisamos de bílis — ou dos dentes, já que estamos falando disso!)

Portanto, a rigor não podemos nos surpreender com o fato de mães de família terem freqüentemente esses cálculos. Para elas, a família é uma estrutura que parece impedi-las de liberar toda sua energia e agressividade. As situações familiares se transformam numa obrigação da qual não têm coragem de se livrar; com isso, as energias se agregam e petrificam. Quando surgem as cólicas, o paciente é obrigado a dar vazão a tudo aquilo a que não se atreveu antes: através de movimentação intensa e gritos, bastante energia estagnada volta a fluir. A doença torna as pessoas honestas!

Anorexia Nervosa (compulsão de emagrecer)

Vamos encerrar o capítulo sobre a digestão com uma clássica doença psicossomática cujo encanto provém de uma mescla de risco e de originalidade. Ainda está em 20% o índice dos pacientes que morrem devido a essa doença que se denomina anorexia nervosa. No caso da anorexia, podemos observar o lado irônico e o lado cômico presente em todas as doenças, especialmente em nossa época: uma pessoa recusa-se a comer porque não tem apetite e morre por causa disso, sem nunca ter-se dado conta, sem nunca ter desenvolvido a sensação de que estava doente. Isso é demais! Os parentes e médicos desses pacientes enfrentam na maioria das vezes muitas dificuldades para demonstrar magnanimidade. Todos se esforçam bastante para convencer a pessoa anoréxica das vantagens da alimentação e das vantagens de viver, e ampliam seu amor ao próximo até o ponto de administrarem clinicamente alguns alimentos (Quem não consegue entender o lado cômico desta situação é um péssimo observador do grande teatro da vida!).

A maioria das pessoas que sofrem de anorexia nervosa são mulheres. De fato, trata-se de uma doença tipicamente feminina. As pacientes, púberes em sua maioria, chamam a atenção por seus hábitos alimentares extravagantes, inclusive pelo "hábito de não se alimentar". Recusam-se a comer, e isto está relacionado, consciente ou inconscientemente, ao desejo de se manterem esguias.

A recusa peremptória de comer alguma coisa às vezes se transforma no comportamento oposto: quando estão sós e pensam que ninguém as está observando, elas comem em enormes quantidades. Por conseguinte, esvaziam a geladeira durante a noite, consumindo tudo o que encontram. Contudo, não desejam reter a alimentação e têm o cuidado de vomitar tudo outra vez. Descobrem todos os truques possíveis para iludir as pessoas com quem convivem em seu ambiente, no que se refere a seus hábitos alimentares. É extremamente difícil chegar a uma conclusão exata sobre o que uma pessoa anoréxica de fato come ou não come, sobre quando cede à tentação de saciar seu apetite e quando não.

Entretanto, quando *comem*, esses doentes preferem coisas que mal merecem o nome de alimentos: limões, maçãs verdes, saladas ácidas, em outros termos, coisas com baixo valor nutritivo e poucas calorias. Além disso, em geral, esses pacientes usam laxantes a fim de eliminar tão depressa quanto possível o pouco ou o nada que ingeriram. Também sentem uma grande necessidade de se movimentar. Dão longos passeios e tratam de gastar dessa forma a gordura que nunca conseguiram acumular; o fato é de causar admiração, pois o estado dessas pacientes em geral é de grande fraqueza. Outro dado que desperta nossa atenção é o evidente altruísmo demonstrado por essas pessoas cujo auge é alcançado quando se oferecem para cozinhar, e de fato o fazem com bastante cuidado, para as outras pessoas. Não se importam de cozinhar para os outros, nem de servi-los ou ficar vendo-os comer, desde que não sejam forçadas a tomar parte da refeição. No mais, têm uma grande tendência ao isolamento e gostam de ficar a sós. Muitas vezes as pacientes com anorexia nervosa não têm menstruação, e quase sempre apresentam problemas e distúrbios nesse setor.

Ao reunirmos os aspectos sintomáticos desse quadro constatamos um exagero de ideais ascéticos. Em segundo plano, está o antigo conflito entre o espírito e a matéria, entre em cima e embaixo, entre limpeza e desejo. Os alimentos constroem o corpo e, com isso, alimentam o reino das formas. A recusa dos anoréxicos em relação à comida significa uma negação do corpo e de todas suas exigências. O ideal exclusivo das pessoas determinadas a ficarem magras é algo que ultrapassa o âmbito da alimentação. Seu objetivo é a pureza e a espiritualização. Elas querem se livrar de tudo o que for denso e material. Gostariam de fugir à sexualidade e aos desejos da carne. Castidade sexual e abulia (assexuação) são os objetivos a serem atingidos. Para tanto, é necessário continuar esbelta, pois, caso contrário, o corpo cria formas arredondadas que excluem a mulher do rol das anoréxicas. Como vemos então, é justamente a feminilidade que essas pacientes estão negando.

Não é só das formas suaves e femininas que elas têm medo, mas uma barriga gorda lembra a possibilidade de engravidar. A resistência a toda feminilidade e sexualidade se expressa, por conseguinte, também na falta de menstruação. O maior ideal dos anoréxicos é a desmaterialização. Querem afastar-se de tudo aquilo que ainda pertence ao reino inferior do corpo.

Tendo como segundo plano um tal ideal ascético, o anoréxico não se considera doente e, sobretudo, não tem a menor aceitação para quaisquer medidas terapêuticas, visto que estas só servem ao corpo do qual justamente querem livrar-se. Esses pacientes usam de todas as artimanhas possíveis para se livrar até mesmo da alimentação clínica, usando medidas cada vez mais estratégicas para fazer os alimentos sumirem. Recusam qualquer tipo de ajuda e perseguem obstinados seu ideal de deixar para trás todos os âmbitos físicos através de uma espiritualização. Não sentem a morte como uma ameaça, visto que é a vida que lhes infunde tanto medo! As pessoas que sofrem de anorexia nervosa sentem medo de tudo o que é redondo, amorfo, feminino, fecundo, impulsivo e que tenha conotação sexual; também têm medo da proximidade e do calor humanos. Por esse motivo não participam de refeições em grupo. Sentar-se à mesa em companhia de outros e alimentar-se junto com eles sempre fez parte de um ritual primitivo de todas as culturas, nas quais imperam a proximidade e o afeto humanos. É justamente essa intimidade que tanto amedronta a pessoa anoréxica.

Esse medo se nutre do mundo das sombras em que todos esses temas, tão cuidadosamente evitados no nível consciente, estão à espera numa verdadeira ânsia de se concretizarem. Tais pacientes sentem um enorme desejo de viver; porém, tentam erradicar tal desejo por meio do comportamento sintomático, por puro medo de se envolverem nele. No entanto, de tempos em tempos, sentem que estão sendo esmagados pelo próprio anseio e cobiça que tanto procuram refrear e anular. É assim que se inicia o processo de comer "às escondidas". A sensação de culpa que acomete as pessoas depois desse "deslize" é compensada posteriormente através do ato de vomitar.

Assim, os anoréxicos não conseguem encontrar um meio-termo entre a cobiça e o ascetismo, entre a fome e a renúncia ao apetite, entre uma dedicação egocentrada e a entrega altruísta. Por trás de comportamentos altruístas se oculta sempre um forte egocentrismo que logo podemos sentir ao lidar com esses pacientes. Eles anseiam secretamente por simpatia e a obtêm por meio da doença. Quem se recusa a comer, consegue de repente um grande e inesperado poder sobre as pessoas pois estas, sentindo um medo desesperado, acham que têm de obrigar o paciente a comer e forçá-lo a sobreviver. Com esse truque até criancinhas conseguem dominar suas famílias.

Não há meio de ajudar as pessoas anoréxicas obrigando-as a comer; a melhor coisa a fazer é ajudá-las a serem honestas consigo mesmas. Elas têm de aceitar a própria cobiça, seu desejo de amor e sexo, seu egocentrismo e sua feminilidade, incluindo no quadro tudo o que faz parte do instinto e da sexualidade. Elas têm de compreender o fato de que o plano terreno não pode ser vencido por resistência ou repressão, mas apenas por integração, por aceitação, tendo-o como real e, assim, transmutando-o. Com este esclarecimento, muitos de nós podem aprender uma lição com os sintomas da anorexia. Os que sofrem de anorexia não são os únicos que tendem a usar argumentos filosóficos sofisticados para reprimir os apelos perturbadores de seu próprio corpo físico e viver vidas "puras", espirituais. É fácil demais deixar de ver o fato de que o asceticismo, em geral, lança uma sombra e que o nome dessa sombra é cobiça.

5
Os Órgãos dos Sentidos

Os órgãos dos sentidos são os portais de nossa consciência. Através deles estamos ligados ao mundo exterior. Eles são as janelas de nossa alma, através das quais olhamos para fora a fim de, em última análise, vermos a nós mesmos. Pois esse mundo exterior que percebemos com nossos sentidos, e em cuja realidade incontestável acreditamos com toda nossa fé, não existe de fato.

Vamos tentar explicar, passo a passo, essa afirmação que parece tão absurda. Como funciona a nossa percepção das coisas? Todo ato de percepção sensorial pode ser reduzido a uma informação que passa a existir graças à modificação das vibrações das partículas. Por exemplo, observamos uma barra de ferro e vemos sua cor negra, sentimos o frio do metal, seu odor característico, e também sua densidade. Depois aquecemos esse bastão num bico de Bunsen e notamos como sua cor se altera. À medida que vai ficando vermelha, sentimos o calor que está emitindo, e podemos experimentar e testar pessoalmente sua nova plasticidade. Como ocorreu isto? Apenas pela aplicação de energia ao bastão de ferro, o que aumentou a velocidade de suas partículas. Essa aceleração induziu por sua vez mudanças de percepção que descrevemos com as palavras "vermelho", "quente" e "flexível".

Por esse exemplo podemos ver nitidamente como todo o nosso processo perceptivo depende da vibração das partículas e das mudanças em sua freqüência. Colidindo com receptores específicos de nossos órgãos sensoriais, as partículas estimulam neles certas reações que, por sua vez, são transmitidas ao cérebro na forma de impulsos eletromagnéticos através do sistema nervoso: no córtex cerebral é formada uma imagem complexa e nós passamos a chamá-la de "vermelho", "cheirosa" e assim por diante. Então o que entra são as partículas e o que sai são complicados padrões de percepção, e entre os dois extremos está apenas o nosso processamento. No entanto, continuamos acreditando que as imagens complexas de nossa consciência, reunidas com base nos dados originais das partículas, existem de fato independentemente de nós mesmos! É nisto que consiste o nosso engano. "Lá fora", na verdade, nada mais há do que partículas; contudo, são exatamente essas partículas que nunca pudemos enxergar de verdade. Admitindo-se que toda a nossa percepção depende das partículas, ainda assim não conseguimos vê-las. Na realidade, estamos cercados apenas por nossas próprias imagens subjetivas. Por certo cremos que os outros (será que eles de fato existem?) percebem as mesmas coisas que nós, tendo em vista que usam as mesmas palavras para descrever o que vêem. No entanto, duas pessoas nunca serão capazes de comprovar que estão vendo a mesma coisa quando usam a palavra "verde". Para sempre estamos sós, cercados por nossas imagens, e ainda assim fazemos os mais cansativos esforços para evitarmos encarar essa verdade.

Todas as imagens têm exatamente o mesmo valor; na verdade, podem ser avaliadas do mesmo modo que avaliamos as imagens do sonho, ao menos enquanto ainda estamos sonhando. Certo dia, porém, iremos despertar desse devaneio contínuo e descobrir que o mundo que imaginávamos ser tão real se dissolveu no nada, desfez-se em *maya*, em ilusão, no mero véu que encobre a realidade separando-a de nós. Todo leitor que acompanhou nossa argumentação até aqui por certo pode objetar que, embora o mundo exterior talvez não exista da forma como o vemos, tem de existir algum outro tipo de mundo exterior, mesmo que ele se componha exclusivamente de partículas. Porém, até este conceito é ilusório. No nível das partículas não existe mais uma diferença palpável entre "eu" e "não-eu", entre "interior" e "exterior". Não há como dizer se uma partícula é parte integrante de mim ou do mundo que me cerca. Nesse nível não há mais fronteiras. Aqui tudo é Uno.

Aliás, é exatamente isso o que a antiga doutrina esotérica quer ensinar: microcosmo = macrocosmo. Esse "sinal de igualdade" pode ser usado, neste caso, em toda a sua exatidão matemática. O eu, ou "ego", não passa de uma ilusão, de um limite artificial que existe apenas na mente, ou seja, pelo menos até aprendermos a desistir do "eu", só para descobrirmos com grande surpresa que aquela *solidão* que tanto tememos é de fato "*unicidade*". O caminho rumo a essa unicidade — o caminho da iniciação — é contudo longo e difícil. Em primeiro lugar, estamos presos a este aparente mundo da matéria por nossos sentidos, tal como Jesus que foi pregado à cruz do mundo material com cinco pregos. Essa cruz só pode ser ultrapassada se nós a aceitarmos e a transformarmos num veículo para o "renascimento no espírito".

No início deste capítulo, dissemos que os órgãos dos sentidos são as janelas de nossa alma, através das quais contemplamos a nós mesmos. Aquilo que denominamos mundo ambiente ou mundo exterior são reflexos de nossa alma. Espelho é o que possibilita olharmos para nós mesmos a fim de nos conhecer melhor, pois ele também mostra partes nossas que não teríamos oportunidade de ver, a não ser através de seus reflexos. Assim, nosso "mundo ambiente" é o maior meio de ajuda de que dispomos no caminho do autoconhecimento. Olhar para esse espelho nem sempre é agradável, visto que nossa sombra se torna visível nele; portanto, damos muita importância a uma distância entre nós e o mundo exterior e enfatizamos que "nesse caso não temos nada a ver com isso". É apenas aí que corremos perigo, pois assim projetamos nossa maneira de ser no exterior e, em seguida, acreditamos na independência de nossa projeção. Depois esquecemos de retomá-la, e assim começa a época do trabalho social em que todos ajudam os demais e ninguém ajuda a si mesmo. Para nosso caminho de conscientização necessitamos refletir sobre o *exterior*, sem esquecer porém de acolher as projeções em nosso íntimo outra vez, se quisermos ser *sadios*. A mitologia judaica nos conta algo sobre essa correlação, em sua imagem da criação da mulher. Do ser humano andrógino e perfeito, Adão, é retirado um dos lados (Lutero traduz por "costela") e esse lado é formado como uma coisa independente. Assim falta à Adão aquela parte que ele encontra na projeção. Ele se tornou *imperfeito* e só pode tornar-se perfeito outra vez se unir-se ao que lhe faz falta. Mas isso só pode ocorrer por intermédio do *exterior*! Se o ser humano não conseguir integrar paulatinamente em sua vida aquilo que percebe no exterior, na medida em que cede à sedutora ilusão de acreditar que o exterior nada tem a ver com ele, o destino começa aos poucos a travar sua percepção.

O significado literal de percepção é tomar conhecimento da verdade. Naturalmente, isso só pode acontecer se em tudo o que percebemos nos reconhecermos também. Se o homem esquecer isto, as janelas de sua alma — os órgãos dos sentidos — se tornam progressivamente opacas e escuras, obrigando-o mais tarde a dirigir sua percepção para o interior. Conforme os órgãos sensoriais *forem deixando de funcionar de modo adequado*, o ser humano aprenderá a olhar para dentro, a ouvir a voz interior e a interpretar o que ouve. O ser humano se vê obrigado a "refletir sobre si mesmo".

Há técnicas de meditação destinadas a permitir que essa reflexão ocorra por si: a pessoa que medita fecha com os dedos das duas mãos seus portais dos sentidos — as orelhas, os olhos e a boca — e medita sobre as respectivas percepções sensoriais interiores, que se manifestam depois de um pouco de prática como paladar, cor e tonalidade.

Os Olhos

Além de acolher as impressões, os olhos também refletem algo para o exterior: neles se percebe os sentimentos e a disposição das pessoas. É por isso que olhamos para os olhos dos outros e tentamos ver bem no fundo dos mesmos: buscamos dessa forma descobrir o que expressam. Os olhos são o espelho da alma. Também são os olhos que derramam lágrimas para expressar ao mundo exterior uma situação psíquica. A iridologia usa os olhos como um *espelho do corpo*, e é bastante viável ver o caráter e a estrutura das pessoas em seus olhos. Também o *olhar mau* ou o *olhar mágico* nos mostram que os olhos não são um mero órgão que capta as coisas, mas também que pode liberar algo para o exterior. Os olhos também se tornam ativos quando "damos uma olhada" em alguém. Na voz do povo, apaixonar-se também significa o processo de "ficar cego de paixão", e com essa expressão indica-se que a pessoa apaixonada deixa de ver a realidade com clareza, pois nesse estado é fácil deixarmos de ver, já que o "amor é cego" (mesmo que deixemos de ver essa verdade!).

Os distúrbios mais freqüentes associados à visão são a miopia e a hipermetropia. A miopia aflige em geral as pessoas jovens ao passo que a hipermetropia incide nos idosos. Essa é uma divisão apropriada visto que a juventude em geral vê apenas o próprio mundo limitado que a cerca e, portanto, ela carece de uma visão geral e de longo alcance. A idade traz consigo mais facilidade para manter-se a distância e olhar de longe. De forma análoga, a memória das pessoas mais velhas se atrapalha com as recordações mais recentes, ao passo que consegue lembrar-se com extrema exatidão de acontecimentos de um passado distante.

A miopia demonstra uma subjetividade muito intensa: o míope observa tudo através dos *próprios óculos* e, assim sendo, leva tudo como ofensa pessoal. Não pode ver além *da ponta de seu nariz*, mas mesmo com esse âmbito tão restrito de visão externa não consegue obter o autoconhecimento. Eis aí o verdadeiro problema; é claro que temos de relacionar conosco tudo o que vemos para podermos nos conhecer melhor. No entanto, esse processo se reverte em seu oposto, no momento em que a pessoa estagna na subjetividade. Disso resulta que, na prática, ela ainda relaciona tudo consigo mesma, mas recusa-se a se ver ou a se reconhecer nesse todo. Sua abordagem subjetiva só a leva a uma atitude de inocência ofendida ou a uma outra reação de defesa qualquer, já que a projeção nunca é efetivamente desmascarada.

A miopia expõe esse mal-entendido. Ela força o míope a encarar de perto o que de fato lhe diz respeito. Ela traz o ponto de visão mais aguda para perto dos olhos, aproxima-o da ponta do nariz. Com esse processo, a miopia demonstra de forma física o alto grau de subjetividade do míope, além de ajudá-lo a conhecer-se tal qual é. Na verdade, o autoconhecimento genuíno leva necessariamente as pessoas à sua subjetividade. Se elas não a puderem ver (ou enxergarem muito mal) então a pergunta eficaz é: "O que é que não quero ver?" E a resposta é sempre igual: eu mesmo.

A extensão da nossa recusa em olharmos para nós mesmos pode ser deduzida com facilidade do grau de refração das lentes que nos forem receitadas. Os óculos são uma prótese e, portanto, um engano. Com eles provocamos uma significativa e artificial correção do destino e, em seguida, fazemos de conta que tudo está em ordem. No caso das lentes de contato, esse engano é reforçado num nível ainda mais considerável, porque ainda disfarçamos o fato de "não podermos enxergar direito". Imaginemos que fosse possível tirar os óculos e as lentes de contato de todas as pessoas durante a noite: o que aconteceria? A vida seria bem mais honesta. Seria possível constatar de imediato como alguém vê o mundo e a si mesmo e — o que é ainda mais importante — a pessoa implicada sentiria a sua incapacidade de se entender e de ver as coisas como elas são! Para que uma desvantagem nos possa ser útil de alguma maneira é preciso que a sintamos no plano pessoal. Muitas pessoas enxergariam, de súbito, como sua visão de mundo é "deturpada" e restrita. Talvez *"os ciscos caíssem de seus olhos"* e elas começassem a ver as coisas de modo mais correto. Pois, como alguém que não vê direito pode obter a *percepção?*

Com base em sua experiência de vida, a pessoa mais idosa deveria ter desenvolvido um certo conhecimento e formulado uma visão mais ampla das coisas. No entanto, muitas delas manifestam esse poder de ver mais longe apenas no nível físico, na forma de uma hipermetropia. O daltonismo nos revela a nossa cegueira para todo o colorido e toda a variedade da vida. Esse defeito atinge as pessoas que vêem tudo cinzento e que gostariam de nivelar as diferenças; numa só palavra, uma pessoa apagada e sem cores.

A conjuntivite nos mostra, tal como todas as doenças inflamatórias, a existência de um conflito. A conjuntivite produz dor nos olhos, que só podem obter algum alívio ficando fechados. É assim que fechamos os olhos para um conflito, visto não o querermos encarar de frente.

Estrabismo: para enxergar, necessitamos de *duas* imagens que se fundem e configuram *toda* a sua dimensionalidade. Quem é que não reconhece nessa afirmação a lei da polaridade? Precisamos de dois modos de ver a fim de apreciarmos qualquer coisa em sua inteireza; se, no entanto, os eixos de nossa visão não estiverem coordenados mutuamente, o resultado é um estrabismo, as retinas dos dois olhos recebem duas imagens incongruentes (visão dupla). Porém, antes de vermos duas imagens divergentes, o cérebro decide filtrar e expurgar por inteiro uma das duas imagens (mais precisamente, do olho que fica vesgo). Dessa forma, nos tornamos na realidade pessoas com um só olho, visto que a imagem captada pelo segundo olho não continua a ser transmitida. Vemos tudo plano, e assim perdemos todo senso de profundidade.

Acontece o mesmo com a polaridade. Também nesse caso a pessoa tem de poder ver ambos os pólos como um *único* quadro (por exemplo, onda e corpúsculo — liberdade e determinação — bem e mal). Se não o consegue, e os dois quadros se dissociam, ela apaga um dos modos de ver (reprimindo-o), e torna-se dona de *um olho só* em vez de ver *uma verdade*. A pessoa vesga de fato possui uma vista só, pois a imagem da segunda é reprimida pelo cérebro, o que provoca perda da profundidade e isso leva a uma *visão unilateral do mundo*.

Catarata: no caso de termos uma catarata, o cristalino se turva e, por conseguinte, também a visão. Não há mais como ver as coisas com nitidez. Enquanto enxergamos imagens de boa definição visual, elas têm contornos rígidos; portanto, também são perigosas. Mas ao perdermos a definição aguda da imagem devido à falta de nitidez, o mundo perde seu caráter agressivo na névoa da visão difusa que temos dele. Não ver bem significa ficar a uma distância apaziguadora do meio ambiente, mas também a uma certa distância de si mesmo. A catarata "marronis" é como uma persiana que se fecha para que não precisemos ver o que não desejamos. A catarata cobre os olhos como vendas e pode levar à cegueira.

O glaucoma é provocado pelo excesso de pressão no interior do olho e leva a uma diminuição crescente do campo visual, até resultar numa visão em túnel. É como se o doente observasse o mundo através de antolhos. Perde-se a visão mais ampla e, na verdade, fica-se cego a não ser para o aspecto da realidade que *queremos ver*. Como pano de fundo, está a pressão psíquica das lágrimas não derramadas (pressão interna do olho).

A forma mais extrema de *não se querer ver* é a cegueira. Esta é considerada pela maioria das pessoas como a pior das perdas infligidas ao corpo humano. A expressão *ele ficou cego* é usada também no sentido metafórico, sempre com a conotação de uma desgraça. Aos cegos é retirada a tela para a projeção exterior, portanto eles são forçados a olhar só para dentro. A cegueira física é, em última análise, uma manifestação da cegueira que de fato importa, ou seja, a cegueira da consciência.

Há alguns anos um grande número de jovens americanos recebeu de volta sua visão, graças a novas técnicas cirúrgicas. O resultado não foi de forma nenhuma contentamento e satisfação. Na verdade, a maioria dos operados descobriu ser incapaz de se ajustar à mudança e de lidar outra vez com o mundo normal. Podemos analisar essa experiência de vários pontos de vista e tentar esclarecê-la. Para a medicina convencional só importa saber que, através de medidas funcionais, podemos modificar as funções sem, no entanto, conseguirmos eliminar os problemas que se manifestam exatamente nos sintomas. Enquanto não abandonarmos a idéia de que todo tipo de limitação é uma perturbação desagradável que se tem de afastar tão depressa e despercebidamente quanto possível, ou ao menos compensá-lo, não poderemos obter proveito algum com essa limitação. Antes de mais nada, temos de permitir que esse distúrbio perturbe nosso modo normal de viver: é nossa missão *deixar* que ele nos impeça de continuar vivendo como era até o momento. Desse modo, a doença pode tornar-se um caminho que nos leva à cura. Nesse sentido, até mesmo a cegueira pode nos ensinar a verdadeira visão e nos levar a ter uma percepção intuitiva mais elevada.

Os Ouvidos

Tratemos primeiro de ouvir mais uma vez algumas expressões e usos idiomáticos comuns que se referem aos ouvidos ou ao ato de ouvir: *manter os ouvidos abertos, dar ouvidos a alguém, abrir bem os ouvidos, ouvir o que alguém está dizendo, ouvir e obedecer, ficar de ouvidos abertos*. Todas essas expressões nos revelam um nítido elo entre os ouvidos e a idéia de *deixar algo entrar*, de *ser receptivo* (escutar com atenção) e de *prestar obediência*. Comparada à nossa audição, a visão é uma forma muito mais ativa de percepção. Por essa razão, também é muito mais fácil desviar o olhar de alguma coisa ou fechar os olhos do que fechar os ouvidos. A capacidade de ouvir é a expressão corporal da obediência e da humildade (submissão). Assim sendo, perguntamos a uma criança desobediente: *"Acaso você não ouve bem?"* Quem não ouve bem, não deseja *obedecer*. Essas pessoas apenas fingem *que não ouvem* aquilo que não desejam ouvir. O fato auditivo que demonstra certo egocentrismo é recusar-se a ouvir as outras pessoas ou recusar-se a dar-lhes atenção. Essa conduta revela ausência de submissão e falta de disposição para *obedecer*. O mesmo acontece no caso da surdez provocada pelos ruídos. Não é o mero volume sonoro que causa o dano, mas a quebra da resistência psíquica ao mesmo; *não querer ouvir* significa não ser capaz de assimilar o que se ouve. Dores e inflamações freqüentes dos ouvidos em crianças acontecem justamente na época em que elas têm de aprender a obedecer. A maioria das pessoas mais idosas é acometida por uma deficiência auditiva. A surdez, parcial ou total, provocada pela idade, pertence ao mesmo quadro de sintomas somáticos que a deficiência visual, a rigidez dos membros, a carência de flexibilidade. Todas estas são expressões de uma tendência do ser humano para se tornar cada vez mais inflexível e renitente com a chegada da velhice. O idoso perde, na maior parte das vezes, a capacidade de adaptação e a flexibilidade e se mostra cada vez menos disposto a obedecer. O desenvolvimento que esquematizamos, apesar de típico para os idosos, não é obrigatório. A idade acentua precisamente os problemas ainda não resolvidos e, na mesma medida, torna as pessoas honestas, tal como a doença.

Chamamos de colapso auditivo a um bloqueio repentino, parcial e unilateral da audição ou até mesmo a surdez total originado num ouvido interno, que depois pode se estender também ao outro. Para podermos interpretar esse colapso auditivo é importante observar com atenção a verdadeira situação de vida do implicado. O colapso auditivo é uma ordem para ouvir nosso íntimo interior, para obedecer a voz interior. Só fica surda a pessoa que está surda há tempos para sua voz interior.

Doenças dos Olhos

Quem tiver problemas com os olhos, ou seja, com a visão, deve em primeiro lugar abandonar por um dia seus óculos (e/ou lentes de contato) e viver conscientemente a situação honesta de vida criada pelo fato. Depois desse dia, deve fazer um relatório honesto, descrevendo o modo como viu o mundo e as experiências que teve, o que pôde e o que não pôde fazer, no que foi impedido pela falta de visão, como lidou com o ambiente exterior etc. Um relatório como esse deve fornecer-lhe material suficiente para poder conhecer melhor sua personalidade, seu mundo e seu modo de ser. Essencialmente, deve responder ainda às seguintes perguntas:

1. O que não desejo ver?

2. Minha subjetividade tem impedido meu autoconhecimento?

3. Deixo de ver a mim mesmo nos acontecimentos?

4. Uso a visão para obter uma percepção mais elevada?

5. Tenho medo de ver os contornos rígidos (definidos) das coisas?

6. Posso suportar, afinal, ver as coisas como elas são?

7. Qual o âmbito de minha *personalidade* de que procuro desviar o olhar?

Doenças do Ouvido

Quem tem problemas com os ouvidos, ou seja, com o ato de ouvir, deve de preferência fazer a si mesmo as seguintes perguntas:

1. Por que não estou disposto a prestar atenção ao que os outros dizem?

2. A quem ou a que não desejo obedecer?

3. Há equilíbrio entre os dois pólos de minha personalidade, o egocentrismo e a submissão?

6
As Dores de Cabeça

As dores de cabeça são conhecidas apenas há alguns séculos: nas culturas antigas não se ouvia falar nelas. As dores de cabeça vêm aumentando em especial nos países civilizados, nos últimos anos, e 20% das pessoas saudáveis se queixam delas. As estatísticas comprovam que afligem com mais freqüência as mulheres; e também são mais comuns nas classes privilegiadas da sociedade. Tudo isso causa pouco espanto, se tentarmos *quebrar um pouco a cabeça* com o simbolismo dessa parte do corpo. A cabeça está numa polaridade bastante óbvia com o corpo. Ela é a instância superior de nossa constituição física. Com ela nos *afirmamos.* A cabeça representa *o que está em cima,* ao passo que o corpo representa *o que está embaixo.*

Consideramos a cabeça como o local onde têm morada a inteligência, o juízo e os pensamentos. Quem age de forma *inconseqüente* (sem cabeça) não tem juízo. Podemos *"virar a cabeça"* de qualquer pessoa; no entanto não podemos esperar que ela *mantenha sua cabeça fria.* Sentimentos irracionais como o "amor" sobrecarregam bastante a cabeça; a maioria das pessoas até "perde a cabeça" (e, quando não, ela dói demais!). Seja como for, ainda existem alguns contemporâneos *de cabeça-dura,* que nunca correm o risco de *perder a cabeça* mesmo que resolvam *bater com a cabeça na parede.* Com grande facilidade, o orgulho e o desejo de poder *sobem à cabeça;* porém, quem só der atenção unilateral ao âmbito da cabeça, quem somente aceitar viver o que é racional, sensato e compreensível, logo perde o seu "relacionamento com o pólo inferior" e, com ele, as raízes que lhe dão estrutura à vida. Tornam-se *pessoas maçantes.* No entanto, está comprovado que as exigências do corpo e suas funções — na maior parte inconscientes — têm um desenvolvimento historicamente mais antigo do que a capacidade de raciocinar com juízo, pois o córtex cerebral representa uma conquista posterior da humanidade.

O ser humano possui dois centros: coração e cérebro, sentimento e pensamento. O homem moderno e a nossa cultura desenvolveram, em grande medida, as forças cerebrais e portanto vivem em constante perigo de menosprezar o segundo centro, ou seja, o coração. Mas condenar de imediato o raciocínio, o juízo e a cabeça não representa solução. Nenhum dos centros é melhor que o outro. O homem não deve decidir-se por um deles negando o outro: ele precisa se esforçar por obter o equilíbrio.

Os "materialistas" são tão imperfeitos quanto os "intelectuais". A nossa cultura porém exigiu tanto da cabeça e promoveu tanto o seu desenvolvimento, que a maioria apresenta em geral uma deficiência do pólo inferior.

A esse problema se acrescenta outra questão: *para o que* usamos nossa compreensão? Na maior parte das vezes, utilizamos nossas funções racionais de pensamento para conferir segurança ao eu. Por meio do encadeamento causal de pensamentos, tentamos nos assegurar cada vez mais contra o destino, a fim de estruturarmos um domínio para nosso ego. Um empreendimento como esse está, em última análise, destinado ao fracasso. Como no caso da Torre de Babel, causa apenas confusão. Simplesmente não faz parte das atribuições da cabeça declarar independência e trilhar um caminho próprio, sem o corpo ou o coração. Quando o pensamento se separa da *parte inferior*, ele se desliga das raízes. O pensamento funcional da ciência, por exemplo, é um pensamento desarraigado — falta-lhe a ligação com a origem primordial — a *religio*. A pessoa que segue unicamente sua cabeça, escala alturas vertiginosas sem estar ancorada à base; portanto, não é de causar admiração que ela *sinta a cabeça zumbir*. A cabeça transmite um alarme.

De todos os órgãos, é a cabeça que reage mais depressa à dor. Todos os outros órgãos precisam passar por modificações mais profundas até sentirem dor. A cabeça é nosso sistema mais sensível de alarme. A dor de cabeça revela que nossos pensamentos são incorretos, nos avisa que estamos aplicando mal nossas idéias, que temos objetivos duvidosos. A cabeça dá o alarme tão logo começamos a nos preocupar com pensamentos infrutíferos, buscando todo tipo de certezas inexistentes. No contexto de nossa vida material não há absolutamente nada garantido e, por certo, toda tentativa de fazer isso apenas serve para nos tornar ridículos.

O ser humano está sempre "quebrando a cabeça" com coisas sem qualquer importância, até que *a cabeça começa a reclamar*. Só podemos aliviar a tensão com o relaxamento, e essa é uma outra palavra para *desapego*. Quando a cabeça dá sinal de alarme por meio da dor, é mais do que tempo para a pessoa desapegar-se de um "eu quero" obtuso, de toda a ambição que a faz esforçar-se para subir, de toda obstinação e de toda teimosia. Está em cima da hora também para que volte seu olhar para baixo, a fim de recordar-se de suas raízes. Não há como ajudar os que se livram desse sinal de perigo usando pílulas analgésicas, às vezes durante anos a fio; essas pessoas se *arriscam a pôr a cabeça na guilhotina*.

Enxaqueca

"No caso das enxaquecas (hemicranias) trata-se de uma dor de cabeça repentina, na maior parte das vezes apenas num dos lados da cabeça, que pode ser acompanhada por distúrbios visuais (como sensibilidade à luz, ou bruxuleamento da luz) juntamente com perturbações estomacais e intestinais, como vômitos e diarréia. Esse acesso, que via de regra dura algumas horas, depende de uma disposição depressiva e de sensibilidade. O auge de um ataque de enxaqueca consiste no desejo de ficar a sós num quarto escuro ou na vontade de recolher-se ao leito" (Bräutigam). Ao contrário das dores de cabeça provocadas por tensão, as enxaquecas provocam primeiro espasmos que são seguidos por um considerável dilatamento dos vasos sangüíneos do cérebro. A palavra grega para enxaqueca é *hemikranie* (*kranion* = crânio), e se traduz literalmente por *meia cabeça,* o que aponta diretamente para a unilateralidade do pensamento, sintoma que encontramos do mesmo modo nas pessoas que sofrem de enxaquecas e nas que têm dores de cabeça de origem tensional.

Tudo o que apresentamos nesta última correlação se aplica igualmente à cefaléia e à enxaqueca, contudo há entre ambas um aspecto essencial diferente. Enquanto as pessoas que sofrem de dores de cabeça tensionais estão tentando separar a cabeça do corpo, os pacientes com enxaqueca estão transferindo um determinado assunto corporal para a cabeça, tentando vivê-lo e esgotá-lo nesse nível. Esse assunto se refere à sexualidade. A enxaqueca sempre é uma transferência da sexualidade para a cabeça. À cabeça se atribui uma tarefa que pertence essencialmente ao corpo. Na verdade, essa transferência especial não é tão insignificante porque a área genital e a cabeça mantêm um relacionamento analógico mútuo. Afinal, elas são duas partes do corpo em que se encontram todos os orifícios dos seres humanos.

O papel desempenhado pelos orifícios corporais na sexualidade é de vital importância (amor = deixar entrar = isso só pode ser concretizado no âmbito físico quando o corpo consegue se abrir!). A sabedoria popular sempre comparou a boca de uma mulher com sua vagina (por exemplo, lábios secos), e o nariz de um homem com o seu pênis, tentando fazer inferências de um a partir do outro. Também no caso de uma relação sexual oral, esse relacionamento, essa "intercomunicabilidade" entre a cabeça e o corpo torna-se óbvia. A cabeça e o corpo são polaridades e, por trás de sua oposição, existe a identidade comum: em cima tal como embaixo. O quanto a cabeça pode ser usada como substituto para a área genital é algo que se constata com nitidez quando alguém cora de vergonha. Em situações excitantes, de caráter mais ou menos sexual, o sangue sempre sobe à cabeça e nos faz corar. Assim, é concretizado em cima o que, na verdade, deveria ser realizado embaixo, pois como a excitação sexual o sangue flui para a área genital e os órgãos sexuais incham e ficam vermelhos. A mesma transferência do âmbito genital para a cabeça acontece nos casos de impotência. Quanto mais o homem mantiver pensamentos *na cabeça* durante o ato sexual, maior será a probabilidade de perder a potência no nível físico, o que tem conseqüências fatais. A mesma transferência é o que motiva pessoas sexualmente insatisfeitas a comerem mais do que devem, em substituição à sua fome de amor. Há muitas pessoas que tentam saciar sua *fome por amor* através da boca e nunca se saciam. Todas essas indicações devem bastar para nos tornar conscientes da semelhança entre o corpo e a cabeça. O paciente que sofre de enxaqueca (na maioria se trata de mulheres) sempre tem problemas com a sexualidade.

Como já enfatizamos muitas vezes, em outras correlações, há essencialmente duas possibilidades de se lidar com algum âmbito problemático: ou o reprimimos e eliminamos de nossa vida (cortamos pela raiz), ou o compensamos de modo dramático e excessivo. As duas abordagens podem parecer muito diferentes; contudo, elas nada mais são do que expressões polarizadas de uma única dificuldade. Quando temos medo, podemos tremer até as bases, ou passar à agressão aleatória, e ambas as atitudes demonstram fraqueza. Entre os pacientes com enxaqueca encontramos tanto pessoas que baniram totalmente a sexualidade de sua vida ("... Não tenho nada a ver com essas coisas"), como aquelas que estão ansiosas por impressionar todos os demais com a maravilhosa vida sexual que possuem. Mas é tudo a mesma coisa: ambos os tipos têm problemas com a sexualidade. Recusarmo-nos a admitir o problema, ou insistir que nada temos a ver com ele porque todos podem ver que "não temos problemas sexuais", apenas transfere o problema para a cabeça onde ele reaparece como enxaqueca, e pode ser elaborado num *nível superior.*

A crise de enxaqueca equivale a um orgasmo na cabeça. O processo é idêntico: a única diferença é que a cabeça fica num nível mais elevado. Tal como na excitação sexual, em que o sangue flui para os órgãos genitais e a tensão se relaxa com o clímax, o mesmo acontece no caso da enxaqueca: o sangue flui para a cabeça, surge a sensação de tensão, a mesma se intensifica e se reverte, criando a fase de relaxamento (dilatação dos vasos). Todos os *desejos* (impulsos) podem gerar acessos de enxaqueca: a luz, o ruído, um trem, o clima, a excitação etc. Um traço característico da enxaqueca é o fato de o doente sentir uma sensação específica de bem-estar depois que o acesso termina. Além disso, durante o clímax do ataque de enxaqueca, os pacientes preferem estar na cama e num aposento às escuras, só que, nesse caso, sozinhos.

Tudo isso mostra a temática sexual bem como o medo de tratar do assunto com a outra pessoa, de uma forma adequada. Em 1934, E. Gutheil escreveu numa revista de psicanálise a respeito de um paciente com enxaqueca cujos acessos terminavam com um orgasmo sexual. Algumas vezes eram necessários vários desses orgasmos antes que o paciente relaxasse e o acesso chegasse ao fim. Para nossa investigação, também é importante observar que os distúrbios digestivos e a prisão de ventre estão bem cotados na lista dos sintomas colaterais dos pacientes de enxaqueca: em outros termos, poderíamos dizer que eles "estão fechados" no nível inferior. Eles não querem ver o conteúdo inconsciente (fezes) e portanto o transferem para o alto, para os pensamentos conscientes — *até a cabeça zumbir*. Os casados usam a desculpa de uma enxaqueca (às vezes, uma mera dor de cabeça) para evitar uma relação sexual com o parceiro.

Resumindo, descobrimos nos pacientes com enxaqueca o conflito entre o desejo sexual e o pensamento, entre o embaixo e o em cima, entre o corpo e a cabeça. Isso os leva a fazer a tentativa de usar a cabeça como local de fuga e treinamento, a fim de resolverem ali problemas que na verdade só podem ser solucionados num plano muito diferente (corpo, sexo, agressividade). Freud já definia o pensamento como a elaboração de problemas. Os seres humanos acham que o pensamento é menos perigoso e menos comprometedor do que as ações. Contudo, os pensamentos não devem substituir as ações, ambos precisam suportar-se mutuamente. O homem recebeu um corpo a fim de concretizar-se (tornar-se verdadeiro) através desse instrumento. Só através da concretização as energias continuam seu fluxo. Portanto, não é de modo algum aleatório o fato de conceitos como *en-tender* e *com-preender* descreverem imagens bastante corporais. A capacidade de entendimento e de apreensão dos homens está arraigada no uso dos pés, das mãos, portanto do corpo. Se essa atividade corporal for interrompida, ocorre um bloqueio cada vez mais denso da energia, o qual se manifesta em doenças com os mais diversos grupos de sintomas. Para tornarmos essa correlação mais compreensível revisaremos alguns pontos.

Escala progressiva de bloqueios de energia:

1. Se a atividade (sexo, agressividade) for bloqueada *pelos pensamentos,* ocorrem dores de cabeça.

2. Se a atividade for bloqueada no nível *vegetativo,* isto é, no âmbito das funções corporais, o resultado é pressão alta e uma sintomatologia de distonia vegetativa.

3. Se a atividade for bloqueada no nível *neural,* esse bloqueio provoca sintomas como, por exemplo, a esclerose múltipla.

4. Se a atividade for bloqueada no nível *muscular,* os sintomas das doenças se manifestam no sistema motor, na forma por exemplo, de reumatismo ou artrite.

Essa divisão por etapas corresponde às diversas fases do que ocorre de fato na prática. Toda atividade, seja um soco ou um ato sexual, começa (1) com uma fase de ideação, na qual preparamos a ação mentalmente. Esta leva (2) à preparação do corpo, com aumento da irrigação sangüínea nos órgãos necessários, aceleração do pulso etc. Finalmente, (3) a idéia é concretizada com o auxílio dos nervos e dos músculos (4) transformando-se enfim numa ação. Sempre que uma idéia não é concretizada numa ação, a energia será obrigatoriamente bloqueada num dos quatro níveis (pensamentos — sistema vegetativo — sistema nervoso — músculos) e, com o tempo, esse bloqueio se transforma no sintoma correspondente.

O paciente que sofre de enxaqueca está no início dessa escala: ele bloqueia sua sexualidade no nível conceitual. Ele tem de aprender a ver seu problema onde o mesmo está, a fim de redirecionar *o que lhe subiu à cabeça* de volta ao lugar que lhe é próprio: embaixo. O desenvolvimento sempre começa embaixo; o caminho ascendente é longo e trabalhoso quando trilhado honestamente.

Dores de Cabeça

Quem sofrer de dores de cabeça ou tiver enxaquecas deve fazer a si mesmo as seguintes perguntas:

1. Com que estou "quebrando a minha cabeça"?

2. O "em cima" e o "embaixo" estão num equilíbrio dinâmico dentro de mim?

3. Estou me esforçando demais para subir? (cobiça)

4. Sou um cabeçudo e tento derrubar os obstáculos com a cabeça?

5. Tento substituir a ação pelo pensamento?

6. Estarei sendo honesto no que se refere aos meus problemas sexuais?

7. Por que transfiro o orgasmo para a cabeça?

7
A Pele

A pele é o maior órgão do corpo humano. Cumpre múltiplas funções, das quais as mais importantes são as seguintes:

1. Separação e proteção
2. Toque e contato
3. Expressão e manifestação
4. Sexualidade
5. Respiração
6. Eliminação (suor)
7. Regulação da temperatura

Todas essas várias funções da pele ainda mostram um aspecto em comum, ou seja, estabelecer limites entre os pólos, ao mesmo tempo que serve de contato entre eles. Sentimos que a pele é nossa fronteira com o mundo material à nossa volta e, ao mesmo tempo, que é através dela que estamos ligados ao exterior, pois é com a pele que tocamos o nosso meio ambiente. É em nossa pele que nos mostramos ao mundo e não podemos *mudar de pele.* No exterior, ela reflete duplamente o nosso modo de ser. Em primeiro lugar, a pele é aquela superfície que reflete todos os órgãos internos. Qualquer distúrbio em algum deles é projetado na epiderme e cada estímulo na área correspondente da pele é transmitido outra vez para dentro do corpo. É nesse inter-relacionamento que se fundamentam todas as terapias da reflexologia, usadas há tanto tempo pela medicina naturalista. A medicina acadêmica usa algumas delas atualmente (como no caso das zonas da cabeça). Dignas de nota são, antes de tudo, a massagem que usa as zonas de reflexologia dos pés; a terapia das zonas que ficam nas costas com o uso de ventosas; a terapia das zonas de reflexologia do nariz; a acupuntura nos pontos da orelha, entre várias outras.

O clínico experiente vê e apalpa a pele deduzindo o estado dos órgãos e os trata por analogia em seus locais de projeção na pele.

Tudo o que acontece na pele, uma vermelhidão, um inchaço, uma inflamação, uma espinha, um abscesso — e a localização desses fenômenos não é ocasional — indica um fenômeno interior. Houve uma época em que se usavam sistemas sofisticados para revelar o caráter de uma pessoa pela posição de suas manchas hepáticas na pele. No período do Iluminismo porém esse "evidente absurdo" foi descartado como mera superstição. No entanto, estamos hoje retomando a compreensão dessas coisas. Afinal, será tão difícil assim entender que por trás de todo elemento da criação existe um padrão invisível que se manifesta através do âmbito físico? O visível é uma mera semelhança de algo invisível, da mesma forma que uma obra de arte é a expressão visível da idéia invisível na mente do artista. Do visível tiramos conclusões sobre o invisível. Isso é algo que fazemos o tempo todo, até mesmo em nosso dia-a-dia. Entramos na sala de visitas de alguém e, com base no que vemos no aposento, tiramos conclusões sobre o gosto da pessoa que mora ali. Podemos diagnosticar suas preferências também se observarmos seu guarda-roupas. Não importa para o que olhamos; se alguém tem mau gosto (ou outro defeito qualquer) isso se mostrará em tudo o que se referir a essa pessoa.

É por isso que o padrão total da informação se manifesta constantemente e simultaneamente em todos os lugares. Em cada parte encontramos o todo (os romanos chamavam a esse inter-relacionamento *pars pro toto*). Por isso é totalmente indiferente a parte do corpo humano que observarmos. Poderemos descobrir o padrão que alguém representa em todos os pontos de sua pessoa. Encontramos esse padrão nos olhos (iridologia), nos ouvidos (acupuntura auricular francesa), nas costas, nos pés, nos pontos e meridianos (pontos terminais para diagnósticos), em cada gota de sangue (teste de cristalização, dinamose capilar, diagnóstico holístico do sangue), em cada célula (genética humana), na mão (quirologia), no rosto e na estrutura física (fisionomia) e na pele (este é o nosso assunto!).

O objetivo deste livro é ensinar a reconhecer as pessoas através dos sintomas de suas doenças. É indiferente para onde olhamos — quando sabemos olhar. A verdade está em toda a parte. Se fosse possível que os especialistas abandonassem sua obsessão de tentar demonstrar a causalidade subjacente a todas as várias conexões que descobriram, eles veriam subitamente que tudo está num relacionamento analógico com o restante. Em cima, tal como embaixo; o exterior tal como o interior.

Porém, a pele não mostra apenas o estado exterior e interior de nossos órgãos; ela mostra também nossos processos e reações psíquicas em geral. Alguns deles se tornam tão evidentes que qualquer pessoa pode notá-los: ficamos vermelhos de vergonha e pálidos de susto; suamos de medo ou excitação; os cabelos ficam em pé de surpresa, ou nossa pele toda se arrepia de horror. Entretanto, embora seja externamente invisível, a condutividade elétrica da pele pode ser medida com o uso de um equipamento eletrônico apropriado. As experiências e as avaliações ligadas e essa área nos remontam diretamente a C. G. Jung, que investigou os reflexos galvânicos da pele em conexão com suas experiências psicológicas com a técnica de associação. Graças à eletrônica moderna, hoje em dia é possível exibir as contínuas e sutis alterações da condutividade elétrica da pele e ampliá-la, a ponto de se poder "interrogar" a pessoa unicamente através da pele, pois cada palavra, cada assunto, cada pergunta, estimula uma reação cutânea: há uma sutil adaptação na atividade elétrica da pele (a assim chamada reação cutânea eletrogalvânica = RCE).

Para nós, essa é a confirmação de que a pele é uma grande superfície de projeção. Nela se tornam continuamente visíveis tanto os processos somáticos como os fenômenos psíquicos. Visto que a pele revela ao mundo exterior o que se passa no nosso interior, logo nos ocorre a idéia de que é preciso tratar dela especialmente bem, sendo conveniente cuidar de sua aparência. A esse empreendimento — de certa forma fraudulento — denominamos cosmética. As pessoas se dispõem a gastar grandes somas de dinheiro para adquirir cosméticos. Não pretendemos nestas linhas atacar a arte de embelezamento da cosmética, contudo, nos esforçaremos para descobrir qual é a ânsia interior do ser humano que está por trás dessa antiqüíssima tradição de pintar o corpo. Se a pele é a expressão exterior do que se passa no interior, obrigatoriamente toda tentativa de alterar por meios artificiais essa aparência é, na verdade, um ato de desonestidade. Tenta-se mascarar algo; por exemplo, causar uma impressão enganosa nos outros. De duas uma: ou tentamos esconder algo, ou pretendemos passar aos outros uma imagem que não corresponde à realidade. É elaborada uma fachada artificial, mas a concordância entre conteúdo e forma se perde. Há uma diferença entre "ser bonita" e "parecer bonita", e de igual forma, entre ser e parecer. Essa tentativa de mostrar ao mundo uma falsa máscara começa com a maquiagem e termina, de forma grotesca, numa operação plástica. As pessoas fazem *lifting* no rosto e é interessante ver como não têm medo de perder sua própria fisionomia!

Por trás de todas as tentativas para modificar nossa aparência está o problema básico de que não existe ninguém a quem amemos menos do que a nós mesmos! Uma das missões mais difíceis de cumprir é a de amar a si mesmo. Todos os que imaginam que gostam de si mesmos e se amam estão por certo confundindo o "si mesmo" com seu pequeno ego. Na maioria das vezes, só quem ainda não se conhece imagina que se ama. Como não gostamos de nós mesmos, inclusive da nossa sombra, tentamos sempre modificar nossa imagem exterior e remodelá-la. Mas isso não passa de cosmética, enquanto o ser humano interior, isto é, a sua consciência, não se modificar. (Entretanto, ao mesmo tempo, nem sonharíamos em questionar a possibilidade de que mudanças na forma podem ajudar a iniciar um processo voltado para o interior, como acontece no hatha ioga, na bioenergética, e em abordagens afins. O que distingue estes métodos da cosmética é a consciência que a pessoa tem quanto à meta a ser alcançada.) A pele de uma pessoa com quem mantemos apenas um contato ocasional revela muita coisa sobre o seu psiquismo. Sob uma pele excessivamente sensível se esconde também uma alma bastante vulnerável (*ter uma pele fina*), ao passo que uma pele resistente e firme aponta para uma pessoa *casca grossa*. Uma pele suada demonstra a insegurança e o medo da pessoa com quem falamos; a pele corada revela sua excitação. Com a pele nós tocamos os outros e entramos em contato com eles. Seja um soco ou um toque carinhoso, é sempre a pele que estabelece o contato. A pele pode ser ferida por doenças que partem do interior do organismo (inflamações, espinhas, abscessos), ou pode ser atingida do exterior (ferimentos, operações). Em ambos os casos, ficam comprometidos os nossos limites e nem sempre temos êxito em salvar a nossa pele.

Rachaduras na Pele

Quando a pele racha, algo atravessa a fronteira, algo deseja extravasar para o exterior. Podemos entender melhor essa idéia no exemplo da assim chamada "acne da puberdade". É nessa época que a sexualidade humana tenta se afirmar; no entanto, ao mesmo tempo, a sua maior parte é reprimida, com ansiedade, na própria tentativa de expressá-la. A puberdade representa um exemplo excelente de uma situação de conflito. Em meio a uma fase de aparente tranqüilidade, de súbito aparece um desejo totalmente novo oriundo das profundezas do inconsciente que tenta, de todos os modos, inclusive com violência, abrir caminho até a consciência da vida humana. No entanto, essa "novidade" que tenta se impor é desconhecida e inusitada e, por isso, enche o jovem de medo. Se pudesse, a pessoa preferiria bani-la outra vez do mundo, voltando ao seu estado habitual anterior. Mas isso não é mais possível. Não se pode negar a existência de um movimento já em andamento.

É assim que o jovem está em meio a um conflito. O novo estímulo e o medo do mesmo têm quase a mesma força. Todo conflito segue esse padrão; mais precisamente, o tema não se modifica. Na puberdade, o tema é a sexualidade, o amor, o companheirismo, e nela desperta o anseio pelo Tu da polaridade oposta. A pessoa quer entrar em contato com o que lhe falta; no entanto, não se atreve a fazê-lo. Surgem as fantasias eróticas — e o jovem se envergonha. É bastante compreensível que esse conflito se torne visível na pele na forma de inflamações. A pele é aquela delimitação do Eu que é preciso superar a fim de descobrir o Tu. Simultaneamente, a pele é o órgão com o qual se pode entrar em contato, é onde as outras pessoas podem tocar e acariciar. Para sermos amados é necessário que a nossa pele, ou seja, a nossa personalidade, agrade ao outro.

Tendo em vista o tema "quente e vermelho", a pele dos jovens púberes inflama, indicando não só que algo está tentando expandir as antigas fronteiras, mas também que a presença de uma nova energia anseia por se extravasar; mas também pode estar havendo uma tentativa no sentido de impedir a manifestação dessa energia porque o jovem tem medo desse impulso recém-desperto. A acne é um tipo de autodefesa, pois ela dificulta os contatos e impede a sexualidade. Eis aí um círculo vicioso: a não-amada sexualidade se manifesta como acne cutânea — a acne impede o sexo. O desejo reprimido se transforma em feridas na pele. A ligação íntima entre sexo e acne torna-se bem óbvia se consideramos o local onde ela aparece. A acne se manifesta exclusivamente no rosto e, no caso das meninas, também no colo (às vezes também as costas são atingidas). As outras partes da pele ficam incólumes, visto que nesses locais a acne não cumpriria o seu objetivo. A vergonha da própria sexualidade se transfere para a vergonha que o jovem sente das espinhas.

Muitos médicos prescrevem com sucesso anticoncepcionais para o tratamento da acne. O segundo plano simbólico desse *efeito* é, por certo, o fato de a pílula impedir a gravidez, embora imitando de certa forma o que aconteceria se a pessoa tivesse tido de fato relações sexuais; assim, a acne desaparece, pois ela não precisa mais cumprir sua função preventiva. A acne também pode ser bastante reduzida com exposições ao sol e com banhos de mar; porém, ela piora se a pessoa cobre sempre o corpo. Afinal, as vestimentas como uma *segunda pele* mostram claramente os limites e o fato de não podermos ser tocados; por outro lado, tirar a roupa já é um primeiro passo para tornar-se receptivo. O sol também representa, de forma totalmente inocente, o calor de outro corpo humano, pelo qual o paciente tanto anseia e do qual tem tanto medo. O fato de o melhor remédio para a cura da acne ser a experiência plena do sexo é conhecido por todas as pessoas.

Tudo o que dissemos sobre a acne da puberdade vale em traços gerais também para todas as outras erupções cutâneas. Qualquer erupção demonstra que algumas coisas reprimidas (impedidas de se manifestar) desejam ultrapassar as fronteiras da repressão a fim de se tornarem visíveis (= conscientes). Uma inflamação qualquer da pele *mostra alguma coisa* que até então estava invisível. Isso talvez torne compreensível porque todas as doenças infantis, como sarampo, catapora, rubéola se manifestam na pele. Com cada doença infantil algo novo está surgindo na vida da criança, e é por isso que no geral as doenças infantis provocam um enorme avanço de seu desenvolvimento. Quanto mais forte for a eflorescência na pele, tanto mais rápido é o curso da doença infantil, pois a erupção teve êxito. Os bebês que não são tocados por suas mães, ou que são emocionalmente negligenciados, reagem apresentando assaduras (brotoejas). Estas são a expressão visível desse muro invisível que os separa da mãe e da tentativa de romper o isolamento. O eczema é muitas vezes usado pelas mães, para justificarem causalmente sua antipatia interior pela criança. Na maioria dos casos se trata de mães muito "estéticas" que dão grande ênfase à limpeza da pele.

Uma das doenças cutâneas mais comuns é a psoríase, também chamada de "descamação". Ela se manifesta por meio de discos ou fatias bem contornadas de tecido inflamado, coberto com escamas de cor branco-prateada. A camada calosa externa da pele é bastante desproporcional, a ponto de nos lembrar a formação de uma couraça (comparar com a carapaça dura de certos animais). Aqui a função protetora natural da pele é transmutada em função de armadura: a pessoa estipula limites em todas as direções e não deixa entrar nem sair mais nada. Reich usou essa expressão muito apropriada para designar os efeitos da resistência psíquica e do encapsulamento pessoal: "armadura de caráter". Por trás de toda forma de defesa existe o medo de ser ferido. Quanto maior a nossa defesa e quanto mais grossa a nossa armadura, tanto maiores são a nossa sensibilidade e o medo de sofrer algum dano.

É quase a mesma coisa que acontece no reino animal. Se tirarmos a carapaça do animal que a possui, encontraremos um organismo macio, vulnerável. Pessoas que permanecem na defensiva, a ponto de recusar que alguém ou alguma coisa as toque, em geral são as mais sensíveis. Uma "casca grossa" muitas vezes esconde um "miolo mole", como se costuma dizer corriqueiramente. Contudo, a tentativa de proteger a vulnerabilidade da alma com uma armadura contém algo de trágico. Por certo, uma armadura protege contra ferimentos e mágoas, mas ao mesmo tempo ela "protege" contra tudo o mais, inclusive contra o amor e a dedicação. Amar significa "abrir-se" e essa "abertura" também é impedida com uma atitude defensiva demais. O que acontece então é que a armadura nos restringe, e isola a nossa alma do fluxo da vida. Ela é apertada, e o medo começa a aumentar. Torna-se cada vez mais difícil sair desse círculo vicioso. Chegará porém o momento em que o ser humano terá de deixar acontecer a eternamente temida e evitada ferida na alma, a fim de ficar sabendo que nem por isso a alma será destruída. Para podermos viver o que é maravilhoso temos de nos tornar vulneráveis. No entanto, só damos esse passo quando compelidos por uma pressão exterior ocasionada pelo destino ou pela psicoterapia.

Apresentamos aqui uma explicação bastante detalhada sobre a correlação entre a grande vulnerabilidade e o encouraçamento porque a psoríase propriamente dita também mostra o elo em questão de forma bastante clara. Afinal, a psoríase leva a rachaduras da pele, a arranhões e a feridas sanguinolentas. Através delas, aumenta o risco de uma infecção cutânea. Vemos aqui como os extremos se tocam, como a vulnerabilidade e a armadura concretizam o conflito entre o anseio por e o medo da intimidade. Com freqüência, a psoríase começa nos cotovelos. É com eles que abrimos caminho "a cotoveladas", e são eles também que nos servem de apoio. É exatamente nesse local que se vê o endurecimento da pele e sua vulnerabilidade. A autolimitação e o isolamento atingem seu ponto máximo na psoríase, forçando o paciente, ao menos no plano físico, a tornar-se outra vez "aberto e vulnerável".

A Coceira (prurido)

O prurido é um fenômeno que acompanha várias doenças cutâneas (como, por exemplo, a urticária). No entanto, ele também pode aparecer sem ter qualquer "causa original". O desejo de se coçar pode levar uma pessoa quase ao desespero; ela precisa ficar constantemente "arranhando" alguma parte do corpo. Coçar e arranhar também têm um significado na linguagem puramente psíquica: "Estou coçando de vontade de fazer isso", ou então, "não ligo a mínima para isso". Poderíamos substituir as fórmulas *arder* e *ligar* por "estimular". A coceira é sentida como um estímulo. É por isso que falamos também em "estímulo de coçar". Na palavra *coçar* bem como na palavra *estímulo* existe forte conotação sexual; nossa sexualidade, porém, não nos deve impedir de ver todas as outras referências e possíveis significados, embora muitas delas até pareçam contraditórias. Também é possível estimular alguém no sentido agressivo (por exemplo, atiçar um animal); no entanto, uma noite maravilhosa também pode ser *estimulante*. Quando algo nos estimula de algum modo, estimula algo interior, seja a sexualidade, a agressividade, a simpatia ou o amor. Não podemos avaliar com clareza o que se entende por estímulo no âmbito humano. O estímulo é sentido de forma ambivalente. Não se pode confirmar se consideramos um impulso *estimulante*, ou se reagimos *irritados* contra ele. Só podemos dizer que um estímulo nos estimula. Também a palavra latina *prurigo*, além de "coçar", também tem o sentido de "lascívia" e de "desejo", e o verbo correspondente *prurire* significa coçar.

Uma coceira física mostra que alguma coisa está nos arranhando ou estimulando no âmbito psíquico. No entanto, parece óbvio que a ignoramos ou nos recusamos a vê-la, caso contrário ela não teria de se somatizar como um acesso de coceira. Por trás do desejo de se coçar existe uma paixão, um fogo interior, uma emoção ardente que quer se extravasar, que deseja ser descoberta. É por isso que ela nos obriga a notá-la através do prurido. Arranhar é uma forma suave de esgaravatar e de cavoucar. Assim como esgaravatamos e cavoucamos a terra a fim de descobrir algum tesouro enterrado, trazendo-o à superfície, da mesma forma os pacientes com comichão arranham a superfície da pele, a fim de descobrir simbolicamente o que os está atormentando, mordendo ou estimulando. Se descobrir o que o torna tão irritadiço, ele se sente *totalmente coçado*. O acesso de coceira, portanto, sempre é um aviso de que há algo "nos coçando", mostra que existe alguma coisa que *não nos deixa esfriar*, que está *ardendo em nossa alma*. Pode tratar-se de uma paixão ardente, de uma satisfação calorosa, de um amor resplandecente, ou também da chama da ira. Não é nenhum milagre que a coceira muitas vezes seja acompanhada por erupções cutâneas, por manchas avermelhadas e por abscessos inflamados. O desafio é coçar pelo tempo que a consciência precisar até descobrirmos o que é que a instiga, até encontrar aquilo que deve ser muito *estimulante*!

Doenças da Pele

Quem tiver afecções cutâneas deve fazer a si mesmo as seguintes perguntas:

1. Acaso estarei me isolando demais?

2. Qual é a minha capacidade de estabelecer contatos?

3. Por trás da minha atitude defensiva não haverá um desejo de intimidade?

4. O que será que deseja atravessar os limites a fim de se tornar visível (sexualidade, desejo, paixão, agressividade, satisfação)?

5. O que é que de fato está "coçando" dentro de mim?

6. Acaso resolvi viver no ostracismo?

8
Os Rins

No interior do corpo humano, os rins representam o âmbito da parceria. Dores renais e moléstias dos rins sempre surgem quando estamos envolvidos em conflitos com nossos parceiros. No entanto, o que se quer dizer aqui com parceria não é a mera parceria sexual, mas a participação essencial que envolve a pessoa e seus semelhantes. O modo como nos relacionamos com as outras pessoas pode ser visto com mais clareza dentro de uma parceria, porém ele se aplica a quaisquer tipos de contato com os outros. Para compreendermos melhor a correlação entre os rins e o âmbito da parceria talvez seja útil, neste ponto, examinar primeiro o segundo plano psicológico subjacente a qualquer relacionamento.

A polaridade da nossa consciência faz com que não estejamos conscientes da nossa totalidade, mas que nos identifiquemos sempre apenas com uma parte do Ser. A essa parte chamamos Eu. O que nos falta é a sombra que, por definição, não conhecemos. O caminho do ser humano é o caminho rumo a uma consciência mais elevada. Ele é continuamente obrigado a tornar conscientes partes até então inconscientes da sua sombra e a integrá-las na sua auto-imagem. Esse processo de aprendizado não terá fim enquanto não tivermos uma consciência perfeita, enquanto não formos "perfeitos". Essa unidade engloba as polaridades na sua inseparabilidade, portanto também a feminina e a masculina.

O homem perfeito é o andrógino, ou seja, aquele que fundiu os aspectos masculinos e femininos de sua alma numa unidade (casamento alquímico). Não se deve confundir a androginia com o hermafroditismo; naturalmente, a androginia se refere ao âmbito psíquico; o corpo mantém sua sexualidade. Mas, a consciência não se identifica mais com ela (tal como uma criancinha que também tem sexo, mas não se identifica com o mesmo). O objetivo da androginia se expressa exteriormente também no celibato e nos trajes dos sacerdotes e monges. Ser um homem significa identificar-se com o pólo masculino da alma, e assim, o aspecto feminino passa automaticamente ao âmbito da sombra. Ser mulher, de forma semelhante, significa identificar-se com o pólo feminino da alma, enquanto o masculino se retrai para a sombra. Nossa missão é tornarmo-nos conscientes de nossa sombra. No entanto, só podemos fazer isso através do recurso da projeção. Precisamos encontrar o que nos falta através do mundo exterior, embora isso esteja de fato dentro de nós, o tempo todo.

Em princípio, isto parece paradoxal e é essa a razão de só ser entendido tão raras vezes. Contudo, o conhecimento pressupõe a divisão entre sujeito e objeto. É claro que, por exemplo, os olhos podem ver, mas nunca poderão ver a si mesmos; para tanto, eles precisam do recurso da projeção sobre a superfície de um espelho. Só assim podem se reconhecer. Nós, seres humanos, estamos na mesma situação. O homem só pode tornar-se consciente do aspecto feminino de sua psique (C.G. Jung o chamou de *anima*) projetando-o numa mulher de carne e osso. O mesmo acontece com uma mulher, mas em sentido inverso. Podemos imaginar que a *sombra* se compõe de camadas. Existem camadas profundas que nos infundem terror e das quais temos muito medo, e há camadas que ficam perto da superfície e esperam ser elaboradas e conscientizadas. Se eu encontrar alguém que vive naquele âmbito que, em mim mesmo, permanece na camada superior da sombra, me apaixono por essa pessoa. Contudo, as palavras *outra pessoa* não se referem unicamente àquela pessoa real que vive no exterior, mas também àquela pessoa interior representada pelo aspecto inconsciente de minha própria sombra, já que ambas são, em última análise, a mesma.

Aquilo que amamos ou odiamos nas outras pessoas está, afinal, dentro de nós mesmos. Assim sendo, falamos em *amor*, quando alguém reflete um aspecto da sombra que gostaríamos de tornar consciente; e falamos de *ódio* quando alguém reflete uma camada muito profunda de nossa sombra com a qual ainda não queremos nos defrontar. Achamos o sexo oposto atraente porque ele nos falta. Muitas vezes temos medo do sexo oposto, pelo fato de ele nos ser desconhecido. O encontro com um parceiro é o encontro com o aspecto desconhecido de nossa própria alma. Quando estiver bem claro esse dinamismo por meio do qual se refletem no outro alguns âmbitos da própria sombra veremos sob nova luz os problemas conjugais. Todas as dificuldades que temos com nosso parceiro são dificuldades que temos com nós mesmos.

Nossa relação com o inconsciente sempre é ambivalente, ele nos estimula e nos infunde medo. Na maioria das vezes, nosso relacionamento com o parceiro é igualmente ambivalente: nós o amamos e o odiamos, desejamos possuí-lo e gostaríamos de nos livrar dele, achamos que é maravilhoso e também detestável. Todas as atividades e todos os atritos comuns à vida em parceria são elaborações de nossa sombra. É por isso que relativamente os opostos sempre se atraem. *Os opostos se atraem.* Todos sabem disso e, no entanto, sempre nos surpreendemos de novo: "Como será que esses dois resolveram se unir? Eles não combinam um com o outro!" Quanto maiores as contradições, tanto melhor se darão, visto que cada parceiro vive da sombra do outro — ou, objetivamente falando — cada um deixa sua sombra viver no parceiro. Uniões conjugais entre pessoas muito semelhantes apresentam menos riscos, mas não ajudam muito em seu desenvolvimento: um cônjuge só espelha no outro o próprio âmbito consciente, ou seja, o âmbito descomplicado e monótono. Ambos se consideram mutuamente maravilhosos e projetam uma sombra comum no meio ambiente que, depois, evitam. Os atritos conjugais só são fecundos quando um parceiro elabora sua sombra através do outro, pois é assim que geram a intimidade. O que acabamos de dizer deve deixar claro que o objetivo do trabalho de cada um deles está em alcançar a própria totalidade.

O objetivo ideal de uma união é proporcionar a duas pessoas condições para se tornarem cada qual seu próprio todo ou, ao menos — se formos bastante idealistas —, para se tornarem mais perfeitas por terem iluminado os aspectos inconscientes da própria alma e por terem integrado esses aspectos em sua consciência. Esse objetivo não é alcançado pelo par de pombinhos apaixonados que insistem em "não poder viver um sem o outro". Uma tal afirmação revela apenas que as pessoas envolvidas estão usando uma à outra por pura conveniência (poderíamos também dizer, por pura covardia), para viver a sua sombra, sem tentar elaborar as próprias projeções ou ao menos recebê-las de volta. Nesses casos (e eles são a maioria!) um parceiro não permite o desenvolvimento do outro porque isso levantaria questionamentos acerca dos papéis que ambos desempenham. Se algum deles, depois, vier a se submeter a uma psicoterapia, o outro por certo se queixará das mudanças ocorridas... (Afinal, apenas queriam que o sintoma desaparecesse!)

Uma união conjugal atinge sua finalidade quando um não precisa mais do outro. Só nesse caso é que se cumpre de fato a promessa do "amor eterno". Amar é um ato consciente que implica abrirmos os limites de nossa própria consciência para que possamos nos unir àquilo que amamos. Isso só ocorre quando aceitamos na alma tudo o que o parceiro representa — ou, em outras palavras —, quando acolhemos todas as projeções e nos unimos a elas. Dessa forma, a pessoa, como tela de projeções, fica vazia — vazia de atração e de repulsa — e o amor então torna-se eterno, isto é, independente do tempo, visto que foi concretizado na própria alma. Esse tipo de reflexões sempre inspira medo às pessoas cujas projeções estão tremendamente condicionadas pelo mundo material. Elas associam o amor às formas aparentes, em vez de associá-lo ao conteúdo da consciência. Com essa abordagem, a impermanência das coisas terrenas se transforma numa ameaça; é quando passam a ter esperanças de encontrar seus "entes queridos" outra vez no além. Ao fazer isso, deixam de ver que o "além" sempre está presente. O além é o âmbito transcendental das formas materiais. Na verdade, precisamos de fato transmutar tudo o que é visível na consciência, e avançarmos para além das formas. Todos os fenômenos visíveis não passam de uma metáfora. Por que as coisas teriam de ser diferentes no que se refere aos seres humanos?

O objetivo da nossa vida é tornar supérfluo o mundo visível, e isso também vale para o nosso parceiro. Os problemas surgem quando ambas as partes "usam" o relacionamento de modos diferentes, na medida em que um elabora e reabsorve suas projeções e o outro fica completamente estagnado nelas. Então chegará o ponto em que um se torna independente do outro, enquanto o coração deste outro se "quebra" de dor. Se, porém, ambas as partes ficarem estagnadas na projeção, temos o caso em que o amor dura até a morte, e depois há o grande luto porque falta a outra metade! Feliz daquele que compreende que a única coisa que não lhe podem tirar é aquilo que ele efetivou em si mesmo. O objetivo do amor é ser uno, caso contrário ele perde sua razão de ser. Enquanto ele ainda estiver voltado para os objetos exteriores, não atingirá sua meta. É de vital importância conhecermos a estrutura interior de uma união a fim de podermos estabelecer as relações analógicas entre a mesma e o que acontece com os rins. No corpo humano, dispomos de órgãos singulares (por exemplo, o estômago, o fígado, o pâncreas, o baço) mas também de órgãos dispostos em pares (como os pulmões, os testículos, os ovários e os rins). Se observarmos os órgãos duplos, logo notamos que todos têm correlação com o tema "contato", "associação", "parceria". Os pulmões representam a esfera informal do contato e da comunicação; os órgãos genitais, os testículos e os ovários representam a sexualidade. Simultaneamente, os rins correspondem à parceria, aos relacionamentos humanos mais íntimos. Estes três âmbitos, na verdade, também correspondem aos três antigos termos gregos para amor: *filos* (amizade), *eros* (amor sexual) e *agape* (amor fraternal). (Trata-se de uma paulatina transformação até tornar-se uno com tudo.)

Todas as substâncias absorvidas pelo corpo acabam por se transformar em sangue. O trabalho principal dos rins é servir de estação de filtragem. Para exercê-lo, eles têm de saber reconhecer quais substâncias são benéficas ao organismo e podem ser usadas, e quais são resíduos tóxicos, e portanto venenosas, que precisam ser eliminadas. Os rins têm à sua disposição vários mecanismos para cumprir essa difícil tarefa. Para simplificar o tema, devido à sua complexidade fisiológica, vamos falar de duas funções básicas. O primeiro passo do processo de filtragem funciona segundo o modelo de um filtro mecânico, no qual são retidos pedaços de determinado tamanho. Os poros desse filtro têm o tamanho exato para reter as menores moléculas das proteínas (albumina). O segundo passo do processo, bastante mais complicado, se baseia na mescla de dois princípios, o da osmose e o do contrafluxo. Em essência, a osmose consiste na compensação entre a pressão e a concentração de dois fluidos, separados um do outro por uma membrana semipermeável. Durante o processo, o princípio do contrafluxo faz com que ambos os líquidos, cuja concentração é diversa, sempre tornem a passar perto um do outro; a conseqüência disto é o fato de os rins poderem, caso necessário, excretar urina altamente concentrada (por exemplo, urina matinal). O objetivo final deste equilíbrio osmótico é assegurar ao corpo a capacidade de reter os sais vitais ao organismo, dos quais, entre outras coisas, depende o equilíbrio entre os ácidos e a base.

As pessoas leigas em medicina muitas vezes nem sequer estão cientes do significado vital desse equilíbrio ácido/base, definido numericamente em termos de valores do pH. Assim, todas as reações bioquímicas (por exemplo, a produção de energia e a síntese de proteínas) dependem de um valor de pH determinado por limites muito estáveis. É assim que o sangue se mantém no centro exato entre o básico e o ácido, entre Yin e Yang. Analogamente, toda união conjugal de certa forma almeja harmonizar e equilibrar ambos os pólos, o masculino (ácido, Yang) e o feminino, (básico, Yin). Tal como os rins, que devem garantir o equilíbrio entre ácido e básico, a união tem de funcionar analogamente no sentido da obtenção da totalidade: um parceiro, através do relacionamento, concretiza a sombra do outro. É assim que a outra metade (ou a metade "melhor") compensa através de sua existência algo que lhe faz falta.

O pior risco que qualquer união pode enfrentar enquanto dura é a convicção de que todas as formas problemáticas ou perturbadoras de comportamento são causadas unicamente pelo outro, e que nada têm a ver conosco. Nesse caso, ficamos estagnados na projeção e não reconhecemos a necessidade e a utilidade de elaborar os nossos âmbitos de sombra refletidos pelo parceiro, para podermos crescer e amadurecer através dessa conscientização. Se este engano se somatizar, os rins também deixam que substâncias de importância vital (albumina, sais) passem pelo sistema de filtragem e, desta forma, eles perdem partes essenciais para seu próprio desenvolvimento ao expeli-las para o mundo exterior (por exemplo, no caso da glomerulonefrite). Com isso, demonstram a mesma incapacidade de reconhecer que determinadas substâncias importantes são suas, como a psique que não reconhece que certos problemas lhe pertencem e que por isso os transfere para terceiros. Assim como o ser humano tem de se reconhecer no parceiro, os rins também precisam da aptidão de reconhecer as substâncias "estranhas" provindas do exterior como elementos importantes para o *próprio* confronto com elas e para o seu desenvolvimento. A intensidade do vínculo entre os rins e o tema da união conjugal e a sociabilidade pode ser vista com bastante facilidade em certos hábitos do dia-a-dia. Em todas as oportunidades em que as pessoas se reúnem existe a intenção de estabelecer contatos e a ingestão de bebidas alcoólicas representa um papel importante. Não devemos nos admirar, pois beber estimula os órgãos de contato (rins) e também, conseqüentemente, a capacidade de se relacionar. O contato logo se torna mais íntimo se fizermos um brinde, tocando os copos cheios ou as canecas de cerveja. Também a substituição de um tratamento formal de "senhor" pelo cordial "você" está sempre associada a um ritual de beber em companhia; a bebida estabelece as bases, agindo como um tipo de ligação à fraternidade humana. O estabelecimento de contatos humanos é quase inimaginável na ausência de uma bebida — quer se trate de uma festa, de um encontro feliz ou de uma festa popular —, por toda parte se bebe para obter a coragem para se aproximar dos outros.

O grupo contempla com certa desconfiança aquela pessoa que não bebe ou que bebe muito pouco, pois esta demonstra que seus órgãos de contato não se estimulam e que, assim sendo, ela prefere manter-se a distância. Em todas as ocasiões desse tipo dá-se preferência significativa a bebidas bastante diuréticas, que estimulam intensamente os rins, como chá, café, e as bebidas alcoólicas. (Num sentido hierárquico, depois de se beber socialmente, vem a atividade de fumar. O fumo estimula outros órgãos de contato, os pulmões. Sabe-se que as pessoas, em geral, fumam muito mais quando estão acompanhadas do que quando estão a sós.) Aqueles dentre nós que bebem demais demonstram um forte desejo de contato, ao risco porém de estagnarem no nível das gratificações substitutivas.

Os cálculos renais acontecem como resultado da sedimentação e da cristalização de determinadas substâncias presentes na urina em quantidade excessiva (por exemplo, ácido úrico, fosfato de cálcio, óxido de cálcio). Além de várias condições ambientais responsáveis pelos cálculos, o risco da formação de pedras nos rins está intensamente relacionado à quantidade de líquidos ingerida; grandes quantidades de líquidos diminuem a concentração dessas substâncias e acarretam sua solubilidade. Se, mesmo assim, se formar um cálculo, ele interrompe o fluxo e pode ocasionar um ataque de cólicas. A cólica renal é uma tentativa bastante sensível nessa parte do corpo de eliminar a obstrução provocada pelo cálculo, através de movimentos peristálticos dos ureteres. Esse processo extremamente doloroso pode ser comparado ao do parto. A cólica deixa a pessoa muito inquieta e há um impulso para ela se movimentar. Se a cólica não for bem sucedida na remoção da pedra, o médico aconselha o paciente a adicionar saltos à sua movimentação para provocar o deslocamento do cálculo. Além disso, a terapia renal tenta acelerar o "nascimento" da pedra por meio de relaxamento, aplicações térmicas e ingestão de líquidos.

No nível psíquico, é fácil ver as correlações. A pedra bloqueadora é feita de substâncias que, em última análise, teriam de ser expelidas por não contribuírem mais para o desenvolvimento do corpo. Ela corresponde a um acúmulo de assuntos que já deveríamos ter solucionado há tempos, visto não serem úteis para nossa evolução. Quando nos apegamos a assuntos sem importância ou ultrapassados, eles bloqueiam a corrente do desenvolvimento e ocasionam uma estagnação. O sintoma da cólica também obriga aquele movimento que, na verdade, tentamos impedir devido ao nosso apego. O médico exige do paciente exatamente a atitude correta: saltar. Só um salto para além do que é velho pode mobilizar outra vez o fluxo da vida e livrar-nos dos velhos temas (a pedra).

As estatísticas revelam que o homem sofre com maior freqüência do que a mulher de cálculos renais. Os homens não sabem lidar tão bem com os temas ligados à harmonia e à união conjugal quanto as mulheres, que se sentem em seu elemento natural no que se refere a tal questão. Contudo, as mulheres têm mais dificuldade com o problema da auto-afirmação, que é de índole mais agressiva, e este é um princípio com que os homens se sentem mais à vontade. Estas correlações estão estatisticamente demonstradas na maior incidência de cálculos biliares em mulheres. As medidas terapêuticas tomadas nos casos de cólicas renais descrevem muito bem os princípios que são úteis na solução harmoniosa de problemas conjugais:

o calor, expressão de simpatia e de amor; o relaxamento das vias contraídas, como um sinal de "abrir-se" e de "expandir-se" e, finalmente, a grande ingestão de líquidos que deve fazer tudo fluir e se movimentar outra vez.

A Fibrose Renal e os Rins Artificiais (atrofia dos rins)

O auge do processo patológico, ou seja, o fim da estrada é atingido quando todas as funções renais cessam totalmente, e uma máquina, um rim artificial, tem de assumir as importantes funções vitais da purificação sangüínea (diálise). Então, a máquina torna-se o parceiro perfeito, depois que não nos prontificamos a solucionar os problemas com um parceiro vivo e ativo. Quando nenhum parceiro é perfeito, ou suficientemente confiável, ou quando o desejo de liberdade e de independência é forte demais, encontra-se no rim artificial um parceiro que além de ser ideal e perfeito, ainda apresenta a vantagem de não ter vontade própria nem a obrigação de ser fiel e confiável; ele faz tudo o que dele se espera. No entanto, em contrapartida, agora há total dependência dessa máquina: ao menos três vezes por semana é necessário encontrar-se com ela numa clínica ou — caso se tenha recursos para comprar uma máquina individual — dorme-se fielmente a seu lado todas as noites. Nunca é possível afastar-se muito dela e talvez, por intermédio deste processo, aprende-se que na verdade não existe um parceiro perfeito — ao menos enquanto a própria pessoa doente não for perfeita.

Doenças Renais

Quando *temos alguma coisa nos rins* devemos fazer a nós mesmos as seguintes perguntas:

1. Quais problemas me afligem no âmbito conjugal?

2. Acaso tenho tendência a estagnar na projeção e, desta forma, a considerar os erros do meu parceiro como problemas que só dizem respeito a ele?

3. Deixo de ver a mim mesmo no modo como o meu parceiro se comporta?

4. Ando me apegando a velhos problemas e, deste modo, interrompendo o fluxo do meu próprio desenvolvimento?

5. A que salto para o futuro meu cálculo renal está tentando me estimular?

A Bexiga

A bexiga é o reservatório em que todas as substâncias expelidas pelos rins, como a urina, esperam a oportunidade para sair do corpo. A pressão provocada pela grande quantidade de urina nos força a urinar, e esse ato causa grande alívio. Todos estamos cientes, contudo, por experiência própria, de que a necessidade de urinar está muitas vezes relacionada com determinadas situações. Trata-se de situações em que a pessoa está sob pressão psíquica, seja um exame, uma terapia ou outras ocasiões relacionadas com o medo ou com condições de estresse. A pressão, sentida primeiro pela psique, é empurrada para baixo, para a bexiga, e é então sentida como pressão física.

A pressão sempre exige que nós nos "entreguemos", nos relaxemos. Quando isso não acontece no nível psíquico, somos obrigados a deixar que aconteça através da bexiga. É assim que se torna patente como é grande a pressão de determinada situação, como ela pode tornar-se dolorosa se não conseguirmos nos descontrair, e como, em contrapartida, é um alívio relaxar. Além do mais, esta forma específica de somatização nos permite transformar qualquer tensão que estejamos suportando passivamente em pressão ativa; neste processo, podemos interromper ou manipular quase todas as situações, basta dizer "tenho de ir ao banheiro". Quem precisa ir ao toalete sente a pressão e, ao mesmo tempo, exerce uma pressão. Isso qualquer estudante sabe (bexiga "de grilo" do primeiro ano escolar) tão bem como qualquer paciente: a pessoa usa esse sintoma específico com grande objetividade, embora de forma inconsciente.

A correlação, neste caso bem visível, entre o sintoma e a demonstração de poder também desempenha um papel importante para todos os outros sintomas. Toda pessoa doente tende a usar seus sintomas como um meio de obter poder. Ao dizermos isto, estamos abordando um dos mais fortes tabus de nossa época, pois o exercício do poder é um dos problemas essenciais dos homens. Enquanto o homem tiver um Eu, ele se esforça por obter o controle e o desenvolvimento da força. Toda expressão do tipo "mas eu quero" é a expressão dessa luta pelo domínio do ego. Como, por outro lado, o poder tornou-se um conceito com conotação fortemente negativa, os homens se vêm forçados a disfarçar cada vez melhor seus jogos de manipulação. Relativamente poucas pessoas têm a coragem de assumir abertamente seus desejos de poder e de concretizá-los. A maioria usa a via indireta, em especial o âmbito da doença e do desamparo social. É até certo ponto difícil desmascarar essas áreas, visto que a projeção da culpa em processos mecânicos e no meio ambiente é aceita universalmente e até mesmo legalizada como modelo de justificativa.

Como a maioria das pessoas também usa mais ou menos os mesmos recursos em suas estratégias para obter poder, ninguém está interessado em neutralizá-los, e cada tentativa nesse sentido é rechaçada com consternação. As doenças e a morte são habitualmente usadas para submeter o mundo à tensão. Através da doença, quase sempre podemos conseguir o que nunca conseguiríamos sem os sintomas: dedicação, solidariedade, dinheiro, tempo livre, ajuda de outros e controle sobre eles. O ganho secundário que se obtém com a introdução de sintomas como instrumento de poder muitas vezes impede o restabelecimento da saúde.

Voltando ao assunto do "sintoma como expressão de força": é fácil detectá-lo no caso específico de crianças que "molham a cama à noite". Se uma criança for submetida durante todo o dia à tensão (os pais, a escola), de tal forma que não consiga se descontrair ou se defender, ou ainda expressar seus desejos, a enurese noturna soluciona vários problemas de uma só vez. Ela concretiza a descontração como uma reação à pressão vivida e, ao mesmo tempo, oferece a chance de condenar os pais, tão prepotentes, a um completo desamparo. Através desse sintoma específico, na verdade, a criança é capaz de se livrar de todos os tipos de pressão que sofreu durante o dia. Não podemos deixar de levar em conta também o elo entre enurese e choro. Ambos servem para aliviar a tensão e descarregar problemas interiores. Podemos definir o ato de molhar a cama como "um choro no nível inferior do corpo".

Os temas que acabamos de debater são muito significativos para todos os outros sintomas relativos à bexiga. Quando a bexiga está inflamada, tem-se uma sensação de ardor ao urinar, e isso demonstra claramente a dificuldade que o paciente tem de relaxar. Uma vontade freqüente de urinar, mesmo que não haja quantidade suficiente de urina, significa que o paciente sofre de uma completa incapacidade de relaxar a despeito de todas as pressões sofridas. E, no caso de todos esses sintomas, não se pode esquecer que as substâncias (e, psiquicamente, os assuntos) implicadas deixaram de ser úteis e, no momento, só significam excesso de bagagem.

Os Males da Bexiga

Doenças na bexiga sugerem as seguintes perguntas:

1. A quais âmbitos me apego, embora ultrapassados, e só à espera de serem eliminados?

2. Em que ponto me coloco sob pressão e a projeto para os outros (exames, o chefe)?

3. Que assuntos gastos devo abandonar?

4. Por que choro?

9
A Sexualidade e a Gravidez

É na esfera da sexualidade que o ser humano tem de enfrentar suas maiores lutas com o tema da polaridade. É nesse setor que cada pessoa sente a sua *imperfeição* e procura pelo que lhe falta. Ela se une fisicamente com o seu pólo oposto e nessa união sente um novo estado de consciência que denomina orgasmo. Esse estado de consciência é sentido pelo ser humano como a síntese da felicidade. Mas ele só tem uma desvantagem. Não é possível conservá-lo no tempo. O homem procura compensar essa desvantagem com a repetição dessas uniões. Por pequeno que esse momento de felicidade possa ser, ainda assim ele mostra ao homem que para a nossa consciência existem outras formas de sensações que ultrapassam qualitativamente em muito o nosso estado "normal" de consciência. Em última análise, é essa sensação de felicidade que não permite que o homem se aquiete, que o torna uma pessoa que busca. A sexualidade oculta só a metade do segredo: quando unimos duas polaridades, de forma a torná-las uma, espalha-se um sentimento de felicidade. Portanto, "felicidade" também é "unidade". Agora só nos falta a segunda metade do segredo: esta nos demonstra como podemos prolongar esse estado de consciência, como podemos prolongar essa sensação de felicidade sem ter de abandoná-la. A resposta é simples. Enquanto a união dos opostos só for completada no âmbito físico (sexualidade) também o conseqüente estado de consciência (orgasmo) estará limitado pelo tempo, visto que o âmbito físico está sujeito às leis do tempo. Só nos livramos do tempo realizando a união dos opostos também na consciência. Se a união for bem sucedida nesse âmbito, atingimos o eterno, ou seja, o *êxtase* atemporal.

É com esse conhecimento que se inicia o caminho esotérico, chamado no Ocidente também de caminho do Ioga. Ioga é uma palavra sânscrita e significa *canga* (compare com a palavra latina *jugum* = jugo, canga). A canga sempre une uma dupla formando uma unidade: dois bois, dois baldes etc. Ioga é a arte de unir a dualidade. Como a sexualidade contém o modelo essencial do caminho e o põe ao mesmo tempo numa esfera acessível a todas as pessoas, ela sempre foi usada como apresentação analógica do caminho. Ainda hoje, o turista surpreso observa nos templos orientais, imagens que considera pornográficas. No entanto, nelas é mostrada a união de duas figuras divinas a fim de representar no plano simbólico o maior segredo da *conjunctio oppositorum*, a união dos opostos, a união das polaridades.

Um dos traços característicos da teologia cristã é o fato de, durante o seu desenvolvimento, ter condenado o corpo e especialmente a sexualidade, a ponto de, quando éramos crianças, ela nos ter ensinado a ver o sexo e o caminho espiritual como opostos irreconciliáveis (naturalmente, nem sempre o simbolismo sexual foi estranho aos cristãos, como mostram, por exemplo, os ensinamentos da "noiva de Cristo"). Em vários grupos ditos esotéricos ainda se cultivam oposições conceituais entre espírito e carne. Em tais círculos há uma grande confusão entre transmutação e repressão. No entanto, até mesmo aqui bastaria entender o axioma esotérico, "em cima tal como embaixo". Conseqüentemente, se deduziria que o que o ser humano não pode fazer *embaixo*, ele nunca fará *em cima*. Portanto, quem tem problemas sexuais também deve solucioná-los no nível físico, em vez de buscar salvação na fuga. A união dos opostos é ainda mais difícil nas esferas "superiores".

Partindo desse ponto de vista, talvez se torne compreensível porque Freud reduziu quase todos os problemas humanos à sexualidade. Essa opinião é completamente justificável e apenas contém um pequeno *erro formal*. Freud (e todos os que pensam de modo semelhante) deixou de eliminar a última etapa, a do nível da manifestação concreta, passando para o princípio subjacente. A sexualidade, afinal, é uma das formas possíveis do princípio da "polaridade" ou da união dos opostos. Com essa forma abstrata também os críticos de Freud concordariam, sobre isso não há dúvidas: todos os problemas humanos podem ser reduzidos à questão da polaridade e às nossas tentativas para unir os opostos (afinal, foi C. G. Jung que tentou fazer isto). No entanto, é indubitavelmente certo que a maioria das pessoas primeiro tem de experimentar e viver os problemas da polaridade no nível físico da sexualidade. Eis aí o principal motivo por que a sexualidade e as uniões são a principal matéria dos conflitos humanos. É o tão difícil tema da "polaridade" que nos leva ao *desespero* enquanto não conseguimos alcançar o ponto da unidade.

Problemas Menstruais

O sangramento mensal é uma expressão da feminilidade, da fecundidade e da receptividade. A mulher está inteiramente à mercê desse ritmo. Ela tem de se submeter, apesar das limitações que lhe impõe. Com essa *submissão* abordamos um tema central à feminilidade: a capacidade de doação, de entrega. Ao falarmos em feminilidade aqui, estamos nos referindo àquele princípio abrangente que inclui o pólo feminino do mundo, ao qual os chineses denominam Yin, que os alquimistas simbolizam com a Lua e a psicologia profunda expressa através do símbolo da água. Deste ponto de vista, toda mulher é somente uma forma concreta específica do Feminino arquetípico. O princípio feminino pode ser definido em termos de receptividade. Portanto, assim se lê no I Ching: "O caminho da criatividade expressa o masculino, o caminho de receptividade o feminino." E, em outro trecho, "O princípio da receptividade é o princípio que melhor representa o auto-sacrifício no mundo".

A capacidade de auto-renúncia é a principal característica feminina, pois serve de base para todas as outras virtudes e aptidões, como o abrir-se, a receptividade, a concepção, a proteção e a sensibilidade. Ao mesmo tempo, a renúncia pessoal implica uma ação positiva. Vamos considerar, por exemplo, aqueles símbolos arquetípicos da feminilidade: a água e a lua. Ambas renunciam a irradiar e transmitir ativamente, como fazem os seus pólos opostos, o Sol e o fogo. É por isso que se tornam capazes de receber a luz e o calor, de deixá-los entrar e refleti-los. A água renuncia à exigência de uma forma própria — ela se adapta a qualquer forma. Ela se adapta, ela se entrega.

Por trás das polaridades entre Sol e Lua, entre fogo e água, entre feminino e masculino, no entanto, não há avaliação de valor. Uma valorização também não teria nenhum sentido, visto que cada um dos pólos é apenas semiperfeito: para a totalidade lhe falta exatamente o pólo oposto. Essa totalidade só é alcançada quando ambos os pólos manifestam por inteiro suas individualidades específicas. Em vários argumentos sobre a emancipação, estas leis arquetípicas simplesmente deixam de ser consideradas. Seria uma enorme estupidez a água queixar-se de que não pode queimar ou brilhar e deduzir que, por isso, ela é de alguma forma inferior. Nenhum pólo é melhor ou pior do que o outro; eles apenas são diferentes. E é exatamente devido a essa mesma diferenciação polarizada que surge a tensão a que denominamos "vida". Através do nivelamento dos pólos não obtemos uma união dos opostos. Uma mulher que aceitou totalmente a sua feminilidade e que a vive, nunca terá "complexo de inferioridade".

O fato de não "se reconciliar" com a própria feminilidade é que serve de pano de fundo para a maioria dos distúrbios menstruais e, respectivamente, para vários outros sintomas no âmbito sexual. A aptidão para se entregar, o fato de *estar de acordo* sempre é uma tarefa difícil para os seres humanos, visto que exige a renúncia ao *eu-quero*, a renúncia ao domínio do ego. É preciso sacrificar um pouco do ego, é preciso sacrificar uma de nossas partes, assim como o sangramento mensal faz com as mulheres. Com o sangue, a mulher sacrifica um pouco de sua força vital. A menstruação é uma pequena gravidez e um pequeno "nascimento". Na medida em que uma mulher não concorda com essas "regras", surgem os problemas ou disfunções menstruais. Elas indicam que uma instância (muitas vezes inconsciente) da mulher não quer de fato se entregar: as regras, o homem, o sexo. É exatamente a esse "mas-eu-não-quero" que os tampões e os absorventes higiênicos apelam. A propaganda promete que o uso de tais e tais produtos torna a mulher independente, permitindo-lhe fazer tudo o que quiser, seja qual for o dia do mês. É assim que a mídia explora com habilidade um ponto conflitante das mulheres: continuar sendo mulher, sem estar de acordo com o que acarreta o fato de ser mulher.

Quem tem dores durante a menstruação acha que ser mulher é doloroso. Dos problemas menstruais, portanto, podemos deduzir a existência de problemas sexuais, pois o protesto contra a auto-entrega que transparece nos distúrbios menstruais também vale para o estilo de entrega no que se refere à vida sexual da mulher. Quem consegue relaxar-se no orgasmo também é capaz de relaxar no que se refere à menstruação. Assim como adormecer, o orgasmo é um tipo de "pequena morte", pois é um processo em que tecidos se desgastam e são expelidos. No entanto, morrer nada mais é do que um desafio para nos desapegarmos do nosso ávido egocentrismo e de nossos jogos de poder, e para meramente deixarmos acontecer. A morte só ameaça o ego, nunca a pessoa como um todo. Quem se apega ao ego, sente que a morte é uma luta. O orgasmo é uma pequena morte, pois também ele exige o desapego do eu. O orgasmo é a união do eu com o tu, o que pressupõe uma abertura nos limites do eu. Quem se apega ao eu não tem orgasmo (a mesma coisa vale para o adormecer, que veremos num próximo capítulo). A equivalência entre morte, orgasmo e menstruação deve ficar bem clara: trata-se da capacidade de entrega, da disposição de sacrificar uma parte do ego.

É compreensível a razão pela qual as anoréxicas, na maioria das vezes, não têm menstruação, ou então sofrem de graves distúrbios menstruais: sua vontade reprimida de dominar é grande demais para que possam concordar. Elas têm medo de sua feminilidade, têm medo de sua sexualidade, da fertilidade e da maternidade. Sabe-se que em situações de grande medo e insegurança, no caso de catástrofes, nos presídios, nos campos de trabalho forçado e nos campos de concentração, muitas vezes as mulheres sofrem com a falta das regras (amenorréia). Todas essas situações são por sua natureza pouco adequadas para o tema "entrega", elas exigem muito mais que a mulher assuma seu lado masculino, que se torne ativa a fim de se defender.

Não podemos deixar passar uma outra conexão menstrual importante: é a menstruação que expressa a capacidade de uma mulher dar à luz. As regras que acontecem todo o mês são sentidas emocionalmente de forma diversa, dependendo de a mulher desejar ou não ter filhos. Se uma mulher deseja ter um filho, a descida da menstruação é uma indicação de que seu desejo ainda não foi atendido dessa vez. É nesse caso que ela sente primeiramente o mal-estar e fica de mau humor, tanto antes como durante o período. Ela reage ao sangramento de forma "dolorida". Essas mulheres também dão preferência a métodos anticoncepcionais inseguros; trata-se de um acordo de concessões entre o desejo inconsciente de ter filhos e um álibi. Se a mulher está com medo de ter um filho, ela fica ansiosa à espera da menstruação, o que pode levar a um atraso da mesma. Muitas vezes ainda ocorrem sangramentos prolongados; em certas circunstâncias, isso também pode ser usado como impedimento para a prática do sexo. Então essencialmente — como todo sintoma — também a menstruação pode ser usada como um instrumento de poder, seja para impedir o sexo, seja para assegurar dedicação e carinho.

Como fato físico, a menstruação é controlada pelas influências combinadas do hormônio feminino (estrógeno) e do hormônio masculino (progesterona). Essa correlação corresponde a uma "sexualidade no âmbito hormonal". Se essa "sexualidade hormonal" for perturbada, a menstruação também o será. Perturbações desta natureza só dificilmente são curadas pelo tratamento que consiste na administração medicamentosa de hormônios, visto que tais substâncias são os representantes materiais dos aspectos feminino e masculino das almas. A cura só pode ocorrer através do estabelecimento das pazes com o próprio papel sexual, pois ele é o pressuposto a partir do qual a mulher pode concretizar em si mesma também o pólo sexual contrário.

Gravidez Psicológica

Podemos observar a somatização particularmente dramática de processos psicológicos no caso da gravidez imaginária. Não se trata de mera questão de sintomas subjetivos de gravidez, como o desejo de comer certos alimentos, sensações de náusea e vômitos. As mulheres chegam a ponto de manifestar aumento típico dos seios, pigmentação dos mamilos e até mesmo produção de leite. Elas podem "sentir" o filho se mover na barriga. Seu corpo incha como o de uma mulher grávida. O segundo plano do problema de uma falsa gravidez — um fato bastante raro, que mesmo assim é conhecido desde a antigüidade — é o conflito entre um desejo intenso de ter um filho e o medo inconsciente da responsabilidade que tal fato provocaria. Se uma mulher solteira que vive sozinha tiver uma falsa gravidez, o fato aponta para um conflito entre a sexualidade e a maternidade. Há o desejo de concretizar a "nobre" vocação de ser mãe, sem simultaneamente permitir que o sexo "ignóbil" tome parte no processo. Em toda versão de falsa gravidez, na verdade, o corpo mostra outra vez a verdade: ele incha e estufa, mas continua vazio de conteúdo.

Problemas da Gravidez

Problemas durante a gravidez podem revelar, em algum nível, certo grau de rejeição da mãe em relação ao filho. É claro que uma afirmativa como essa vai ser rejeitada da forma mais veemente pela maior parte das pessoas a quem "a carapuça servir". No entanto, se estivermos dispostas a descobrir a verdade, se de fato quisermos nos conhecer, temos, antes de mais nada, de nos afastar do nosso costumeiro sistema de valores, pois são eles que mais nos impedem de sermos honestas a nosso próprio respeito. Durante todo o tempo estamos convencidas de que basta adotar uma determinada atitude ou certo modo de comportamento para sermos considerados "boas pessoas": temos obrigatoriamente de reprimir todos os impulsos que não se encaixam no esquema. E são esses mesmos impulsos reprimidos que então devolvem à nossa natureza o equilíbrio, na forma de sintomas físicos.

Queremos acentuar sempre e outra vez essa correlação, para não nos iludirmos com um rápido: "Mas no meu caso isso com certeza não é verdade!" Ter filhos é uma questão muito valorizada, e é por isso que provoca tanta desonestidade, que acaba se convertendo em sintomas. Assim, transtornos físicos na gestação mostram que a mulher deseja livrar-se do filho; trata-se de um aborto inconsciente. Em sua forma mais suave, a rejeição do filho se revela (quase obrigatoriamente) na náusea e, sobretudo, no mal-estar matinal. Este sintoma costuma ocorrer com bastante freqüência em mulheres muito delicadas e esbeltas, pois a gravidez provoca no interior de seu corpo um grande acréscimo de hormônios femininos (estrógenos). E, precisamente, nas mulheres que não se identificam muito bem com seu lado feminino, ou em outras palavras, com essa invasão hormonal de feminilidade, surgem medo e resistência que se manifestam na náusea e nos vômitos. A freqüência generalizada do mal-estar e da náusea durante a gravidez mostra de fato como, ao lado da alegria, a espera de um filho também provoca não-aceitação. Isso é bem compreensível, visto que um filho significa uma modificação no estilo de vida e implica a adoção de uma responsabilidade que, no início, por certo provoca medo. Na medida em que a mulher deixa de elaborar conscientemente a existência desse conflito, sua rejeição é precipitada para o corpo.

Toxemia Gravídica

Em geral se faz uma diferenciação entre a toxemia precoce (6 e 14 semanas) e a toxemia posterior, mais grave, também denominada toxemia gravídica. O quadro se manifesta através de hipertensão, da perda de proteínas através dos rins, através de câimbras (eclâmpsia da gravidez), através do mal-estar matinal e dos vômitos. O quadro geral aponta para a antipatia pelo filho e para tentativas, parcialmente concretas, parcialmente simbólicas de se livrar da criança. A albumina excretada pelos rins é em última análise importante para o feto. Entretanto na medida em que a mulher *a perde*, esta não é administrada ao bebê. Ela "tenta" impedir seu crescimento na medida em que elimina a matéria-prima que lhe é necessária. As contrações (câimbras) correspondem à tentativa de expelir o filho (como se fosse um parto). Todos esses sintomas, bastante freqüentes, mostram o conflito descrito acima. Pela intensidade e pela gravidade dos sintomas pode-se avaliar a extensão em que a grávida recusa o bebê ou até que ponto a mãe se esforça em aceitá-lo.

Na toxemia tardia encontramos um quadro bem mais grave que põe em risco não só a vida do bebê, mas também a da própria mãe. Essa condição restringe severamente o fluxo sangüíneo na placenta. A superfície de troca dentro da placenta mede de doze a quatorze metros quadrados. No caso da toxemia, essa área é reduzida para algo perto de sete metros quadrados. Se for reduzida de quatro a quatro e meio metros quadrados, o feto morre. A placenta é a superfície de contato entre a mãe e o filho. Se sua irrigação sangüínea for impedida, tira-se a vida desse contato. Portanto, a insuficiência da placenta — num terço dos casos — leva à morte do feto. Se o bebê sobreviver à toxemia tardia, na maioria das vezes nascerá muito pequeno, subnutrido e com aparência de velho. Esse tipo de toxemia é uma tentativa física de asfixiar o bebê, caso em que a mãe arrisca a própria vida.

Segundo a medicina, apresentam predisposição para a toxemia, as mulheres diabéticas, as que sofrem dos rins e sobretudo, as obesas. Do nosso ponto de vista, esses três grupos têm um ponto em comum: uma dificuldade para amar. As diabéticas não conseguem receber amor, portanto também não podem dá-lo; as pacientes renais têm problemas conjugais, e as obesas mostram, com sua gula desenfreada, que tentam compensar a carência afetiva através da alimentação. Portanto, não é de causar nenhuma admiração que as mulheres com problemas no âmbito do amor, também tenham dificuldades para se tornarem receptivas a um filho.

Parto e Amamentação

Todos os problemas que adiam ou dificultam o nascimento do bebê mostram, afinal, uma tentativa de conservar o filho, com a conseqüente recusa de dá-lo à luz. Esse problema primordial entre mãe e filho se repete outra vez, posteriormente, no momento em que o filho quer abandonar o lar paterno. Trata-se da repetição da situação num outro nível: no nascimento, o filho abandona a proteção do útero materno; mais tarde ele deixa a proteção do lar dos pais. Ambos os casos levam a um "parto difícil", até enfim o seccionamento do cordão umbilical ser bem sucedido. O tema abordado significa também aqui "desapegar-se".

Quanto mais nos aprofundamos nos sintomas das doenças e, conseqüentemente, nos problemas dos seres humanos, tanto mais claro se torna que a vida humana oscila entre os dois pólos, "deixar entrar" e "soltar". Ao primeiro denominamos também "amor"; ao último, em sua forma final, "morte". Viver significa alternadamente "deixar entrar" e "desapegar-se".

Muitas vezes podemos fazer só uma coisa, mas não a outra; outras vezes não se consegue fazer nenhuma delas. No caso da sexualidade, pede-se à mulher que ela se abra e se torne larga, a fim de deixar entrar o "tu". Na hora do parto, exige-se dela que se abra e se torne larga, desta vez para entregar uma parte de si mesma, a fim de que esta se transforme num "tu". Se o processo não for bem sucedido, há complicações na hora do parto ou então é requerida uma operação cesariana. Bebês que demoram a nascer são muitas vezes trazidos à luz com uma operação cesariana e, nesse caso, o prolongamento das contrações é uma expressão do desejo que a mãe tem de não se separar do filho. Outros motivos que justificam uma operação deste tipo são expressões análogas do mesmo problema. A parturiente tem medo de ser "rígida demais" para que o períneo se rompa por si, ou tem medo de deixar de ser atraente para seu companheiro.

Entretanto, encontramos o problema oposto no caso do nascimento antecipado de bebês. Em geral, o parto prematuro ocorre quando a bolsa d'água se rompe antes do tempo. Isso por sua vez é em geral causado por um trabalho de parto prematuro com contrações precoces. Trata-se de uma tentativa de "expulsar" o filho, e quanto antes melhor.

Quando uma mãe amamenta seu filho, ela faz muito mais do que alimentá-lo. O leite materno contém anticorpos que protegem a criança durante os seis primeiros meses de vida. Quando um bebê deixa de receber o leite materno, também não recebe essa proteção. Não se trata do mero fato de não lhe serem dados os anticorpos mas, sobretudo, do fato de não receber carinho e dedicação. A criança que não é amamentada pela mãe carece do contato pele a pele com a mesma: falta-lhe a sensação de proteção transmitida por esse contato direto corpo a corpo. O fato de uma mãe não amamentar o filho revela que não está disposta a alimentá-lo e protegê-lo, nem a intervir diretamente a favor do bebê. No caso de mães incapacitadas de amamentar pela não-produção de leite, o problema pode estar ainda mais profundamente arraigado do que no caso das que simplesmente se recusam a dar o seio ao filho e estão relativamente conscientes da recusa.

Esterilidade

Se uma mulher não concebe um filho, mesmo que o deseje, isto revela que existe uma resistência inconsciente à gravidez, ou então que o desejo de ter um filho se fundamenta em motivos desonestos. Uma motivação desonesta é, por exemplo, a esperança de conseguir reter o parceiro a seu lado ou de poder, com base no nascimento dessa criança, relegar para segundo plano eventuais conflitos conjugais. Nesses casos, o corpo com freqüência reage com muito mais honestidade e visão dos fatos. No mesmo sentido, a esterilidade masculina mostra medo da responsabilidade e do compromisso que a vinda de um filho acarretariam.

Menopausa e Climatério (crise da meia-idade)

Assim como a primeira menstruação, também a última, ou a perda da menstruação, acarretam mudanças drásticas na vida da mulher. Para ela, os sintomas da menopausa equivalem à perda de fertilidade e, ao mesmo tempo, à perda da capacidade especificamente feminina de se expressar. O modo como essa interrupção menstrual e essa ruptura na vida é sentido por cada mulher depende de sua atitude diante da própria feminilidade até o momento, e da plenitude de sua vida sexual. Pode-se observar uma vasta gama de sintomas físicos, além de reações emocionais como a ansiedade, irritabilidade e abulia sexual, que expressam o fato de a nova fase de vida estar sendo aceita como uma crise. Entre os sintomas físicos são muito conhecidas as "ondas de calor" ou fogachos. Estas são uma tentativa de demonstrar que a cessação da menstruação não significa uma perda compulsória de feminilidade no sentido sexual; elas servem para demonstrar que a mulher é inundada pelo calor e portanto, que é *sexualmente "quente"*. Os sangramentos paulatinos representam também uma tentativa de fingir que ainda existe fertilidade e juventude.

A intensidade dos problemas relativos ao climatério depende, em grande parte, da plenitude com que a mulher viveu a própria feminilidade até esse momento de crise. Nessa fase, todos os desejos não satisfeitos costumam acumular-se, representando o medo de "ter perdido alguma coisa da vida", e levam ao pânico de não ser mais capaz de recuperar o tempo perdido. A mulher só se *preocupa* com o que não viveu. Nesta fase da vida, também acontecem na maioria dos casos, e com bastante freqüência, os tumores benignos (miomas) do útero. Esses crescimentos uterinos simbolizam uma gravidez: a mulher em questão faz com que cresça algo no seu ventre que depois tem de ser removido através de uma cirurgia, como se estivesse em trabalho de parto. O mioma deve ser considerado como um sinal de que é provável haver um desejo subconsciente ou inconsciente de a mulher engravidar.

Frigidez (anorgasmia) e Impotência

Subjacentes a todas as dificuldades sexuais existe o fator medo. Já mencionamos o parentesco entre orgasmo e morte. O orgasmo ameaça o eu, pois ele libera uma força que não podemos mais controlar com o ego. Todos os estados extáticos e embriagadores — independentemente do fato de serem de natureza religiosa ou sexual — sempre exercem ao mesmo tempo desejo e medo intensos. O medo predomina na medida em que o ser humano está acostumado a controlar-se, pois o êxtase significa perda de controle.

Em nossa sociedade comunitária o autocontrole é considerado uma virtude positiva e, portanto, ele é ensinado com bastante entusiasmo às crianças (— "mas agora trate de se controlar!"). A capacidade para um grande autocontrole facilita sobremaneira a convivência social, embora seja, ao mesmo tempo, a expressão inacreditável da mentira em que vive essa sociedade. Autocontrole nada mais é, em síntese, do que controlar e relegar ao inconsciente todos os desejos incompatíveis com a vida em sociedade. É claro que assim esse desejo desaparece, deixa de ser visível; no entanto resta a questão do que acontece com ele daí por diante. Como concretizar-se faz parte da natureza de um desejo, ele se tornará visível mais tarde; portanto, o ser humano vive investindo energia no desejo, enquanto quer controlá-lo e reprimi-lo.

Eis onde se torna explícito o porquê de o ser humano ter medo da perda de controle. Uma situação extática ou de embriaguez abre ao mesmo tempo "a tampa do inconsciente" e permite que se torne visível tudo aquilo que até então estava sob rígido controle. É nesse momento que o ser humano fica de certa forma tão honesto que chega — na maioria das vezes — a sentir até um certo mal-estar. Os antigos romanos já conheciam o ditado *in vino veritas* (no vinho está a verdade). Quando o "cordeiro manso" se embriaga poderá transformar-se num leão; o "supercontrolado" de repente se desmancha em lágrimas. A situação transpira uma grande honestidade mas, no âmbito social torna-se um tanto inquietante, e "é por isso que devemos aprender a nos controlar". Nesses casos a internação num hospital torna as pessoas honestas.

Se temos medo de perder o controle e, por esse motivo, nos habituamos a um rígido autocontrole, muitas vezes é extremamente difícil desistir de repente desse controle egóico no âmbito sexual e relaxar, permitindo que os acontecimentos sigam seu curso natural. No orgasmo, o "pequeno eu" de que nos orgulhamos tanto é simplesmente eliminado. Durante o orgasmo o "eu" morre (infelizmente, só por algum tempo, caso contrário obter a iluminação seria mais fácil!). No entanto, quem se apega ao eu impede o orgasmo. Quanto mais o eu tentar forçar voluntariamente o orgasmo, tanto menor a probabilidade de êxito. Essa lei, apesar de muito conhecida, é na maioria das vezes desconsiderada no que se refere à sua aplicação prática. Sempre que "eu quero alguma coisa" ela não é obtida. A vontade do eu, por fim, acaba por obter o contrário: querer dormir nos deixa acordados, querer ter potência nos torna impotentes. Enquanto o eu quiser atingir a iluminação, não será possível realizar esse objetivo! O orgasmo representa a renúncia ao eu, pois só assim é possível a "unificação", visto que enquanto existir um eu, também existirá um não-eu e, deste modo, existimos na dualidade. A "entrega" e o "deixar acontecer" é exigido na mesma medida tanto da mulher como do homem, caso eles queiram atingir o orgasmo. Além desse tema em comum, porém, o homem e a mulher têm de atender a diferentes temas específicos ao seu sexo para que sua sexualidade seja harmoniosa.

Já falamos em detalhes sobre a capacidade de auto-entrega como um princípio feminino básico. A frigidez mostra que a mulher não está preparada para entregar-se plenamente, que ela é quem "quer vestir as calças". Não deseja submeter-se, não deseja ser a "dependente", quer dominar. Esse desejo de domínio e essa fantasia de poder são expressão do princípio masculino e, portanto, impedem a identificação plena da mulher com seu papel feminino. Esses desvios, por sua própria natureza, perturbarão qualquer processo polarizado tão sensível como a sexualidade. Esse ponto se confirma ainda no fato de as mulheres frias com seus parceiros serem perfeitamente capazes de alcançar o orgasmo na masturbação. No caso da masturbação, o problema entre dominar e entregar-se ao outro deixa de existir; a mulher está só e não precisa deixar ninguém entrar, exceto as próprias fantasias eróticas. O eu que não se sente ameaçado pelo tu tem mais facilidade para retirar-se voluntariamente para segundo plano. No caso da frigidez, sempre se constatam os temores que as mulheres têm da própria sexualidade, principalmente quando são muito fortes os estereótipos sobre o que é *ser uma mulher decente*, uma *prostituta* etc. A mulher frígida não quer deixar nada entrar, mas também não quer deixar nada sair; ela quer permanecer "fria".

O princípio masculino é a *ação*, a *criação* e a *concretização*. O Yang masculino é ativo e, portanto, agressivo. A potência é expressão e símbolo de poder; a impotência é falta de poder. Por trás da impotência sempre existe o medo da própria masculinidade e da própria agressividade. O homem tem medo *de ter de assumir sua virilidade*. Assim sendo, a impotência também é expressão do medo da feminilidade propriamente dita. O feminino é sentido como uma ameaça, como algo que quer engoli-lo. Nesse caso, o feminino se mostra em seu aspecto de "mãe terrível primordial", ou seja, a bruxa. Em primeiro lugar, o homem não quer "entrar na caverna da bruxa". Também aqui se nota uma identificação restrita com a masculinidade e, portanto, com os atributos do poder e da agressividade. O homem impotente se identifica mais com o pólo passivo e com o papel de submissão. Ele tem medo de conquistar. É aí onde se inicia outro círculo vicioso, quando se tenta obter a potência pela vontade e pelo esforço. Quanto maior a pressão para obter êxito, tanto menor a possibilidade de obter uma ereção. De preferência, a impotência deveria servir como ponto de partida para um melhor relacionamento com questões de poder, realização de esforços e agressividade, para então reaprender a lidar com os temores subjacentes a esses problemas.

Ao analisarmos todos os problemas sexuais nunca devemos nos esquecer de que, em cada pessoa, existe tanto um aspecto feminino como um aspecto masculino da alma e que, em última análise, toda pessoa, quer se trate de um homem ou de uma mulher, tem de desenvolver completamente em si mesma ambos os aspectos. Este difícil caminho se inicia, contudo, com a total identificação da pessoa com aquela parte representada por seu próprio sexo. Só então, quando um pólo puder ser vivido em sua totalidade, o caminho fica desimpedido para, através do encontro com o outro sexo, também poder despertar em si mesmo o aspecto anímico contrapolar e integrá-lo de forma consciente na própria personalidade.

10
O Coração e a Circulação

Pressão Sangüínea Baixa — Pressão Alta (Hipotonia — hipertonia)

O sangue é o símbolo da vida. O sangue é o portador material da vida e expressão da individualidade. O sangue é um "suco muito especial" — é o suco vital. Cada gota de sangue contém o ser humano como um todo: eis o motivo do grande significado do sangue em todos os rituais de magia. É por isso que os radiestesistas que usam pêndulos se utilizam de uma gota de sangue como "testemunha", o que permite que se faça, a partir dela, um diagnóstico total.

A pressão sangüínea é a expressão do dinamismo de um ser humano. Ela se constitui a partir das trocas entre o comportamento do sangue fluido e o comportamento das vias sangüíneas enquanto continentes desse fluxo. Ao analisar a pressão sangüínea devemos sempre levar em conta estes componentes antagônicos: por um lado o que flui, o líquido e por outro o limite e a resistência das paredes dos vasos. Se o sangue corresponde ao próprio ser, as paredes dos vasos são os limites pelos quais se orienta o desenvolvimento da personalidade, a fim de enfrentar a resistência, os obstáculos que impedem seu desenvolvimento.

Pessoas cuja pressão sangüínea é excessivamente baixa (hipotonia) não são capazes de enfrentar esses limites. Elas nem tentam enfrentar os obstáculos, evitam todas as resistências — nunca vão até os limites. Assim que uma pessoa como essa se vê diante de um conflito, ela depressa se retrai; pelo mesmo critério, também o sangue o faz, a ponto de ela sofrer um desmaio. Portanto, essa pessoa renuncia ao poder (aparentemente!), retrai o sangue e perde a consciência, deixando de assumir as próprias responsabilidades; ela se entrega. Quando perde a consciência, ela se retira do mundo consciente para o mundo inconsciente e, desta forma, nada mais tem a ver com os problemas que teria de enfrentar. Os problemas deixam simplesmente de existir. Trata-se de uma situação semelhante à que se vê nas operetas: a dama flagrada pelo marido numa situação embaraçosa desmaia imediatamente e todos os envolvidos na situação se esforçam por fazê-la recobrar a consciência com a ajuda de água, de ar fresco e de sais para cheirar. Pois de que adianta uma briga, se a principal responsável se refugia em outro nível e, dessa forma, renuncia de um golpe à responsabilidade?

Em geral, pessoas hipotônicas são literalmente incapazes de "suportar": não suportam uma coisa, não suportam ninguém, não suportam nada, falta-lhes a firmeza e a estrutura corretas. Qualquer exigência as abate e elas desmaiam. Os que estão ao seu redor têm de erguê-las pelos pés para que mais sangue aflua à cabeça — o centro de poder — de forma a fazê-las recuperar as forças, conseguir que se controlem e assumam suas responsabilidades. Inclusive a sexualidade é um dos âmbitos de que as pessoas com pressão sangüínea baixa fogem, visto que a sexualidade depende bastante de tal pulsação do sangue.

Além disso, ainda é freqüente nas pessoas hipotônicas o quadro de anemia pois, na maior parte das vezes, elas sofrem de carência de ferro no sangue. Disso resulta que a transmutação da energia cósmica (prana) que obtemos com a respiração fica perturbada. A anemia revela uma recusa em usar o poder da energia vital disponível, impedindo assim que esta seja transformada em força ativa. Eis aí outro exemplo de como a doença pode ser usada como álibi para a própria passividade. Os hipotônicos carecem do impulso vital necessário.

Todas as medidas terapêuticas significativas para a elevação da pressão sangüínea estão sem exceção associadas, em maior ou menor grau, a vários métodos de introdução de energia no organismo, e só funcionam enquanto essas prescrições forem seguidas à risca: lavagens, escovações, andar na água, exercícios físicos, manutenção da forma através de ginástica, uso da terapia de Kneipp. Tudo isso eleva a pressão sangüínea porque a pessoa faz alguma coisa e transforma a energia em fato orgânico. Sua utilidade cessa no momento em que se abandonam esses exercícios. Resultados duradouros só podem ser esperados de uma modificação na filosofia de vida.

O problema oposto é o caso da pressão sangüínea alta demais (hipertonia). Sabemos, através de pesquisas experimentais, que o pulso e a pressão do sangue se elevam não só no caso de um aumento na atividade física, mas também no de um mero pensamento sobre essa atividade. A pressão sangüínea também sobe quando uma situação de conflito parece ser inevitável durante uma conversa, e desce outra vez de imediato quando a própria pessoa implicada fala sobre o conflito, verbalizando-o. Esse conhecimento, obtido na prática, é uma boa base para entendermos o que há por trás da pressão alta. Quando a pressão sobe, sempre se imagina um esforço, sem que essa atividade motora de fato exista e seja descarregada; o que acontece literalmente é uma "pressão contínua". Neste caso, as pessoas envolvidas produzem em seu interior uma excitação a longo prazo, induzida pela própria imaginação, e o sistema circulatório mantém essa excitação duradoura na expectativa de que ela seja eventualmente transformada em ação. Mas, se essa ação não é materializada, o paciente vive "sob pressão". Para nós é de grande importância neste ponto o fato de que a mesma relação se aplica no que se refere ao conflito. Visto que sabemos que a simples menção de um conflito pode causar um aumento de pressão, que pode ser simplesmente revertida ao se falar sobre o mesmo, vemos com clareza que os hipertônicos estão sempre em situações conflitantes, sem, no entanto, arranjarem uma solução para as mesmas. Elas "ficam por perto do conflito" mas não o resolvem. O aumento da pressão sangüínea tem sentido fisiológico exatamente na exigência de liberar temporariamente mais energia, para os hipertônicos poderem enfrentar melhor e com mais vigor as tarefas e os conflitos que têm diante de si. Quando isso acontece, a solução usada esgota o excesso de energia e a pressão cai para o nível normal. Já os hipertônicos que não resolvem seus conflitos não esgotam o excesso de pressão disponível. Preferem refugiar-se numa "atividade" superficial, tentando enganar através dela a si mesmos e aos outros, esquivando-se do confronto com o conflito.

Podemos ver que tanto os hipotônicos como os hipertônicos fogem dos conflitos, embora usem táticas diferentes. O hipotônico foge na medida em que se retrai para a inconsciência; o hipertônico se desvia e afasta o ambiente gerador do conflito através de uma atividade exagerada e de um funcionamento supérfluo. Ele foge através de uma ação excessiva. No que se refere a essa polaridade, encontramos casos de pressão baixa com mais freqüência entre as mulheres, ao passo que a pressão alta é mais freqüente nos homens. Além disso, a pressão alta é um indício de que existe agressividade reprimida. A animosidade fica por sua vez só na imaginação e assim a energia gerada não é descarregada através de uma ação. A esse comportamento o homem dá o nome de *autocontrole*. O impulso agressivo leva à pressão alta, o autocontrole faz os vasos se contraírem. Assim pode-se manter a pressão sob controle. A pressão do sangue e a resistência à pressão que as paredes dos vasos oferecem levam ao aumento da pressão. Mais adiante veremos como essa postura de agressividade controlada leva ao infarto do coração.

Conhecemos ainda a pressão alta ocasionada pela idade, que está associada ao endurecimento das paredes dos vasos. O sistema venoso tem como tarefas a transmissão e a comunicação. Se a flexibilidade e a elasticidade desaparecem com a idade, a comunicação cessa e aumenta a pressão interior, o que é inevitável.

O Coração

A batida cardíaca é um acontecimento amplamente autônomo que, sem nenhum tipo de treinamento (por exemplo, de *biofeedback*), está além do alcance da intervenção voluntária. Esse ritmo sinódico é expressão de uma regra bem rígida do corpo. O ritmo cardíaco se assemelha ao ritmo respiratório, sendo que este último está muito mais sujeito à intervenção deliberada. O batimento cardíaco é um ritmo harmônico e estreitamente controlado. Se, durante o funcionamento rítmico, o coração de repente bater mais devagar ou se acelerar, estará acontecendo um distúrbio da ordem cardíaca, ou seja, um desvio do equilíbrio normal.

Se levarmos em conta os vários usos idiomáticos da palavra coração, veremos que ela sempre está associada a situações de cunho emocional. Uma emoção é algo que o ser extravasa, é um movimento que parte de seu íntimo (do latim, *emovere* = mover para fora de si mesmo). Diz-se: *meu coração pula de alegria — meu coração parou de tanto medo — meu coração está prestes a estourar de alegria — meu coração parece querer saltar do peito — meu coração ficou entalado na garganta — sinto um peso no coração — eu a tinha perto do coração — o seu coração levou a situação muito a sério.* Se falta a uma pessoa esse lado emocional que independe da razão, ela dá a impressão de ser impiedosa (sem coração). Se dois amantes se casam, dizemos: eles uniram seus corações. Em todas essas expressões, o coração é o símbolo de um centro do ser humano que não é controlado nem pelo intelecto, nem pela vontade.

Não se trata apenas de um centro, mas *do* centro do corpo; ele está virtualmente no meio, apenas um pouco deslocado para a esquerda, na direção da metade corporal vinculada ao "sentimento" (que corresponde ao hemisfério direito do cérebro). Ele está exatamente no lugar para onde apontamos quando queremos mostrar quem somos. O sentimento e, em especial o amor, estão intimamente associados ao coração, como nos mostram as expressões já citadas. Temos um "coração de criança" quando gostamos delas. Quando guardamos alguém *no coração* nos abrimos para essa pessoa e a deixamos entrar. Somos pessoas de "bom coração" quando estamos preparados para nos abrir e a entregar generosamente nosso afeto aos outros; as pessoas reservadas, ao contrário, são as que não ouvem *a voz do coração,* são limitadas e frias. Essas nunca *dariam de coração,* pois teriam de se entregar. Ao contrário, controlam-se para que *seu coração nada perca* — é por isso que fazem tudo só com "*meio coração*" (não se dedicando sinceramente). Por outro lado, a pessoa de *coração mole* arrisca-se a uma entrega irrestrita e seu afeto não tem limites.

Esses sentimentos mostram a personalidade da pessoa que se afasta da polaridade afetiva (e exige que tudo tenha finalidades e limites).

Encontramos ambas as possibilidades simbolizadas no coração: nosso coração anatômico é dividido em duas partes pela parede divisória interna, de tal forma que o próprio batimento cardíaco é caracterizado por um som duplo. Na hora do nascimento, no exato momento em que respiramos pela primeira vez, entrando assim para o mundo da polaridade, a parede divisória se fecha automaticamente por uma ação reflexa, e *uma* grande câmara, com *uma* circulação, de repente se tornam *duas;* muitas vezes o recém-nascido sente isso com *desespero.* Por outro lado, o símbolo do coração — como o atesta o desenho espontâneo de todas as crianças — tem o traçado típico de duas câmaras arredondadas se unindo num único ponto. Da duplicidade surge a unidade. É assim que o coração também significa para nós um símbolo de amor e união. É isso que queremos dizer quando afirmamos: a mãe leva o filho no coração. Anatomicamente essa expressão não teria sentido: no caso, o coração está apenas servindo de símbolo para nosso centro amoroso e, portanto, não tem importância alguma se ele fica na parte superior ou inferior do corpo enquanto o feto cresce no interior do corpo.

Podemos até mesmo afirmar que os seres humanos têm dois centros: um superior e outro inferior — cabeça e coração, entendimento e sentimento. De uma pessoa "perfeita" esperamos que ela tenha ambas as funções em equilíbrio harmonioso. A pessoa puramente intelectual causa uma impressão unilateral e fria. O ser humano que só vive dos sentimentos nos parece muitas vezes caótico e desorganizado. Só quando ambas as funções se completam e se enriquecem mutuamente é que a pessoa nos parece "*inteira*".

As várias expressões em que se menciona o coração deixam claro para nós que, aquilo que perturba o seu batimento fazendo-o descompassar, sempre envolve emoções, seja o choque que acelera o batimento ou ocasiona a parada cardíaca, seja o prazer ou o amor que podem acelerar o ritmo do coração a ponto de ele dar a sensação de que vai saltar pela boca: podemos literalmente sentir e ouvir o coração batendo. O mesmo acontece nas perturbações do ritmo do batimento cardíaco físico; nesse caso, a emoção correspondente não pode ser vista. E é nisso, na verdade, que está o problema: as perturbações cardíacas costumam atacar aquelas pessoas que não estão preparadas para serem sufocadas por uma "antiga emoção" que as arranca da rotina corriqueira. Nesses casos, a perturbação cardíaca acontece pelo fato de faltar segurança às pessoas que se deixam envolver por suas emoções. Elas se apegam ao raciocínio e a um estilo habitual de vida e não estão dispostas a permitir que essa rotina seja perturbada por sentimentos e emoções. Não desejam que a regularidade de sua vida seja perturbada por extravasamentos emocionais. No entanto, nesses casos, a emoção apenas se somatiza e o coração começa a apresentar problemas por conta própria. O batimento cardíaco se acelera e força tais pessoas a "ouvir seus corações"!

Em circunstâncias normais não temos consciência do nosso batimento cardíaco. No entanto, podemos senti-lo e ouvi-lo em condição de estresse, quando ficamos emocionados ou doentes. A batida cardíaca chama nossa atenção consciente só quando algo é excitante ou se grandes modificações estiverem prestes a ocorrer em nossa vida. Eis aí a chave para descobrirmos e entendermos todos os nossos problemas cardíacos: os sintomas cardíacos nos forçam a "ouvir nossos corações" outra vez. Os pacientes cardíacos são pessoas que ouvem unicamente suas cabeças e cujo coração não tem quase nenhuma importância. Esse fenômeno é bastante evidente nos pacientes cardiofóbicos. Por "cardiofobia" entendemos um medo fisicamente infundado acerca da atividade do próprio coração, que pode levar a uma atenção mórbida e exagerada ao coração. (Essa doença também se chama cardioneurose.) O medo da batida cardíaca é tão grande no caso dos cardioneuróticos que eles se declaram dispostos a modificar todo o seu estilo de vida.

Ao considerar essa forma de comportamento, podemos notar outra vez o grau de sabedoria e de ironia com que atua a doença. Os cardiofóbicos são continuamente forçados a observar seu coração e a subordinar toda sua vida às necessidades do mesmo. Nesse processo, eles vivem sob um medo constante de que seu coração possa parar algum dia e, assim, ficarem "sem coração". A cardiofobia os força a levar sua atenção consciente ao próprio centro do coração. E quem deixaria de rir "de coração" dessa situação?

O que acontece no nível psicológico dos cardioneuróticos é um processo que no caso da *angina pectoris* já se instalou profundamente no nível físico. As artérias que levam o sangue ao coração estão endurecidas e estreitadas e, assim, o coração não recebe mais os nutrientes de que necessita. De fato, não há muito o que interpretar nesse ponto, visto que todos sabem o que esperar de pessoas com coração "endurecido" e "empedernido". A palavra *angina* significa, literalmente, *aperto* e conseqüentemente *angina pectoris* significa *aperto do peito (coração).* Enquanto o cardioneurótico ainda sente diretamente esse aperto como medo, este se manifesta de forma concreta como *angina pectoris.* Um simbolismo original é demonstrado aqui pela medicina acadêmica em sua terapia: dá-se ao cardíaco, em casos de emergência, cápsulas de nitroglicerina (por exemplo, "sublingual"), portanto, explosivos. Com tal substância dinamita-se o aperto para arranjar espaço no coração do doente a fim de que ele permaneça vivo. Os cardíacos têm medo de sofrer com o coração — e têm toda razão!

No entanto, há pessoas que ainda assim não entendem o desafio. Quando o medo de ter sensações ou sentimentos se torna grande demais, a ponto de a pessoa só confiar numa regra absoluta, ela se submete à instalação de um marcapasso. Nesse caso, o ritmo vivo é substituído por uma máquina rítmica, uma espécie de metrônomo (o metro é para o ritmo o que a morte representa para a vida!). O que até então era feito pelo sentimento, é assumido pela máquina. Perde-se de fato a flexibilidade de adaptação do ritmo cardíaco mas, em compensação, os sobressaltos de um coração vivo deixam de representar uma ameaça. Quem tem um coração "apertado" é vítima de suas forças egóicas e de sua ânsia de poder.

Todos sabem que a pressão alta representa um precedente bastante ameaçador para o infarto do coração. Já vimos que o hipertônico é uma pessoa agressiva que reprime a própria agressividade através do autocontrole. Essa estagnação de energia agressiva se descarrega por meio do infarto; o coração parece despedaçar-se. O colapso cardíaco é a soma de todos os socos que não foram dados. No caso do infarto do coração a pessoa pode entender muito bem a antiga sabedoria que diz que dar valor excessivo ao eu e prestigiar sem limite os próprios desejos de poder nos separa do fluxo dos vivos. Só um coração rígido pode se quebrar!

Doenças Cardíacas

No caso de perturbações e doenças cardíacas devemos fazer as seguintes perguntas:

1. Há equilíbrio entre meu coração e minha cabeça, entre a compreensão e o sentimento? Eles estão em harmonia?

2. Dou espaço suficiente para meus próprios sentimentos, me atrevo a demonstrá-los?

3. Vivo e amo de todo coração ou apenas participo, sem grande entusiasmo?

4. Minha vida transcorre num ritmo animado ou a forço a adotar um ritmo rígido?

5. Ainda há combustível e explosivos suficientes em minha vida?

6. Tenho escutado a voz de meu coração?

Fraqueza do Tecido Conjuntivo — Veias Varicosas — Trombose

O tecido conjuntivo (mesênquima) une todas as células específicas, lhes dá uma base estável e reúne os órgãos isolados e as unidades funcionais num único todo maior, que conhecemos como *Gestalt*. Um tecido conjuntivo fraco indica a falta de estrutura da pessoa, sua tendência à submissão e uma carência da força de coesão interior. Essas pessoas se magoam com facilidade e são um tanto ressentidas. No corpo, essa característica se revela em manchas arroxeadas que surgem à menor batida.

A fraqueza tissular está em íntima correlação com a tendência a veias varicosas. O sangue se concentra nas veias superficiais da perna. A conseqüência disto é um desequilíbrio circulatório que pende para a parte inferior do corpo: o sangue não retorna em quantidade suficiente para o coração. Essa tendência mostra o apego da pessoa ao âmbito terreno e expressa certa preguiça e dificuldade de compreensão. A essas pessoas falta força de iniciativa e elasticidade. Em sentido mais amplo, tudo o que foi dito com relação à anemia e à pressão baixa vale neste caso.

A trombose é a obstrução de uma veia por um coágulo de sangue. O perigo da trombose é a possibilidade de esse coágulo de sangue, que deveria ser fluido e móvel, se solidificar e cristalizar, formando um bloqueio da circulação. A fluidez pressupõe uma capacidade de troca. Na medida em que deixamos de realizar a troca, os sintomas que aparecem na psique exercem um efeito de constrição e bloqueio também no contexto corporal. A mobilidade exterior sempre se correlaciona a uma mobilidade interior. Se nossa consciência estagna por preguiça, ou se nossas opiniões se cristalizam em visões e julgamentos fixos, os líquidos do corpo também se imobilizam. É bem verdade que o confinamento ao leito aumenta o risco de uma trombose. Quando a pessoa é obrigada a ficar de cama, ela mostra com clareza que o pólo da movimentação não está sendo vivido. Heráclito disse: "Tudo flui." Todo tipo de vida polarizada se define como movimento e como troca. Toda tentativa de apego a um dos pólos acaba por levar à estagnação e à morte. O estado de uma existência eterna e imutável só pode ser encontrado além da polaridade. Todavia, para chegarmos a esse ponto é necessário autoconfiança para mudar, visto que unicamente uma mudança pode nos fazer chegar ao estado imutável.

11
O Sistema Motor e os Nervos

A Postura

Quando falamos da postura de uma pessoa, não é possível deduzir de nossas palavras se estamos nos referindo à sua postura física ou à sua atitude interior. Mesmo assim, essa dubiedade de sentido não leva a mal-entendidos, porque a postura exterior corresponde à postura interior. No exterior se reflete o interior. Assim, por exemplo, falamos de uma *pessoa ereta* sem nos darmos conta de que com a palavra "ereta" estamos descrevendo um ato físico que teve uma importância imensurável na história da humanidade. Um animal não pode ficar ereto, visto que ele ainda não se ergueu. No entanto, em algum ponto do difuso e distante passado da humanidade, o homem deu o gigantesco passo de andar ereto e, dessa forma, pôde olhar para cima em direção do céu. Isso lhe ofereceu a oportunidade de transformar-se num deus e simultaneamente conjurou o perigo da *hubris* de se tomar por um Deus. O perigo e a oportunidade representados pelo fato de ficar em pé também podem ser vistos no âmbito físico. As entranhas do animal bastante protegidas por sua postura quadrúpede ficam ao desamparo no caso do homem que anda ereto. Esse grande desamparo e vulnerabilidade representa em contrapartida uma maior abertura e sensibilidade. É a coluna vertebral que especificamente permite a postura ereta. Ela nos torna ao mesmo tempo flexíveis e rígidos, nos dá firmeza e flexibilidade. Ela tem a forma de um duplo "S" e atua segundo o princípio da absorção de choques. A polaridade entre as vértebras sólidas por um lado, e os discos intervertebrais macios por outro, nos dão essa mobilidade e flexibilidade.

Dissemos que as posturas interior e exterior se correlacionam. E dissemos que a analogia se torna óbvia em muitas expressões: assim é que existem pessoas que andam *eretas* e *tesas,* e outras que gostam de andar *inclinadas* (corcundas). Conhecemos pessoas *duras* e *teimosas,* bem como pessoas que *rastejam;* muitas delas não só não têm postura, como também não têm os pés no chão. No entanto, é possível tentar influenciar a postura exterior a fim de mascarar uma postura interior. É por isso que os pais vivem a gritar com os filhos. "Ande direito!" ou "Será que não consegue sentar-se direito, afinal?" E assim se mantém o jogo da desonestidade.

Posteriormente, é o serviço militar que exige de seus soldados: "Posição de sentido!" Nesse caso, a situação se torna grotesca. O soldado tem de mostrar uma postura exterior, mesmo que não tenha postura interior, pois isso não é permitido. O serviço militar exibe suas forças dando bastante ênfase à postura exterior, embora esta seja, do ponto de vista estratégico, uma grande idiotice. Nem a marcha "de ganso", nem a postura ereta podem ser mantidas no calor da batalha. É claro que é preciso domar a postura física dos soldados a fim de destruir a correlação entre a postura exterior e a interior. A falta de postura interior dos soldados pode ser vista tanto em seu tempo livre, como depois de uma vitória, ou em situações semelhantes. Os guerrilheiros não têm postura exterior, visto que têm uma identificação interior com os seus atos. Sua eficácia bélica aumenta visivelmente graças à sua postura interior e diminui no caso da postura exterior mantida com recursos artificiais. Compare-se a postura rígida de um soldado que fica ali parado com os membros estendidos na posição de sentido, com aquela do vaqueiro que nunca sonharia em restringir sua mobilidade mantendo-se numa tal posição. Essa atitude aberta em que a pessoa fica centrada no próprio eixo de gravidade pode ser encontrada no Tai Chi.

Uma postura que não corresponda ao Ser interior de uma pessoa pode ser reconhecida de imediato, devido à sua falta de naturalidade. Porém, na postura natural também podemos reconhecer a pessoa. Se uma doença obriga alguém a adotar uma determinada postura que voluntariamente nunca seria adotada, ela nos revela uma atitude interior que não está sendo expressa, uma atitude contra a qual o enfermo está resistindo.

Ao observarmos uma pessoa, temos de decidir se ela está de fato identificada com sua postura superficial ou se está sendo obrigada a adotá-la contra sua vontade. No primeiro caso, sua atitude reflete simplesmente sua identificação consciente. No segundo, o que a atitude patologicamente modificada revela é algum âmbito da sombra que não se deseja enfrentar no nível consciente. Sendo assim, a pessoa que anda ereta, com a cabeça erguida acima do mundo, mostra um certo distanciamento, orgulho, pretensão e integridade. Ela pode também identificar-se com todas essas virtudes. Ela não as negaria.

Contudo, no que se refere à postura típica da coluna em forma de haste de bambu (espondilite, *Morbus Bechterew*) ela somatiza um egocentrismo inconsciente e uma inflexibilidade de que o paciente nem se dá conta. No caso do *Morbus Bechterew*, a coluna vertebral depois se solidifica num todo, as costas se enrijecem e a cabeça é empurrada para a frente, pois a curvatura em "S" da coluna é retificada ou então transformada em seu oposto. Literalmente, os pacientes dão com o nariz em cima do fato de serem duros, inflexíveis e resistentes. A problemática visível numa corcunda é bastante semelhante: a corcunda é a manifestação física de uma submissão que o paciente não aceita viver.

Os Discos Vertebrais e a Ciática

Sob pressão, os discos intervertebrais cartilaginosos, em especial os que ficam na área lombar, são esmagados lateralmente e pressionados contra os nervos, o que provoca vários tipos de dor, como a ciática, o lumbago etc. O problema revelado por esses sintomas é o excesso de encargos assumidos pela pessoa. Quem carrega um fardo demasiado pesado nas costas e não se conscientiza desse estado sente a pressão do corpo como dores nos discos intervertebrais. A dor obriga o ser humano a um maior descanso, pois todo movimento e atividade provocam dores. Muitas pessoas evitam fazer a necessária concessão ao descanso usando analgésicos que lhes permitam continuar exercendo livremente suas atividades rotineiras. Contudo, seria preferível que usassem a oportunidade para pensar com calma no motivo de terem assumido tantos compromissos a ponto de a pressão tornar-se insuportável. É claro que predispor-se a realizar cada vez mais implica uma sensação de superioridade e de atividade que tenta mascarar um sentimento de inferioridade. Esse sentimento é compensado através de suas ações.

Por trás de grandes esforços está sempre uma sensação de insegurança e um complexo de inferioridade. A pessoa que encontrou a si mesma não precisa realizar nada, ela *é*. Por trás de todas as maiores (e menores) ações e realizações da história mundial sempre há seres humanos impelidos à grandeza exterior devido ao seu complexo de inferioridade. Através de seus atos, eles querem demonstrar algo ao mundo, embora não exista de fato ninguém pedindo ou esperando essas justificativas, à exceção deles mesmos. Desejam somente provar algo a si próprios; no entanto, coloca-se a questão: "provar o quê?" Quem realiza muitas coisas deve logo indagar-se sobre os motivos de tantas realizações, a fim de que depois a desilusão não seja maior. Quem for honesto consigo mesmo sempre chegará à mesma resposta: estou fazendo tudo isso para ser reconhecido, para ser amado! De fato, a busca pelo amor é a única motivação conhecida para o esforço: no entanto, essa tentativa de obter amor sempre acaba em frustração, pois por esse caminho nunca se chega ao objetivo. O amor independe de objetivos; não é possível receber amor através do esforço: "Eu amarei você se me der dez milhões de cruzeiros" ou então, "eu te amarei se você se tornar o melhor jogador de futebol do mundo". Estas são exigências descabidas. O segredo do amor está justamente em sua incondicionalidade. Portanto, só encontramos o protótipo do amor no amor materno. De um ponto de vista objetivo, o filho acarreta somente trabalho e desconforto à mãe. No entanto, as mães não acham isso, visto que amam seus bebês. Por quê? Não há resposta a essa pergunta. Se houvesse, não haveria amor. Todo ser humano anseia — consciente ou inconscientemente — por esse amor incondicional e puro, que vale por si mesmo e que não depende de nenhum tipo de exterioridade, que não depende de nenhum tipo de realização.

Complexo de inferioridade é aquela sensação que a pessoa tem de não ser digna de ser amada, não importa o que faça. Desse ponto de vista, a pessoa começa a tornar-se digna de ser amada, na medida em que se esforça por ser cada vez mais hábil, competente, rica, famosa etc. Com todo esse aparato exterior, ela deseja tornar-se digna de amor. Contudo se for amada nesse momento, restam-lhe as dúvidas se de fato é amada "*só*" por causa de suas realizações, fama, riqueza etc. A própria pessoa destruiu o caminho para o amor verdadeiro. O reconhecimento de seus feitos não lhe sacia o desejo que a impeliu a realizá-lo. Portanto, é muito útil tornar-se logo ciente do próprio complexo de inferioridade e aprender a lidar com ele. Quem não faz isso acaba por sobrecarregar-se de trabalho e por tornar-se ainda menor fisicamente, pois em virtude da compressão dos discos intervertebrais, a pessoa começa a encolher; além disso, a dor a faz adotar posturas encurvadas, inclinadas. O corpo sempre revela a verdade.

A função do disco intervertebral é possibilitar a elasticidade e a flexibilidade. Se um disco fica comprimido devido a uma pressão exercida pelas vértebras, ou seja, se fica preso, nossa postura se torna rígida e perdemos a mobilidade, e muitas vezes adotamos uma posição incomum. Conhecemos as mesmas correlações do âmbito psíquico. Quando uma pessoa é psicologicamente inibida, falta-lhe abertura e mobilidade; ela se torna fixa e rígida, apegando-se a uma determinada atitude interior peculiar. Os discos esmagados podem ser libertados por meio da quiropraxia, na medida em que a coluna é mobilizada por manobras súbitas que a retiram de sua posição defeituosa. Isto permite que as vértebras e os discos intervertebrais voltem a tocar-se por meio de um contato natural outra vez (*solve et coagula*).

Também almas inibidas podem ser "reorganizadas" ou liberadas por processos bastante semelhantes aos usados com as articulações e a coluna. Elas têm de sofrer um impacto que as tire subitamente de sua posição habitual, a fim de descobrirem a possibilidade de se reorientarem e redescobrirem. As pessoas inibidas sentem tanto medo desse impacto quanto os pacientes que se submetem a um quiroprático. Um estalo agudo mostra em ambos os casos a probabilidade de êxito do tratamento.

As Articulações

São elas as responsáveis por nossos movimentos. Muitos sintomas que surgem nas articulações levam à inflamação e à dor: estas, por sua vez, provocam uma limitação nos movimentos que chega à rigidez. Quando uma articulação enrijece, isso demonstra que o paciente *se enrijeceu diante de alguma coisa*. Uma junta rígida perde sua funcionalidade. Pelo mesmo critério, se resistimos a determinado tema ou sistema estes também perdem sua função para nós. Um pescoço duro, rígido, revela a obstinação de seu dono. Na maioria dos casos, basta ouvir a linguagem para se descobrir a informação transmitida por um sintoma. Além da inflamação e do enrijecimento, as juntas estão sujeitas a deslocamentos, esmagamentos e contusões, e à torção dos ligamentos. Também o que se diz acerca desses sintomas é muito esclarecedor; basta deixar que as seguintes afirmações fluam na nossa mente: *Podemos esticar um assunto — podemos ir longe demais — podemos dar uma prensa em alguém — podemos fazer pressão sobre alguém — podemos ficar hipertensos ou superestressados, ou podemos estar um pouco "virados".* Não são só as juntas que podemos *estirar* ou *recolocar no lugar,* mas também as situações, os relacionamentos e a situação dos negócios.

Recolocar uma articulação no lugar, muitas vezes, implica um puxão até uma posição extrema, e outra manobra ainda mais para fora desse ponto extremo, a fim de que o retorno seja feito para um novo centro. Também essa técnica tem seus paralelos na psicoterapia. Se alguém se fixa numa posição extrema é possível forçar essa pessoa a continuar nela e ir mais além, até descobrir o ponto de mutação, a partir do qual seja possível retornar ao centro. Só se sai rapidamente de uma determinada posição quando se vai direto ao cerne da questão. No entanto, a covardia em geral nos impede de adotar uma abordagem vigorosa como esta, e assim estagnamos no meio do caminho, no meio da polaridade em questão. A maioria das pessoas faz as coisas pela metade, e é por isso que ficam presas em seus próprios pontos de vista e comportamentos habituais; com isso acarretam muito poucas mudanças. No entanto, todo pólo tem uma medida máxima de tensão além da qual ele se transforma em seu oposto. Assim sendo, a tensão extrema é um bom modo de obter o relaxamento (técnica de Jacobsen). Por isso a física foi a primeira das ciências a descobrir a metafísica. E é por isso também que os movimentos pacifistas acabam por tornar-se ativistas. O ser humano precisa esforçar-se por obter o centro, mas a tentativa de alcançá-lo diretamente acaba por mantê-lo na mediocridade.

Todavia, também a mobilidade pode ser exagerada a tal ponto que nos torne imóveis. As mudanças mecânicas que surgem em nossas juntas muitas vezes nos mostram esses limites e revelam que exageramos num pólo e numa direção de forma tão exaustiva que acabamos por colocar em risco sua própria existência. Em outras palavras, nós nos excedemos e exageramos, e então é hora de voltar nossa atenção ao pólo oposto.

A medicina moderna nos permite a substituição de várias articulações por próteses artificiais. Isso acontece com bastante freqüência no caso da articulação coxofemoral (endoprótese). Como já enfatizamos ao falar sobre as próteses dentárias, uma prótese sempre é uma mentira, pois se finge ter algo que não existe mais. Quando a pessoa é interiormente dura e inflexível e, no entanto, seu comportamento exterior reflete mobilidade, os sintomas de um problema na articulação coxofemoral corrigem a atitude dessa pessoa rumo a uma maior honestidade. Essa correção é impedida se uma articulação artificial for introduzida na coxa, visto que dá à pessoa a impressão de continuar com a mesma mobilidade física.

Para podermos ter uma imagem de desonestidade que a medicina nos permite, vamos considerar a seguinte situação: imaginemos que é possível eliminar de forma mágica todas as próteses artificiais de todas as pessoas: os óculos, as lentes de contato, as dentaduras, as cirurgias faciais plásticas, os aparelhos de audição, as próteses ósseas (pinos), os marcapassos, além de tudo o que for de plástico e de aço, implantado nos seres humanos. A visão que teríamos por certo seria horripilante!

Com um novo passe de mágica, eliminamos todas as conquistas médicas que salvaram as pessoas da morte certa no passado. Ficaríamos de imediato cercados de cadáveres, de aleijados, de paralíticos, de surdo-mudos e de pessoas meio cegas e meio surdas. Esse quadro seria assustador, mas seria honesto! Seria a expressão visível das almas humanas. A grande arte médica nos poupou dessa visão horrenda, na medida em que restaura os corpos humanos, completando-os com todos os tipos de próteses; no final, essas pessoas quase parecem autênticas e vivas. Mas, o que aconteceu às suas almas? Nada se modificou nelas. Elas continuam mortas, cegas, surdas, encolhidas, corcundas, aleijadas; no entanto, não vemos as deformidades. É por isso que o medo da honestidade é tão grande. Trata-se da história de *O retrato de Dorian Gray*. Por meio de truques externos é possível resguardar artificialmente a beleza e a juventude durante certo tempo. No entanto, o desespero é imenso quando, num dado momento, nos virmos diante de nossa verdadeira imagem interior. O constante trabalho com nossa alma é muito mais importante do que todos os cuidados unilaterais dispensados ao corpo, pois este é perecível, e a consciência não.

O Círculo de Condições Reumáticas

Reumatismo não é um conceito geral; é limitado com exclusividade a um grupo de sintomas que envolvem mudanças dolorosas nos tecidos, as quais incidem principalmente nas articulações e nos músculos. O reumatismo sempre está ligado a uma inflamação que tanto pode ser aguda como crônica. Ele provoca o inchaço dos tecidos ou músculos e a torção ou o endurecimento das articulações. A mobilidade dos pacientes pode ser prejudicada a ponto de se tornarem inválidos devido à dor. As dores musculares e articulares sempre pioram depois de um grande desgaste muscular. O reumatismo também pode ocasionar uma distensão das articulações em forma de fuso.

Em geral, essa doença começa com rigidez e dor matinal nas articulações. Depois elas incham e muitas vezes ficam avermelhadas. Normalmente, as articulações são afetadas de forma simétrica, ao passo que a dor passa das pequenas juntas periféricas para as articulações maiores, até as articulações principais. Há tendência de o reumatismo tornar-se crônico, visto que a rigidez costuma aumentar gradativamente.

O curso da doença vai de uma rigidez crescente até um nível muito grave de incapacidade. Ainda assim, os poliartríticos se queixam muito pouco, exibindo grande paciência e uma surpreendente indiferença diante de seus sofrimentos.

O quadro clínico da poliartrite nos conduz especialmente ao tema central de todas as doenças do sistema motor: movimentação/descanso e, de igual modo, mobilidade e rigidez. No histórico médico de quase todos os que sofrem de reumatismo encontramos uma mobilidade e uma atividade muito grandes. Essas pessoas se dedicavam a esportes competitivos e combativos, trabalhavam arduamente em casa e no jardim, estavam em trânsito durante a maior parte do tempo e tinham como ponto de honra a dedicação aos outros e o sacrifício pessoal. São as pessoas hiperativas, móveis, ágeis e inquietas que a poliartrite força a se aquietarem com o progressivo e prolongado processo de enrijecimento. O que parece ocorrer aqui é que o excesso de movimentação e de atividade tem de ser corrigido pela imobilização.

À primeira vista, isso talvez surpreenda, depois de falarmos tanto da necessidade de modificação e movimentação. Mas esse inter-relacionamento só se torna claro quando nos lembramos que a doença física também provoca a nossa honestidade. No caso da poliartrite, isso significaria que as pessoas em pauta na verdade são rígidas. Sua superatividade e excesso de movimentação, sempre constatadas antes de a doença se instalar, infelizmente só se referem ao corpo físico e compensam de fato a imobilidade da consciência. Já a palavra *starr* [rígido] está intimamente relacionada com as palavras *stur* [teimoso], *steif* [rígido], *störrisch* [obstinado] e até mesmo *stieren* [ficar imóvel] e *sterben* [morrer].

Estes conceitos servem muito bem para definir o paciente poliartrítico, cuja personalidade tem um perfil bem-delineado e conhecido, depois que a psicossomática pesquisou um grupo com essa doença, há meio século atrás. Todos os resultados das pesquisas concordam que "os poliartríticos têm um caráter impulsivo, demasiado consciencioso e perfeccionista; apresentam também uma característica sadomasoquista com forte necessidade de auto-sacrifício e exagerado senso de prestatividade, associados a uma tendência à depressão" (Bräutigam). Essas características mostram a rigidez e a teimosia propriamente ditas, revelam a falta de flexibilidade e de mobilidade da consciência desses pacientes. Essa imobilidade interior é supercompensada, através de atividades esportivas e de inquietação física, que só servem de distração (mecanismo de defesa) a uma rigidez compulsória.

A freqüência digna de nota com que estes pacientes se dedicam aos esportes competitivos e combativos nos leva ao próximo âmbito problemático dos mesmos: a agressividade. O reumático inibe sua agressividade no âmbito motor, ou seja, ele bloqueia a energia no âmbito muscular. O toque e a avaliação experimentais da condutividade elétrica muscular de pessoas com reumatismo mostram que virtualmente todos os estímulos de qualquer natureza levam a uma tensão muscular acentuada, em particular nos membros. Essas avaliações comprovam de fato as nossas suspeitas de que os reumáticos controlam seus impulsos agressivos, mas estes acabam por se impôr à força no plano físico. A energia, que dessa forma não é descarregada, fica estagnada na musculatura dos membros sem ser usada, e aí ela se transforma em inflamação e dor. Toda dor que sentimos devido a alguma doença na verdade deveria ser infligida a outra pessoa. A dor é sempre o resultado de uma ação agressiva. Se eu deixar minha agressividade à solta e atacar outra pessoa, minha vítima sente a dor. Se, no entanto, inibo meu impulso agressivo, ele se volta contra mim mesmo e eu sinto a dor (auto-agressão). Quem tem dores, deve fazer um exame de consciência a fim de descobrir a quem de fato essas dores se destinam.

Dentro do quadro clássico do reumatismo ainda existe um sintoma muito especial: a mão se fecha como que para dar um soco, devido a uma inflamação nos tendões dos músculos do antebraço, na altura do cotovelo (epicondilopatia crônica). O quadro que emerge, "o punho cerrado", mostra sem sombra de dúvida a inibição da agressividade e o desejo reprimido de "ao menos uma vez bater com o punho na mesa". Uma tendência semelhante à formação do punho cerrado acontece quando há a contração de Dupuytren, em que a mão não pode mais ser aberta. A mão aberta simboliza a disposição de manter a paz. Quando acenamos para alguém, isso se deve originalmente ao hábito de mostrar a mão aberta ao outro, durante um encontro, para que veja que não temos nenhuma arma na mão e que nossa intenção de aproximação é pacífica. O mesmo simbolismo vale quando se "estende a mão a alguém". Tal como a mão aberta simboliza intenções pacíficas e conciliadoras, até hoje a mão cerrada em punho representa animosidade e agressão.

O reumático não consegue suportar a própria agressividade, caso contrário ele não a bloquearia nem reprimiria; como, entretanto, ela existe, provoca um sentimento de culpa bastante consciente. Isto leva o paciente a uma grande disposição de ajudar o próximo e de sacrificar-se em favor dele. Aparece uma combinação inusitada entre a prestação altruísta de serviço por um lado, e o controle simultâneo por outro. Essa postura já foi definida com uma bela expressão por Alexander: "tirania benevolente". Com freqüência, a doença surge quando — através de uma modificação de vida — o paciente perde a possibilidade de compensar seus sentimentos de culpa com uma ajuda desinteressada. Também a gama de sintomas colaterais mais freqüentes nos mostra o significado central da animosidade reprimida: compõe-se sobretudo de males digestivos e intestinais, sintomas cardíacos, frigidez e distúrbios de potência, além de medo e depressão. Também o fato de a poliartrite atacar cerca do dobro de mulheres do que homens deve servir como esclarecimento de que as mulheres sofrem mais inibições para enfrentar conscientemente seus impulsos hostis.

A medicina natural considera o reumatismo como um acúmulo de toxinas no tecido conjuntivo. Do nosso ponto de vista, tal como o expressamos neste livro, as toxinas acumuladas simbolizam problemas não elaborados e, da mesma forma, assuntos não digeridos, não solucionados, que foram *descarregados* no inconsciente. É aí que está o lado favorável do jejum.* Através da eliminação total da alimentação, o organismo se modifica a fim de nutrir-se do suprimento alimentar já existente. Dessa forma, ele é obrigado a queimar e a consumir "o próprio lixo corporal". No âmbito psíquico, esse processo corresponde à elaboração e à conscientização dos assuntos que foram adiados e reprimidos até o momento. A pessoa reumática não quer enfrentar seus problemas. Para tanto é rígida e inflexível demais, está enrijecida. Tem muito medo de analisar os motivos subjacentes a seu altruísmo, sua disponibilidade, sua disposição ao sacrifício, suas normas morais e sua submissão. Assim o seu egoísmo, sua imobilidade, sua inadaptação, seu desejo de dominar e sua agressividade permanecem na sombra e se somatizam no corpo como uma imobilidade e rigidez visíveis, que acabam por colocar um ponto final em sua falsa atitude de servilismo.

Perturbações Motoras: Torcicolo, Câimbras de Escritor

O sinal característico e comum dessas perturbações é o fato de o paciente perder em parte o controle das funções motoras que em geral dependem de sua vontade. Determinadas funções fogem ao controle do paciente justamente quando ele está ciente de estar sendo observado ou quando está ansioso por causar uma boa impressão social. Assim sendo, no torcicolo (*torticollis spasticus*) a cabeça se vira vagarosa ou apressadamente para um lado, até que aconteça uma rotação quase completa. Na maioria dos casos, depois de alguns segundos, a cabeça pode ser virada outra vez para a posição normal. O que chama atenção é o fato de determinados atos mecânicos, como colocar os dedos no queixo ou usar um apoio de pescoço, tornarem mais fácil ao paciente manter a cabeça na posição normal. A posição que o paciente ocupa no aposento exerce um papel bastante importante na postura do pescoço. Se ele estiver encostado na parede e puder também apoiar a cabeça, na maioria das vezes ele não terá dificuldade para manter a cabeça firme.

Essa particularidade do sintoma que depende de determinadas situações (ou pessoas) nos mostra, desde o início, o principal problema de todas essas perturbações: a questão da segurança/insegurança. As perturbações motoras, normalmente os movimentos involuntários, inclusive os tiques nervosos, desmascaram a auto-segurança ostensiva que a pessoa deseja exibir diante de alguém e revelam que ela não está segura, e que nem mesmo tem força interior e controle sobre si mesma. Sempre foi sinal de coragem e de denodo olhar fixamente para o rosto de alguém, sem desviar o olhar dos olhos do interlocutor. É exatamente em situações nas quais

---

* R. Dahlke, *Bewusst Fasten* [O jejum consciente], Urania, Waakirchen, 1980.

essa atitude seria necessária que um torcicolo rouba o controle à cabeça e a faz desviar-se para um dos lados. Sendo assim, o medo de encontrar uma pessoa importante ou de ser observado socialmente aumenta, e esse medo é real. Agora a pessoa foge a certas situações devido ao sintoma, como sempre acontece, aliás, quando determinada circunstância é desagradável. Desviamos o olhar dos próprios conflitos e permitimos que um lado do mundo passe despercebido.

A postura ereta da cabeça obriga os homens a encarar de frente os desafios e as exigências do mundo, olho no olho. Mas se viramos a cabeça, fugimos a esse confronto. A pessoa se torna "unilateral" e se desvia daquilo que não quer enfrentar. Começamos a ver as coisas "tortas" e "viradas". Essa visão distorcida e unilateral é mencionada também na expressão idiomática *virar a cabeça de alguém*. Um ataque psíquico como esse tem como objetivo levar a vítima a perder o domínio sobre a direção de seu olhar, fazendo com que fique desamparada e acompanhe apenas com o olhar e os pensamentos o que os outros fazem.

Encontramos o mesmo plano emocional subjacente nos casos de câimbras nos dedos de pianistas e violinistas. Sempre constatamos um grande orgulho e um nível muito elevado de responsabilidade na personalidade dessa gente. Sua meta objetiva é ascender socialmente; no entanto, exibem em público uma grande modéstia. Querem impressionar exclusivamente por seu desempenho (bela caligrafia, linda música). O sintoma da câimbra tônica das mãos torna essa pessoa honesta: o sintoma revela toda a "natureza convulsiva" dos esforços e do desempenho do paciente, mostrando dessa maneira que ele, na verdade, "nada tem a dizer (ou escrever)".

Roer as Unhas

Roer as unhas não faz parte das perturbações motoras, contudo, gostaríamos de mencioná-la devido à sua forte semelhança com os sintomas deste grupo. Também o ato de roer as unhas representa uma compulsão que se sobrepõe ao controle voluntário das mãos. Roer as unhas é um sintoma passageiro que surge com certa freqüência em crianças e jovens adolescentes, embora muitos adultos sofram há séculos com esse hábito de difícil tratamento terapêutico. O plano psíquico subjacente a roer as unhas, no entanto, é bastante fácil de interpretar, e o conhecimento desta correlação deve ser útil a muitos pais que têm um filho com essa conduta. Proibir, ameaçar ou castigar são as reações menos adequadas ao caso.

O que nos homens denominamos unhas correspondem às garras de um animal. As garras primitivas servem para a defesa e o ataque, são instrumentos de agressão. *Mostrar as garras* é uma expressão usada no mesmo sentido que *ranger os dentes*. As garras mostram predisposição para a luta. A maioria dos animais de rapina usa as garras e os dentes como armas. Roer as unhas significa castrar a própria agressividade! Quem rói as unhas tem medo de sua agressividade e, por isso, desgasta simbolicamente as suas armas. Através do ato de roer já nos livramos de parte da agressividade, embora a dirijamos exclusivamente contra nós mesmos: "mastigamos" a nossa própria agressividade.

O sintoma de roer as unhas ataca com maior freqüência as mulheres, que sofrem por admirar nas outras suas longas unhas pintadas de vermelho. Aliás, unhas longas e pintadas com a marcial cor vermelha sempre foram um símbolo especialmente belo e brilhante da agressividade. Tais mulheres expõem assim em público sua predisposição bélica. É compreensível que sejam alvo da inveja daquelas que não se atrevem a demonstrar agressividade usando suas armas. Desejar ter também essas longas unhas vermelhas é só uma expressão exterior do desejo subjacente de conseguir ser ao menos uma vez francamente agressivas.

Se uma criança começa a roer unhas, trata-se apenas de uma fase em que esta não se atreve a exteriorizar sua agressividade. É aí que os pais devem prestar atenção ao fato de poderem estar reprimindo ou valorizando negativamente a agressividade através de um estilo rígido demais de educação. Nesses casos, é conveniente tentarem proporcionar à criança um espaço de vida em que a mesma possa adquirir coragem de expressar sua raiva sem ficar por isso com sensação de culpa. Na maioria dos casos, o fato de um filho roer as unhas infunde medo nos pais, pois se estes não tivessem problemas com a própria agressividade, também não teriam um filho com onicofagia. Assim sendo, seria um procedimento saudável para toda a família se os seus membros começassem a questionar seus comportamentos desonestos e disfarçados a fim de aprender a ver o que se esconde por trás dessa fachada. Assim que uma criança aprende a se defender, em vez de se curvar diante dos temores paternos, a onicofagia será vencida. Enquanto os pais não se declararem dispostos a se modificar, porém, eles ao menos deveriam parar de queixar-se das perturbações e dos sintomas dos filhos. Na verdade, os pais não têm culpa de os filhos estarem perturbados, mas os filhos refletem, em suas perturbações, os problemas dos pais!

A Gagueira

A fala é algo fluido. Falamos de uma *torrente de palavras* e de um *estilo fluente*. Quando alguém é gago a fala não flui. Essa pessoa despedaça, decompõe e castra a linguagem. Quando algo deseja fluir, precisa de espaço para tanto. Se tentássemos fazer as águas de um rio passar por um bueiro, haveria estagnação e pressão e, na melhor das hipóteses, a água espirraria para fora, mas não fluiria mais. A gagueira inibe a torrente da fala através de um aperto no pescoço. Já dissemos anteriormente que o aperto e o medo sempre andam juntos. O gago sente o medo no pescoço. O pescoço (por si mesmo, estreito) representa a ligação e a passagem entre o corpo e a cabeça, entre o em cima e o embaixo.

Neste ponto, convém nos lembrarmos do que foi dito no capítulo sobre a enxaqueca, acerca do simbolismo da parte superior e inferior. O gago tenta tornar o pescoço — a abertura, a passagem — tão apertado quanto possível para dessa forma poder controlar melhor o que sobe de baixo para cima, melhor dizendo, do inconsciente para a consciência. Trata-se do mesmo princípio de defesa que encontramos em antigas instalações fortificadas que só possuíam aberturas bem pequenas, perfeitamente controláveis. Essas entradas muito bem controladas (cancelas, portas de sala etc.) sempre provocam estagnação e impedem o fluxo. O gago controla no pescoço uma estagnação e impede o fluxo das palavras, visto que sente medo do que sobe do nível inferior e quer tornar-se consciente; ele, portanto, estrangula o conteúdo emergente no pescoço.

Conhecemos a expressão *abaixo da linha da cintura* com que denominamos o "indecente e impuro" âmbito da sexualidade. A *linha da cintura* serve como limite entre o plano inferior perigoso e o plano superior permitido e casto. O gago empurrou esse limite até a altura do pescoço, pois considera a sensualidade algo perigoso e acha que só a cabeça é clara e limpa. À semelhança do paciente com enxaqueca, também o gago empurra sua sensualidade para a cabeça, e assim contrai tanto em cima como embaixo. Ele não quer "se soltar", não deseja tornar-se receptivo às exigências e aos desejos da carne, cuja pressão se torna cada vez mais intensa e penosa quanto mais for reprimida. O sintoma da gagueira, em última análise, é visto como *causa primordial* de dificuldades de contato e de parceria — e eis aí outra vez o círculo vicioso que se fecha.

Segundo o mesmo princípio da distorção, também a inibição que se percebe nas crianças que gaguejam é atribuída à própria gagueira. Gaguejar é afinal uma expressão da inibição. A criança se sente inibida e isso é revelado pela gagueira. A criança gaga tem medo de permitir que o que a está oprimindo se expresse, tem medo de dar livre curso aos seus sentimentos. Inibe a torrente a fim de poder controlá-la melhor. É indiferente denominarmos essa inibição de bloqueio da sexualidade ou da agressividade. A pessoa gaga não fala livremente o que lhe vem à cabeça. A fala é um meio de expressão. Se, contudo, tentarmos contrapor uma resistência ao que quer se extravasar, mostramos medo daquilo que tenta se exteriorizar. Deixamos de nos abrir. Se um gago obtiver êxito e conseguir falar francamente, o resultado será uma torrente envolvendo sexo, agressividade e a língua. Quando tudo o que deixou de dizer tiver sido expresso, não haverá mais motivo para a gagueira.

12
Os Acidentes

Muitas pessoas se espantam quando interpretamos os acidentes da mesma forma como interpretamos as outras doenças. Elas acham que acidentes são algo totalmente diferente — afinal, são provocados no plano externo; portanto, seria difícil afirmar que temos a culpa dos mesmos. Esses argumentos sempre tornam a mostrar como nosso raciocínio e nossas teorias de modo geral são falhos; eles nos revelam, ainda, como nossos pensamentos e teorias correspondem aos nossos desejos. Todos achamos muitíssimo desagradável assumir a responsabilidade pela nossa existência e por tudo o que sentimos de modo geral, assim como pelas nossas experiências. Vivemos em busca da possibilidade de projetar a culpa no exterior. Sempre nos aborrecemos quando alguém dissolve uma dessas projeções. A maioria dos esforços científicos visa alicerçar teoricamente as projeções a fim de legalizá-las. Do ponto de vista humano, tudo isso é bastante compreensível. Mas, como este livro foi escrito para buscadores que sabem que só se pode atingir o objetivo através do autoconhecimento honesto, também podemos falar de um tema como "os acidentes" sem nos determos por falta de coragem.

Devemos ver com clareza que *sempre* existe algo que, aparentemente, nos acontece provocado pelo meio ambiente a que podemos denominar "causa primordial". Essa interpretação causal, no entanto, é apenas uma possibilidade de analisar os inter-relacionamentos. Neste livro, decidimos trocar essa visão costumeira por outra, que, além de possível, lhe é complementar. Quando nos olhamos num espelho, temos a impressão de que a imagem parte de fora; no entanto, ela não é a causa primordial da nossa aparência. Quando nos resfriamos, as bactérias nos atacam provindas do exterior e nelas vemos o motivo da nossa doença. No caso de um acidente de carro, trata-se do motorista embriagado que nos cortou a frente: por isso o consideramos culpado. No âmbito funcional sempre existe uma explicação. Mas esta não impede que interpretemos o acontecimento a partir de uma perspectiva interior.

A Lei da Ressonância (causa e efeito) faz com que nunca tenhamos contato com algo com que nada temos a ver. As correlações funcionais sempre são o meio material necessário a uma manifestação no âmbito físico. A fim de pintar um quadro, precisamos da tela e tintas. No entanto, elas não são a causa primordial do quadro, e sim os meios materiais com cuja ajuda o artista pode concretizar formalmente sua imagem interior. Seria uma rematada tolice pretender eliminar a interpretação do quadro com o argumento de que as tintas, a tela e o pincel são de fato as causas primordiais do mesmo.

Nós é que provocamos os nossos acidentes, da mesma forma como "buscamos" nossas doenças. Nesses casos, não temos nenhum escrúpulo em considerar um dado assunto como se ele fosse capaz de ser uma "causa". No entanto, a responsabilidade de tudo o que acontece em nossa vida é nossa. Não há exceção a esta regra; portanto, convém parar de procurar por ela. Quando alguém sofre, só ele é responsável pelo sofrimento (o que nada tem a ver com a gravidade do mesmo!). Toda pessoa é ao mesmo tempo autor e vítima. Enquanto o ser humano não descobrir que desempenha esse duplo papel, é-lhe impossível tornar-se perfeito. Na medida da intensidade com que se queixa dos supostos autores "exteriores" podemos ver com facilidade o grau de rancor que alimenta contra si mesmo como autor. Aqui falta-lhe a *percepção intuitiva*, aquela visão que permite ver que autor e vítima são um só.

O conhecimento de que os acidentes têm uma motivação inconsciente não é novo. O próprio Freud sugeriu há tempos atrás em seu livro *Psicopatologia da Vida Cotidiana*, que acidentes como lapsos lingüísticos, esquecimentos, perda de objetos e outros deslizes são de fato o resultado de intenções inconscientes. Desde essa época, a pesquisa psicossomática tem sido capaz de demonstrar — com base em meros dados estatísticos — a existência do tipo de pessoa "com predisposição para acidentes". Com isso se menciona uma estrutura específica de personalidade que tende a elaborar seus conflitos na forma de acidentes. Já em 1926 o psicólogo alemão K. Marbe descreveu suas observações no livro "Psicologia Prática dos Acidentes Em Geral e dos Acidentes de Trânsito". Diz ele que uma pessoa que sofreu um acidente tem mais probabilidade de sofrer novos acidentes do que as que nunca foram vítimas deles.

Em sua obra essencial sobre a medicina psicossomática, publicada em 1950, Alexander escreveu as seguintes notas sobre este tema: "Numa pesquisa sobre acidentes de trânsito em Connecticut verificou-se que, durante um período de seis anos, 36,4% de todos os acidentes aconteceram com um pequeno grupo de 3,9% de pessoas. Uma grande empresa que contratava numerosos motoristas de caminhões de carga, preocupada com o alto custo dos acidentes com sua frota, buscou pesquisar as causas dos mesmos num esforço para reduzir sua freqüência. Entre outras abordagens, eles também fizeram algumas pesquisas acerca do histórico dos casos de acidentes de vários motoristas. Os que haviam sofrido maior número de acidentes foram colocados em outros empregos. Essa medida muito simples reduziu a freqüência dos acidentes a um quinto de seu valor original. Mas o resultado interessante dessa pesquisa foi o fato de que aqueles motoristas, com grande cota de acidentes sofridos, continuaram a sofrer acidentes também nos novos empregos. Isso mostra de forma incontestável que existe algo como *pessoas com predisposição para acidentes* e que elas mantêm essa tendência independentemente do tipo de serviço e em sua vida diária." (Alexander, Medicina Psicossomática.)

Alexander ainda deduz que "na maioria dos acidentes, está implícito um elemento intencional, mesmo que mal se possa percebê-lo conscientemente". Em outras palavras: "A maioria dos acidentes tem uma motivação inconsciente." Essa citação da literatura psicanalítica mais antiga tem o intento de mostrar, entre outras coisas, que nossa visão dos acidentes não é nova e como é demorado o processo de conscientização das coisas (desagradáveis) se é que ele acaba acontecendo de fato.

Para um posterior desenvolvimento deste assunto a descrição de uma determinada personalidade com predisposição típica a acidentes nos interessa bem menos do que o significado de um acidente em nossa vida. Mesmo quando uma pessoa não é do tipo que tenha tendência a sofrer acidentes, o que vier a acontecer em sua vida por certo terá um significado pessoal, e nós vamos aprender a descobri-lo. Se na vida de uma pessoa acontece um acidente depois do outro, esse fato revela que ela ainda não conseguiu resolver seus problemas na consciência e que, portanto, faz escala no aprendizado à força. O fato de um determinado indivíduo concretizar primariamente suas correções através dos acidentes corresponde ao assim chamado *locus minoris resistentiae.* Um acidente questiona de forma súbita o modo de a vítima fazer as coisas. Trata-se de uma ruptura em sua vida e, como tal, deve ser analisada. Mas, ao fazer essa análise, não devemos observar o curso geral do acidente como se se tratasse de uma peça teatral, tentando entender sua estrutura exata a fim de transferi-la para a situação concreta. Um acidente é uma caricatura da própria problemática — e é exatamente tão dolorosa e incisiva quanto qualquer outra caricatura.

Acidentes de Trânsito

O termo "acidente de trânsito" é muito generalizado e, portanto, difícil de ser interpretado. É necessário saber especificamente o que ocorreu em determinado acidente, antes de podermos analisar seu significado subjacente. É difícil ou até mesmo impossível fazer uma interpretação geral; é bem mais fácil interpretar cada caso isolado por si. Basta ouvir com cautela o modo como as pessoas descrevem o ocorrido. A duplicidade de nossa linguagem acaba por nos trair. Infelizmente, sempre tornamos a constatar que falta às pessoas o ouvido para captar esses inter-relacionamentos. Assim sendo, pedimos que o paciente fique repetindo sua descrição até que algo lhe desperte a atenção. Nessas ocasiões sempre tornamos a nos surpreender com o dom inconsciente das pessoas para lidarem com a linguagem; além disso, vemos como nossos filtros críticos são eficientes quando se trata de disfarçar nossos próprios problemas!

Portanto, no contexto dos acidentes de trânsito, por exemplo, podemos *nos desviar do caminho — perder a direção — perder o controle — atropelar alguém* etc. O que há a interpretar nesses casos? Basta ouvir a descrição. Por exemplo, um homem está com tanta pressa que *não pode mais brecar* e, assim, *bate* no veículo do cavalheiro à sua frente (ou acaso, será uma senhora?) ou *se aproxima demais*, estabelecendo dessa forma um *contato muito íntimo* (há pessoas que chamam a isso de "dar um cutucão em alguém"). Esse impacto é sentido por isso mesmo como um *choque*; na maior parte das vezes os motoristas não trombam apenas os carros, mas *agridem* o outro com palavras.

A resposta à pergunta inevitável, "quem foi o culpado pelo acidente?", em geral é, "eu não pude brecar a tempo". Isso revela que a pessoa está acelerando tanto um determinado setor de sua vida (por exemplo, o profissional) que acaba pondo em risco esse próprio setor. As pessoas envolvidas num acidente devem interpretá-lo como um sinal de alerta: é preciso diminuir a correria e estabilizar o ritmo de vida ao menos durante certo tempo. "Acontece que não o vi", é uma indicação clara de que a pessoa implicada está deixando de ver algo muito importante em sua vida. Se a tentativa de ultrapassar um carro não der certo e alguém provocar um acidente, é tempo de essa pessoa reexaminar as "manobras de ultrapassagem" que está usando na vida, assim que tiver oportunidade para tanto. Quando alguém adormece na direção do carro, isso é um indício de que precisa despertar para o que está ocorrendo em sua vida, antes que tenha de fazê-lo de forma mais cruel. Se acontecer um acidente noturno, convém observar o que anda acontecendo no lado sombrio da alma, a fim de poder deter-se antes que ocorra um dano maior. Uma pessoa "corta a frente de alguém" no trânsito, outra "desrespeita a sinalização", outra ainda "ultrapassa barreiras" e "tem de tirar o carro da lama". De repente elas não conseguem enxergar direito, ignoram os sinais de trânsito, erram o caminho, batem nos obstáculos da pista. Os acidentes de tráfego implicam sempre um contato bastante íntimo com outros elementos; ao menos, um dos motoristas se aproxima demais, usando uma abordagem que, via de regra, é agressiva demais.

Vamos agora considerar e interpretar juntos como exemplo um acidente de trânsito específico, a fim de termos um modo melhor de analisar esse problema. Este caso particular não é inventado e, além disso, corresponde a um tipo de acidente de trânsito muito comum. Nos cruzamentos em que a mão preferencial é a direita, dois carros dão uma trombada com tal impacto que um deles é jogado para a calçada, capota e fica com as quatro rodas para o ar. Algumas pessoas ficam presas dentro do carro, gritando por ajuda. Do veículo se ouve o som alto do rádio que continua a tocar. Transeuntes de passagem finalmente conseguem tirar as vítimas de sua prisão de metal. Todas estão gravemente feridas e têm de ser levadas para o hospital.

Essa seqüência de fatos sugere a seguinte interpretação: todos os participantes estavam envolvidos em tentativas de seguir pela vida sem se desviar do caminho escolhido. Isso corresponde ao seu desejo de continuarem a guiar o carro diretamente pelas ruas escolhidas. Além disso, os cruzamentos não existem só no contexto do trânsito, mas também no contexto da vida. A via direta é a norma da vida: a pessoa segue por ela por mera questão de hábito. O fato de todos os acidentados terem tido o seu curso direto interrompido pelo acidente nos revela que eles haviam deixado de notar que havia necessidade de uma mudança de rumo. Todo rumo e toda regra de vida acabam por perder a utilidade e impõem uma mudança. No decurso do tempo, tudo o que está certo passa a ser errado. Via de regra, as pessoas defendem suas normas, na maioria das vezes referindo-se à sua utilidade no passado. Mas esse não é um argumento de peso. Para o bebê, a norma geral é molhar as fraldas e isto está certo. Mas, as crianças que molham a cama quando têm 5 anos de idade não têm mais o direito de usar aquela norma como justificativa para o seu sintoma.

Faz parte das maiores dificuldades da vida reconhecer, na hora certa, a necessidade de mudar. Isto é algo que os envolvidos em nosso acidente de trânsito não haviam reconhecido. Tentaram seguir indevidamente o curso que haviam estabelecido até o momento, impedindo ao mesmo tempo um desvio da norma geral, isto é, não alteraram o curso para sair da rota habitual. No entanto, esse impulso ainda existia em seu inconsciente. Em outras palavras, o caminho que estavam seguindo deixara de ser apropriado. No entanto, faltou-lhes a coragem consciente de questioná-lo e de abandoná-lo, porque uma mudança sempre provoca medo. "Gostaríamos de mudar", mas ainda não ousamos fazer a mudança. Pode tratar-se de uma união conjugal que se desgastou, de um emprego que se tornou inviável, ou até mesmo da visão geral de vida da pessoa. Entretanto, a característica comum nesse caso é a repressão do desejo de livrar-se de velhos hábitos e costumes estabelecidos há longo tempo. Esse desejo não concretizado busca se expressar através de algum evento inconscientemente desejado, que sempre é assimilado pela meta consciente como se viesse "de fora"; as pessoas envolvidas são tiradas do rumo à força; no nosso exemplo, através de um acidente de trânsito.

Os que forem honestos consigo mesmos serão capazes de reconhecer, depois de um acontecimento desse tipo, que bem no âmago do seu ser eles de fato estavam descontentes com o rumo que as coisas estavam tomando e que, por falta de coragem, não haviam abandonado. O que nos acontece *sempre* é o que desejamos que aconteça. As soluções arranjadas pelo inconsciente têm certo sucesso, mas apresentam a desvantagem de não serem reais, de não serem uma solução definitiva para o problema. Qualquer problema só pode ser resolvido por um passo consciente para a frente. Uma solução inconsciente nada mais faz do que representar sua manifestação física, que porém pode servir de impulso, pode nos dar uma informação. Contudo, ela não resolve totalmente o problema.

É por isso que, em nosso exemplo, o acidente de carro desvincula todos os envolvidos de sua rota habitual, embora simultaneamente iniba sua liberdade ainda mais, pois as pessoas ficaram presas nas ferragens do carro. Essa situação nova e inesperada é mais do que uma expressão do inconsciente para o que está acontecendo com elas. O fato pode ser tomado também como um aviso: o fato de sair da rota habitual não significa que haja uma expectativa de liberdade, mas que surge uma nova forma de aprisionamento. Os gritos de ajuda dos acidentados, presos e feridos foram abafados pela música muito alta do rádio do carro. Quem estiver acostumado a avaliar todos os fatos e manifestações como metáforas, verá no detalhe da música tocando uma expressão da tentativa de as pessoas se distraírem de seus conflitos interiores por meio de algo exterior. Suas vozes interiores são abafadas pelo som da música e, em seu desespero, as pessoas desejam que o seu consciente as ouça. Todavia, a mente consciente se recusa a ouvir, se torna surda e é assim que o desejo pela liberdade permanece retido no inconsciente, ao lado do conflito. Nem o desejo de liberdade, nem o conflito, podem libertar-se por si: eles têm de esperar pela intervenção de um fato externo, que no caso em pauta foi o acidente de carro. Este abriu as portas para que os problemas inconscientes pudessem articular-se. A alma grita por ajuda e seus gritos se tornam fisicamente audíveis. O ser humano se torna honesto.

Acidentes Domésticos e do Trabalho

Tal como acontece com os acidentes de trânsito, há inúmeras possibilidades de acidentes domésticos e do trabalho, e seu simbolismo é quase ilimitado. É preciso, portanto, analisar cada caso isoladamente.

Os casos de queimaduras contêm um rico simbolismo. Há muitas expressões idiomáticas que usam o ato de queimar e o fogo como símbolos para processos psíquicos: *queimar a língua — queimar as mãos — pôr a mão no ferro em brasa — brincar com fogo — pôr a mão no fogo por alguém* etc.

Aqui, fogo significa o mesmo que perigo. Assim sendo, as queimaduras sempre indicam que não estamos avaliando muito bem algum perigo, ou então, que nem o estamos percebendo. Às vezes nem sequer percebemos como determinado assunto é *quente*. Queimaduras nos tornam conscientes de que estamos brincando com algo perigoso. É por isso que a palavra fogo ainda tem uma correlação bastante óbvia com o tema amor e sexualidade. Podemos então dizer, *um amor ardente, uma paixão abrasadora, a gente pega fogo, ardemos de amor, nosso coração está em brasa*; de fato, até chamamos a namorada de "luz da minha vida". Esse simbolismo sexual do fogo também se torna evidente no amor que o jovem demonstra pela sua moto quando a chama de *Feueröfen* [minha fornalha], ou de *heisse Öfen* [forno quente] ao referir-se à mesma. (... Todavia, o fogo está do lado de fora em vez de estar no interior!)

Em primeiro lugar, as queimaduras atingem a pele, que é o limite da pessoa. Esse ferimento dos limites sempre significa um questionamento do eu. É com a personalidade que estabelecemos nossos limites e nos isolamos, e isso impede o amor. A fim de podermos amar, precisamos abrir as fronteiras do eu, precisamos "pegar fogo", e nos acendermos na chama da paixão para carbonizar nossas fronteiras. Quem não estiver pronto para isso pode ter a pele queimada por um fogo exterior em vez de queimada pelo fogo interior: dessa forma a pele se queima com violência, se rompe e fica vulnerável.

Encontramos um simbolismo semelhante em quase todos os ferimentos, pois é primeiro a pele, o limite exterior, que se rompe. Assim também falamos de ferimentos *psíquicos*, ou que alguém se sentiu *ferido* por uma observação. Podemos não só ferir os outros, como *cortar a própria carne*. Também o simbolismo das "quedas" e dos "tropeções" pode ser avaliado com facilidade. Tantos escorregam ao andar sobre o gelo liso, porque *"não têm como manter o pé"; alguém tropeça ao subir a escada, outro rola escada abaixo*. Se o resultado for uma concussão cerebral, o sistema intelectual do envolvido é inteiramente abalado e questionado. Toda tentativa para sentar-se na posição correta provoca dores de cabeça e, assim sendo, a pessoa tem de tornar a se deitar. Portanto, de modo perfeitamente natural, se tira da cabeça e do raciocínio o domínio que exerciam até o momento, e o paciente sente no próprio corpo como pensar dói.

Fraturas Ósseas

Quase sem exceção, os ossos se quebram em situações de extrema velocidade (trombadas de carro, de moto, competições esportivas), e essas fraturas são a conseqüência direta de causas mecânicas externas. A fratura leva a um período direto e prolongado de repouso forçado (quer a pessoa fique de cama, quer fique engessada). Toda ruptura de ossos provoca uma *interrupção* de nossa atividade motora normal e nos obriga a descansar. É bem possível que dessa passividade e tranqüilidade forçadas surja uma nova atitude, ou orientação de vida. A fratura mostra com muita clareza a necessidade crescente de dar fim a algum processo que está em andamento e que ignoramos, visto que o corpo teve de *romper* uma velha ordem a fim de provocar a *irrupção* da nova. A fratura interrompe o caminho anterior, cuja principal característica era a atividade e a movimentação frenéticas. O paciente se excedeu e ampliou todos seus movimentos até chegar a uma situação de estresse ou, em outras palavras, ele "passou dos limites".

Nossos ossos representam no corpo o princípio da firmeza, dos preceitos básicos, embora também a rigidez (inflexibilidade). Se o princípio da rigidez dominar o osso ele se torna sujeito à fratura e, portanto, incapaz de cumprir suas funções. O mesmo acontece no contexto de todas as normas. Elas devem de fato servir de apoio, mas não podem mais fazê-lo quando se tornam rígidas demais. Uma fratura mostra que, no âmbito psíquico, uma pessoa se aferrou em demasia a uma norma sem se dar conta do fato.

Com isso, ela se torna inflexível, rígida e prepotente demais. Assim como existe uma tendência de, com o aumento da idade, as pessoas se apegarem cada vez mais aos seus princípios, perdendo progressivamente a capacidade psíquica de adaptação, também de forma análoga aumenta a solidificação dos ossos, o que por sua vez aumenta o risco de fraturas. O pólo oposto é representado pelo bebê recém-nascido com seus ossinhos flexíveis, quase impossíveis de quebrar. A criança pequena ainda não dispõe de normas e medidas nas quais possa se enraizar. Se, durante sua vida, um ser humano se tornar inflexível demais, a fratura na espinha corrige essa unilateralidade. Podemos evitar isso, na medida que cedermos voluntariamente!

13
Os Sintomas Psíquicos

Como parte deste título, analisaremos alguns distúrbios que em geral são denominados sintomas psíquicos. No entanto, já deve estar claro que tem pouco sentido descrevê-los dessa forma no contexto de nossa abordagem. Na verdade, nem sequer é possível estabelecer uma linha de separação exata entre os sintomas somáticos e psíquicos. Todo sintoma tem um conteúdo psíquico e se manifesta através do corpo. Também o medo e a depressão se manifestam através do corpo. Essas correlações somáticas, todavia, servem de base para a medicina acadêmica fazer suas intervenções farmacológicas. As lágrimas derramadas por um paciente depressivo não são mais "psíquicas" do que o pus ou uma disenteria. A diferença, na melhor das hipóteses, parece ser mais bem justificada em cada extremidade do espectro, onde se pode distinguir melhor entre uma degeneração orgânica e uma mudança psicótica de personalidade, por exemplo. Todavia, quanto mais nos afastarmos dos extremos em direção a um ponto central, de encontro, tanto mais difícil se torna descobrir qualquer linha divisória entre os sintomas psíquicos e os somáticos. Se analisarmos o quadro com mais profundidade, até mesmo levar em conta ambas as extremidades é algo que não se justifica, visto que uma distinção entre "somático" e "psíquico" depende unicamente do tipo e da forma de expressão simbólica envolvida. A sintomatologia da asma é uma forma de expressão tão diferente de uma perna amputada como de uma esquizofrenia. Em síntese, a classificação em "somático" e "psíquico" só serve para provocar mal-entendidos.

Além disso, não vemos necessidade para essas distinções, visto que a nossa teoria se aplica universalmente a todos os sintomas, sem exceção de nenhum. Os sintomas, é verdade, podem usar uma grande variedade de formas de expressão e, para fazê-lo, todos eles se valem do corpo para tornar visíveis e palpáveis os conteúdos subjacentes da consciência. Ao mesmo tempo, entretanto, a verdadeira experiência do sintoma, insistimos, acontece exclusivamente dentro da nossa consciência, quer se trate de uma tristeza, quer se trate de um ferimento. Na Primeira Parte do livro dissemos que *todos* os sintomas individuais valem por si mesmos, e que só nossa avaliação subjetiva é que os rotula de *doença* ou *saúde*. O mesmo vale também no assim chamado âmbito psíquico.

Aqui devemos nos livrar igualmente da suposição de que existe algo como comportamento *normal* e *anormal*. Normalidade é uma afirmação de freqüência estatística e, portanto, não tem utilidade, nem como termo de classificação nem como medida de valor. É claro que a normalidade tem o efeito de reduzir o medo, embora possa também atuar contra a individuação. Ter de defender a normalidade é uma das cruzes mais pesadas da psiquiatria tradicional. Uma alucinação não é mais real ou irreal do que qualquer outro tipo de percepção. O que lhe falta de fato é o beneplácito da coletividade. Os "psiquicamente doentes" atuam sob exatamente as mesmas leis psicológicas que todas as demais pessoas. Os paranóicos, que imaginam que estão sendo perseguidos e ameaçados por assassinos, projetam sua própria sombra nos que estão ao seu redor, da mesma maneira que todos os bons e honestos cidadãos que exigem castigos mais e mais violentos para os assaltantes, ou que aqueles que vivem com medo constante dos terroristas. Toda projeção é uma ilusão e, portanto, questionar se uma ilusão é "normal" ou "patológica" é uma futilidade *a priori*.

Doença e saúde psíquicas são os terminais teóricos de um *continuum* único que surge do inter-relacionamento entre a consciência e a sombra. Nos assim chamados psicóticos encontramos o resultado de uma repressão maximamente bem sucedida. Assim que todos os canais e contextos possíveis para a elaboração da sombra são interditados com firmeza, mais cedo ou mais tarde ocorre um deslocamento energético; nesse caso, a sombra assume o controle absoluto da personalidade. Nesse processo, ela suprime totalmente a parte da consciência que detinha o controle até então, e busca, com toda a energia disponível, viver o que a outra parte da pessoa não se atreveu a exteriorizar até o momento. É assim que um moralista extremado se transforma num exibicionista obsceno, que pessoas de natureza medrosa e suave se transformam em animais selvagens, e que fracassados tímidos passam a sofrer de megalomania.

Também a psicose torna a pessoa honesta, pois ela busca recuperar o que foi perdido até então com uma intensidade e uma totalidade que infundem medo ao meio ambiente. Trata-se da tentativa desesperada de tornar a equilibrar a unilateralidade vigente — uma tentativa que, seja como for, corre o risco de não mais fixar os termos corretos devido à constante troca de pólos. Essa dificuldade de descobrir o meio-termo e o equilíbrio torna-se bastante evidente na síndrome maníaco-depressiva. Na psicose, o ser humano vive a sua sombra. A loucura sempre provocou medo e desamparo nos circunstantes, pois ela lhes lembra a própria sombra. O louco nos abre uma porta para o inferno da consciência que existe em todos nós. A luta e a repressão provocadas pelo medo desse sintoma são, assim, bastante compreensíveis, apesar de pouco adequadas para se solucionar o problema. O princípio da repressão da sombra leva exatamente à explosão violenta da mesma. Tornar a reprimi-la talvez adie o problema, embora não o resolva nem solucione.

O primeiro passo necessário em outra direção talvez seja o conhecimento de que o sintoma tem um sentido e uma justificativa. Construindo sobre essa percepção intuitiva, pode-se refletir sobre o modo de como ajudar o estabelecimento de um objetivo curativo desse sintoma.

Estas poucas observações sobre o tema dos sintomas psicóticos devem bastar por enquanto. Uma interpretação mais detalhada no contexto específico não nos levaria muito além, dado que os psicóticos em nenhum caso se prestam a tais interpretações. Tão grande é o seu medo da própria sombra que, na maioria das vezes, eles tendem a projetá-la unicamente no exterior. Os observadores interessados, portanto, não terão maiores dificuldades em fazer uma interpretação, desde que mantenham em mente as duas regras que já foram repetidamente mencionadas neste livro, ou seja:

1. Tudo o que os pacientes sentem como um acontecimento exterior é uma projeção da sua própria sombra (vozes, ataques, perseguições, hipnotizadores, intenções assassinas e assim por diante).
2. O comportamento psicológico dos pacientes é forçosamente uma manifestação da sombra, que foi negligenciada.

Nesse caso, então, os sintomas psíquicos não são de fato suscetíveis de interpretação, visto que são uma expressão direta do problema e não precisam ser traduzidos para qualquer outro nível. É por isso que ninguém se atreve a se manifestar sobre os problemas relativos aos sintomas psíquicos, pois logo começam a parecer banais, na medida em que lhes falta essa tradução para outro nível. Ainda assim, propomos neste contexto discutir três sintomas à guisa de exemplo, diante de sua ampla repercussão e do fato de serem em geral incluídos no âmbito psíquico: a depressão, a insônia e os vícios (manias).

A Depressão

Depressão é um termo geral para um quadro sintomático que vai de um mero sentimento de abatimento até uma perda real da motivação para viver, ou a assim chamada depressão endógena, que é acompanhada de apatia absoluta. Ao lado da inibição total das atividades e de uma disposição abatida de ânimo, encontramos na depressão sobretudo um grande número de sintomas colaterais físicos, como cansaço, distúrbios do sono, falta de apetite, prisão de ventre, dores de cabeça, taquicardia, dores na coluna, descontrole menstrual nas mulheres e queda do nível corporal da energia. A pessoa depressiva é atormentada pela sensação de culpa e vive se auto-repreendendo; está sempre ocupada em voltar às boas (fazer as pazes) com tudo. A palavra depressão deriva do verbo latino *deprimo*, que significa "subjugar" e "reprimir". A questão que surge de imediato se refere ao que a pessoa deprimida sente, se está sendo subjugada ou se está de fato reprimindo alguma coisa. Para responder à questão temos de considerar três âmbitos relativos ao assunto:

1. *Agressividade*: Num trecho anterior do livro dissemos que a agressividade que não é exteriorizada acaba por se transformar em dor física. Poderíamos completar essa constatação ao dizermos que a agressividade reprimida leva, no âmbito psíquico, à depressão. A agressividade cuja manifestação é impedida, bloqueada, volta-se para dentro de tal forma que o agressor acaba por tornar-se a vítima. A agressividade reprimida acaba sendo responsável não só pela sensação de culpa, mas também pelos inúmeros sintomas colaterais que a acompanham, com seus vários tipos de sofrimento. Já dissemos, num momento anterior, que a agressividade é tão-somente uma forma específica de energia vital e de atividade. Sendo assim, aqueles que ansiosamente reprimem seus impulsos agressivos reprimem ao mesmo tempo toda sua energia e atividade. Embora a psiquiatria tente envolver as pessoas deprimidas em algum tipo de atividade, elas simplesmente acham isso uma ameaça. De forma compulsiva, elas evitam tudo o que possa suscitar desaprovação e tentam ocultar seus impulsos destrutivos e agressivos, vivendo de maneira irrepreensível. A agressividade dirigida contra a própria pessoa chega ao auge no caso do suicídio. Tendências suicidas sempre são um alerta para que observemos a quem são dirigidas de fato as intenções assassinas.

2. *Responsabilidade*: À exceção do suicídio, a depressão sempre é, em última análise, um modo de evitar responsabilidades. Os que sofrem de depressão já não agem; meramente vegetam, estão mais mortos do que vivos. No entanto, apesar de sua contínua recusa em lidar de forma ativa com a vida, os depressivos são acusados pela responsabilidade que entra pela porta de trás, ou seja, por seus próprios sentimentos de culpa. O medo de assumir responsabilidades passa para o primeiro plano exatamente quando essas pessoas têm de entrar numa nova fase da vida, tornando-se bastante visível, por exemplo, na depressão puerperal.

3. *Recolhimento — solidão — velhice — morte*: Estes quatro tópicos intimamente relacionados servem para resumir as áreas mais importantes dos três temas anteriores, mostrando quais são os nossos pressupostos básicos para refletir sobre eles. A depressão provoca o confronto dos pacientes com o pólo mortal da vida. As pessoas que sofrem de depressão são privadas de tudo o que de fato está vivo, como o movimento, a mudança, o companheirismo e a comunicação. Em sua vida, é o pólo oposto que se manifesta, ou seja, a apatia, a rigidez, a solidão, os pensamentos voltados para a morte. Na verdade, embora esse aspecto mortal da vida seja sentido com intensidade na depressão, ele nada mais é do que a própria sombra do paciente.

Nesse caso, o conflito está no fato de a pessoa deprimida ter tanto medo de viver como de morrer. A vida ativa traz consigo uma culpa e uma responsabilidade inevitáveis e esses são sentimentos que o deprimido faz questão de evitar. Aceitar responsabilidades é o mesmo que abandonar todas as projeções e aceitar a própria singularidade, ou o fato de estar só. Personalidades depressivas, no entanto, têm medo de fazer isso e, portanto, precisam apegar-se aos outros. A separação que, por exemplo, a morte de pessoas íntimas lhes impõe, pode servir de estímulo para a depressão. Os depressivos são, antes de mais nada, abandonados por conta própria, e viver por conta própria, assumindo responsabilidades, é a última coisa que querem fazer. Ter medo da morte é um outro fato que não lhes permite suportar a condicionalidade da vida. A depressão nos torna honestos: ela revela a nossa incapacidade tanto para viver como para morrer.

A Insônia

É grande o número de pessoas que sofrem por mais ou menos tempo de distúrbios do sono. Da mesma forma é grande o consumo de pílulas para dormir. Assim como a fome e o sexo, o sono é uma necessidade humana básica. Passamos um terço de nossa vida dormindo. Um lugar seguro, saudável e confortável para dormir é de vital importância, tanto para os homens como para os animais. Assim como os animais cansados, as pessoas fatigadas se dispõem a percorrer grandes distâncias até encontrar um pouso seguro para dormir. Reagimos com grande irritação quando perturbam o nosso sono e achamos que a falta de sono representa uma grande ameaça. Dormir bem é em geral associado a um amplo espectro de circunstâncias: uma determinada cama, uma posição específica, um certo horário do dia etc. Qualquer modificação nessas circunstâncias pode perturbar o sono.

Dormir é algo estranho. Todos somos capazes de fazê-lo mesmo sem ter aprendido e, apesar disso, não fazemos a menor idéia de como o sono funciona. Passamos uma terça parte da nossa vida nesse estado específico de consciência, e ainda assim, quase nada sabemos sobre ele. Ansiamos pelo sono, e, no entanto, muitas vezes nos sentimos ameaçados pelo mundo do sono e dos sonhos. Temos sempre a tentação de recusar esses temores incipientes com expressões como, "afinal, era apenas um sonho" ou ainda, "os sonhos são como nuvens; não têm consistência". Mas, se formos honestos, temos de confessar que para nós o sonho tem a mesma sensação de realidade com que sentimos a vida; é tão real quanto nossas atividades cotidianas. Quem meditar sobre essa correlação talvez possa entender melhor a afirmação segundo a qual nossa consciência diária também é uma ilusão, que um sonho é como uma consciência noturna e que ambos os mundos existem apenas na nossa mente.

De onde parte a crença de que a vida que vivemos no dia-a-dia é mais real ou autêntica do que a nossa vida nos sonhos? O que nos dá o direito de dizer que se trata *apenas* de um sonho? Toda experiência que for feita pela consciência é igualmente real, tanto faz que a denominemos de realidade, sonho, ou fantasia. Pode ser um jogo de pensamentos bem proveitoso repolarizar nossa habitual visão da vida diária e da vida onírica e imaginar que, no sonho, vivemos uma continuação da vigília, que é ritmicamente interrompida todos os dias.

"Wang sonhou que era uma borboleta. Ele estava sentado nas flores no meio do gramado. Ele voava de um lado para outro, feliz. Então acordou: não sabia mais se era Wang que sonhava que era uma borboleta, ou se era uma borboleta que sonhava que era Wang."

Essas repolarizações são um bom exercício para nos alertar para o quanto é natural que nem uma coisa nem outra seja mais verdadeira ou real. Estar desperto e dormir, consciência diurna e noturna são polaridades que se compensam mutuamente. De maneira análoga, o dia e a luz correspondem ao estado desperto, à vida, à atividade; a noite corresponde à escuridão, à tranqüilidade, ao inconsciente e à morte.

Analogias	
Yang	Yin
Masculino	Feminino
Hemisfério cerebral esquerdo	Hemisfério cerebral direito
Fogo	Água
Dia	Noite
Estar desperto	Dormir
Vida	Morte
Bem	Mal
Consciente	Inconsciente
Pensamento	Sentimento
Racional	Irracional

Dentro dessas analogias arquetípicas, a tradição popular ainda descreve o sono como o "irmãozinho da morte". Sempre que vamos dormir relaxamos nossos controles, desapegamo-nos das intenções, abandonamos toda participação ativa. O sono exige de nós total confiança e submissão, uma entrega ao desconhecido. De forma nenhuma podemos forçá-lo, ou controlá-lo mediante a vontade, ou o esforço. O menor ato de vontade representa o melhor modo de se manter o sono afastado. Nada mais podemos fazer além de criar as condições corretas para o sono. Em seguida, temos apenas de esperar que ele nos envolva, que de fato chegue. Não temos a mínima chance de observar o processo. A própria observação nos impediria de adormecer.

O que o sono (e também a morte) exige de nós não é um dos nossos pontos fortes. Temos uma associação muito íntima com o pólo ativo, ficamos demasiado orgulhosos de nossos feitos, dependemos bastante do nosso intelecto e do nosso controle sobre a realidade. Por isso mesmo, é grande nossa desconfiança se tivermos de nos entregar, de nos confiar a algo ou a alguém pois esse tipo de comportamento não faz parte da nossa rotina. Portanto, ninguém deve se surpreender com o fato de a insônia (ao lado das dores de cabeça) ser um dos distúrbios mais comuns de saúde que afligem a nossa civilização.

Devido à sua perspectiva unilateral, a nossa cultura sente dificuldade em lidar com os aspectos alternativos da vida, como podemos ver de imediato se analisarmos a lista de analogias apresentada acima. Temos medo dos nossos sentimentos, temos medo do que é irracional, da nossa sombra, do inconsciente, do mal, da escuridão e da morte. Apegamo-nos ansiosamente ao nosso intelecto e à nossa consciência diurna imaginando que, de certo modo, eles nos revelarão algo. Mas, quando se trata de relaxar, somos acometidos pelo medo, pois imaginamos ter muito a perder. Apesar disso, a necessidade do sono é evidente, e estamos muito conscientes dela. Tal como a noite pertence ao dia, nossa sombra pertence à consciência desperta, e a morte à vida. O sono nos leva diariamente ao limiar entre o imediato e o transcendental. O sono leva nossa alma ao reino da noite e da sombra; permite-nos viver, em nossos sonhos, aquilo que deixamos de viver durante o dia e assim restaura o nosso equilíbrio.

Quem sofre de insônia — quem tem dificuldades na hora de se deitar, para ser mais exato tem dificuldade em desapegar-se do controle consciente e tem medo do próprio inconsciente. Atualmente, quase não existe interrupção entre o dia e a noite; contudo, em vez de descansar, levamos todos os pensamentos e atividades conosco para o mundo do sono. Assim prolongamos o dia até bem tarde da noite, da mesma forma que relutamos em analisar o lado sombrio de nossa alma usando os recursos de nossa consciência diurna. Não há interrupção, não existe um intervalo para podermos reverter o tipo de consciência, não existe um ponto de retorno.

A primeira coisa que as pessoas que sofrem de insônia têm de aprender é encerrar o dia de tal forma que possam entregar-se totalmente à noite e às leis que a regem. Além disso, elas precisam aprender a forçar a consciência a descobrir o que está na raiz do seu medo. A transitoriedade da vida e da morte são assuntos importantes para elas. Falta aos insones a confiança básica e a capacidade de auto-entrega. Eles se identificam demais com a "pessoa que realiza" e, portanto, não conseguem desapegar-se, nem relaxar. Os temas subjacentes são quase idênticos àqueles que vimos no caso do orgasmo. O sono e o orgasmo são ambos "pequenas mortes" e as pessoas os consideram um risco, pois estão fortemente identificadas com seu ego. O resultado é a necessidade de um soporífero para poderem identificar-se, ao menos por pouco tempo, com o lado sombrio da personalidade.

Existem truques antigos e muito conhecidos que também podem ser usados com êxito pelos insones, como contar carneirinhos, visto que essa contagem permite o desligamento do intelecto. Tudo o que é monótono simplesmente aborrece o hemisfério esquerdo e faz com que ele abandone de vez o controle. Todas as técnicas de meditação usam a lei da monotonia: concentração num ponto ou na respiração, repetição de um mantra ou *koan* acabam por polarizar o lado esquerdo pelo direito, levando do aspecto diurno para o noturno, da atividade para a passividade. Quem sentir dificuldade com uma troca rítmica dessa natureza deve concentrar-se no pólo que está omitindo. É exatamente isso que o sintoma quer. Ele proporciona às pessoas bastante tempo para chegarem a um acordo com a parte desagradável e com os temores noturnos. O sintoma, também nesse caso, torna as pessoas honestas. Todos os insones têm medo da noite. Isto é correto.

Uma vontade excessiva de dormir indica uma problemática oposta. Quem tiver dificuldade para acordar, apesar de ter dormido o suficiente, deve analisar o seu medo diante das exigências e das atividades do dia. Acordar e iniciar um novo dia significa tornar-se ativo; significa agir e, portanto, assumir responsabilidades. Quem tiver dificuldade para dar o passo até a consciência diurna está fugindo para o mundo onírico inconsciente da infância e quer furtar-se às exigências e às responsabilidades da vida. Nesse caso, trata-se de uma fuga para a inconsciência. Assim como o ato de adormecer tem certa correlação com a morte, o despertar se assemelha a um nascimento. Nascer e tornar-se consciente podem infundir tanto medo como a noite e a morte. O problema está na unilateralidade. Sendo assim, a solução está no meio-termo, no equilíbrio, no "não só... mas também". É só então que se torna visível que o nascimento e a morte são uma coisa só.

Distúrbios do Sono

A insônia deve servir de motivo para se fazer as seguintes perguntas:

1. Até que ponto dependo do poder, do controle, do intelecto e da observação?

2. Acaso posso me desapegar?

3. Como desenvolvo minha capacidade de entrega e minha sensação de uma confiança básica?

4. Acaso me preocupo com o lado sombrio da minha alma?

5. Quão grande é o meu medo da morte? Já me reconciliei o suficiente com ela?

Uma necessidade exagerada de dormir suscita as seguintes questões:

1. Ando fugindo da atividade, da responsabilidade, da conscientização?

2. Vivo num mundo quimérico e tenho medo de acordar para a realidade da vida?

Os Vícios

O tema relativo à necessidade exagerada de sono nos leva diretamente aos vícios, pois também nesse caso o problema central consiste numa fuga. *Sucht* [vício] não está associada apenas lingüisticamente a *suchen* [buscar]. Todos os viciados estão buscando algo; todavia, interrompem sua busca demasiado cedo e ficam estagnados num âmbito substitutivo. A busca deve levar ao ato de encontrar e assim ser resolvida. Jesus disse: "Quem procura, não deve cessar de procurar até encontrar; e quando encontrar, ficará comovido; e quando se comover, admirar-se-á e reinará sobre o Todo" (Evangelho de Tomé, Log. 2).

Todos os grandes heróis da mitologia e da literatura — Ulisses, Dom Quixote, Percival, Fausto — estão envolvidos numa busca; no entanto, eles não pararam de buscar enquanto não atingiram sua meta. A busca faz o herói passar pelos perigos, pela confusão, pelo desespero e pelas trevas. Mas assim que encontra aquilo que busca, seus esforços são plenamente validados. Todos nós estamos implicados com uma espécie de odisséia, e durante o seu transcorrer somos levados às mais estranhas paragens da alma — embora nunca devamos nos deixar deter e estagnar nalgum ponto, nunca devemos deixar de procurar, até termos encontrado.

Jesus disse: "Buscai e encontrareis." São palavras do evangelho. Mas quem tiver medo das provas e dos perigos, do esforço e das confusões do caminho, torna-se um fraco, um viciado. Essa pessoa projeta o objetivo de sua busca em alguém ou algo diferente encontrado no percurso, e encerra imediatamente sua busca. Ela se identifica com esse objeto substituto, e nunca se cansa dele. Tenta satisfazer sua fome com porções cada vez maiores dessa alimentação substitutiva, e não percebe que, quanto mais a ingere, mais sua fome aumenta. A pessoa se viciou e não confessa o fato a si mesma, não admite ter errado o alvo, ter de continuar a busca. Fica presa pelo medo, pelo comodismo, pela cegueira. Toda parada durante o caminho pode se transformar em vício. Por toda parte há sereias à espreita que tentam seduzir o viajante com seu canto para fazê-lo parar e com isso torná-lo um viciado.

Se não conseguirmos ver através delas, todas as formas viciam: o dinheiro, o poder, a fama, as posses, a influência, o conhecimento, o prazer, a comida, a bebida, o ascetismo, as idéias religiosas, as drogas. Tudo isso — seja lá o que for — é perfeitamente válido como experiência em si, embora possa tornar-se ao mesmo tempo o material do vício quando a pessoa não consegue livrar-se dele. O vício é a covardia de enfrentar novas experiências. Quem compreende que a vida é uma viagem e que estamos sempre a caminho, é um aspirante, não um viciado. Para nos definirmos como buscadores temos de confessar que não temos uma pátria. Quem acreditar em ligações já está viciado. Todos temos os vícios que nos embriagam a alma. Não são as "substâncias viciantes" que representam um problema, mas a nossa preguiça de continuar a busca. Na melhor das hipóteses, uma análise das substâncias que nos viciam revela os principais objetivos de nosso anseio. É fácil demais nos fixarmos a um ponto de vista desequilibrado se perdemos de vista aquelas "substâncias viciosas" socialmente aceitáveis: riqueza, trabalho árduo, sucesso, conhecimento e assim por diante. Mantendo isso em mente, as "substâncias viciosas" que nos propomos analisar rapidamente aqui são todas aquelas que se aceitam como patológicas.

A Compulsão de Comer Demais (gula)

Viver significa aprender. Aprender significa integrar e incorporar em nossa consciência os princípios que consideramos exteriores ao "eu". Essa constante captação do novo leva a uma expansão da consciência. Entretanto, é possível substituir a "alimentação espiritual" pela nutrição física, cuja *incorporação* leva apenas a uma expansão física. Se nossa fome de viver não é satisfeita através da experiência real, ela se precipita para o corpo onde se manifesta como sensação de fome. Essa porém é uma sensação que não pode ser satisfeita, pois o vazio interior nunca poderá ser preenchido por nutrientes físicos.

Dissemos em capítulo anterior que o amor é por certo uma abertura do eu e uma aceitação. Os gulosos, no entanto, vivem seu amor unicamente através do corpo, sendo incapazes de lidar com ele no nível da consciência. Anseiam por amor mas, em vez de abrirem os limites de seu ego, abrem apenas a boca e comem tudo o que estiver à vista. O resultado se torna visível no que costumamos chamar de "a gordura do desgosto". Os gulosos compulsivos estão à procura do amor, da aprovação, da recompensa; todavia, infelizmente, num nível inadequado.

As Bebidas Alcoólicas

Os alcoólatras são pessoas que anseiam por um mundo ideal, livre de conflitos. Não há nada de errado com esse objetivo, exceto que eles buscam alcançá-lo tentando evitar seus problemas e conflitos, usando o álcool para lhes dar a ilusão de que tudo é um jardim encantador. A maioria dos alcoólatras também esta à procura de um contato íntimo com os demais. A bebida gera uma espécie de caricatura da intimidade humana, pois desmantela as restrições e elimina as inibições, apagando desigualdades sociais e acelerando o processo de criar amizades; no entanto, falta a esses relacionamentos um nível real de intimidade. A bebida serve como uma tentativa de preencher a busca de um mundo ideal, isento de conflitos e repleto de fraternidade humana. Tudo o que estiver impedindo a concretização deste ideal tem de ser afogado em goles de bebida, sendo *engolido* ao descer goela abaixo.

O Cigarro (tabagismo)

O ato de fumar se relaciona antes de tudo à respiração e aos pulmões. Lembramo-nos muito bem que a respiração se relaciona sobretudo com a comunicação, com o contato e com a liberdade. Fumar é a tentativa de estimular esses âmbitos e satisfazê-los. O cigarro se transforma num substituto para a verdadeira comunicação e para a autêntica liberdade. A indústria do tabaco também visa esses anseios dos homens. A liberdade do vaqueiro, a conquista de todas as fronteiras durante um vôo, uma viagem a países estrangeiros e a companhia de pessoas alegres: todos estes anseios do eu podem ser saciados com um cigarro. Viajamos quilômetros de distância, e para quê? Por uma mulher, talvez... por um amigo, ou meramente para nos sentirmos livres. Ou então substituímos todos esses anelos legítimos por um cigarro, cuja fumaça envolve em densa névoa nossos verdadeiros objetivos.

As Drogas

A temática relacionada com o haxixe (a maconha), é bastante semelhante à temática das bebidas alcoólicas. A pessoa tenta fugir dos problemas e conflitos forjando uma situação agradável. O haxixe elimina a "dureza" da vida e a nitidez de seus contornos. Tudo se torna suave e as exigências se retraem para um segundo plano.

A cocaína (e outros estimulantes, como o *Captagon*) tem um efeito oposto. Ela melhora bastante a capacidade de desempenho e, por isso, pode favorecer em parte um maior sucesso. Aqui é preciso questionar os temas "sucesso, desempenho e fama", pois a droga é apenas um meio de aumentar de forma violenta a capacidade criativa. A busca do sucesso sempre se correlaciona à busca do amor. Assim, por exemplo, a cocaína é bastante usada nos meios artísticos. A fome de amor é o problema profissional mais específico desse setor. O artista que se apresenta diante do público anseia por amor e espera saciar esse desejo com a aprovação da platéia. (Como a situação de viciado não permite que ele tenha êxito, o artista torna-se cada vez "melhor" e, por outro lado, emocionalmente cada vez mais infeliz!) Neste caso, com drogas estimulantes ou sem elas, a substância viciosa é o sucesso que está substituindo a verdadeira busca de amor.

A heroína possibilita a fuga total do confronto com este mundo.

Há uma divisão bastante nítida entre as drogas que citamos até agora e as drogas psicodélicas (LSD, mescalina, cogumelos etc.) Por trás do uso dessas drogas oculta-se o desejo (mais ou menos consciente) de experimentar estados alterados de consciência, a fim de obter certa visão transcendental. As drogas psicodélicas, em sentido estrito, na verdade não viciam. Se elas constituem ou não meios legítimos de ajuda para abrir novos horizontes à consciência, é uma questão difícil de responder, visto que o problema não está nas substâncias psicodélicas propriamente ditas, mas na consciência de quem as usa. Aos seres humanos só pertence aquilo que eles mesmos criam. Por isso, é de fato muito difícil apoderar-se do espaço consciente aberto através das drogas sem correr o risco de se afogar nele. Quanto mais alguém avança por esse caminho, tanto mais as drogas se tornam um perigo — mas também tanto menos a pessoa precisa delas para ampliar sua consciência. Tudo o que pode ser obtido com o uso de drogas também pode ser alcançado sem se fazer uso das mesmas; só que o processo é mais lento! Contudo, ao longo do percurso, a pressa é em si mesma uma das mais perigosas drogas que viciam!

14
O Câncer

Para entendermos o câncer é muito importante que raciocinemos em termos analógicos. Precisamos nos tornar plenamente conscientes do fato de que toda entidade perfeita que percebemos ou definimos (ou seja, um todo entre outras totalidades) é por um lado parte de um todo maior e, ao mesmo tempo, compõe-se de todos menores. Assim sendo, por exemplo, um bosque (como um todo definido) não só faz parte de um todo maior (a zona rural), mas é também constituído de muitas árvores (todos menores). O mesmo vale para cada árvore isolada. Ela não só faz parte da floresta, como também é composta por tronco, raízes e copa. A relação entre o tronco e a árvore é a mesma entre a árvore e o bosque, ou entre o bosque e a zona rural em que está.

Cada um de nós é parte da raça humana, e ao mesmo tempo consistimos em órgãos que não só fazem parte de um ser humano, como simultaneamente são feitos de uma multiplicidade de células, as quais por sua vez são partes do próprio órgão. A raça humana espera que cada um de nós se comporte da melhor forma possível como indivíduos a fim de servirmos ao desenvolvimento e à sobrevivência da humanidade como um todo. Cada um de nós, por sua vez, espera que seus órgãos funcionem com perfeição no interesse de sua sobrevivência como ser humano. E o órgão espera que suas próprias células cumpram seu dever no que se refere à sua sobrevivência.

Dentro dessa ordem hierárquica, que pode ser estendida *ad infinitum* em ambas as direções, cada ser é um todo (seja uma célula, um órgão ou um ser humano) numa situação de conflito constante entre seu tipo específico de vida por um lado, e sua subordinação aos interesses da entidade hierarquicamente superior, por outro. Cada organismo complexo (humanidade, Estado, órgão) tem seu funcionamento organizado de tal modo que suas partes cheguem tanto quanto possível à idéia comum e trabalhem em seu benefício. Todo sistema pode normalmente enfrentar o fracasso de algumas de suas partes constituintes, sem pôr em risco o todo. No entanto, existe um limite além do qual a existência em si passa a correr perigo.

Sendo assim, um Estado pode sair-se bem mesmo que alguns cidadãos se recusem a trabalhar ou se comportem de modo anti-social, revoltando-se contra ele. Se, no entanto, este grupo de *elementos subversivos* aumentar muito, pode acabar com um tamanho que passa a ameaçar a existência contínua do todo. Como é natural, o Estado devotará bastante tempo à tentativa de se defender desse desenvolvimento, combatendo em nome da própria existência. Se essa tentativa falhar, seu colapso é inevitável. A abordagem mais promissora seria fazer os dissidentes voltarem a tempo para o grupo, oferecendo-lhes oportunidades irrecusáveis de cooperar com um trabalho que visasse um objetivo comum. A longo prazo, contudo, o método habitualmente usado pelo Estado é eliminar de forma radical seus desafetos. Tal estratégia dificilmente dá certo, visto que a reação com toda probabilidade levará ao caos. Do ponto de vista do Estado, as forças da oposição são inimigos perigosos cujo único objetivo é destruir a "velha e boa organização" a fim de disseminar a desordem.

Embora perfeitamente justo, esse modo de analisar os fatos peca pela sua unilateralidade. Se perguntássemos a opinião dos anarquistas ouviríamos argumentos muito diferentes e bastante justificáveis do *seu* ponto de vista. O certo é que não se identificam com os objetivos e as pretensões do Estado, porém apresentam pontos de vista e interesses opostos que gostariam de ver concretizados. O Estado exige obediência; tais grupos querem liberdade para realizar seus próprios ideais. Podemos entender ambos os lados, no entanto não é fácil concretizar os interesses das duas facções sem que ao mesmo tempo haja uma espécie de sacrifício.

A intenção destas linhas não é de forma alguma desenvolver qualquer teoria política ou social, mas antes de apresentar o câncer num outro nível, tentando ampliar o ângulo de visão geralmente restrito com que é analisado. O câncer não é um acontecimento isolado que só aparece nas formas cancerosas; ele é igualmente encontrado com freqüência em processos bastante diferenciados e inteligentes que também dão trabalho aos homens em outros âmbitos da vida. No caso de quase todas as outras doenças vemos uma tentativa do corpo para lidar com a dificuldade funcional através da adoção de medidas adequadas. Se tem sucesso, falamos em cura (que pode ser mais ou menos perfeita). Se o corpo não tem êxito e seus esforços para debelar a doença são frustrados, falamos em morte.

Mas, no caso do câncer, vemos algo essencialmente diferente: o corpo assiste como um número crescente de suas células mudam de comportamento e, através de uma participação ativa, iniciam um processo que por si mesmo não leva a nenhum resultado, mas que de fato descobre seus limites no esgotamento do hospedeiro (solo nutritivo). A célula cancerosa não é, como por exemplo as bactérias, os vírus ou as toxinas, algo que vem de fora, pondo em risco o organismo; ela é uma célula que até então estava a serviço do órgão e assim atendia ao organismo como um todo proporcionando-lhe a melhor chance de sobrevivência possível. Mas, subitamente, sua orientação se modifica e ela abandona a identificação comum. Ela começa a desenvolver e concretizar objetivos próprios sem a menor consideração pelas demais células. Ela encerra a sua atividade habitual, ou seja, sua função específica dentro de um órgão, e coloca seu próprio desenvolvimento em primeiro plano. Ela não se comporta mais como um membro do ser vivente multicelular, porém regride a um nível primitivo de existência, como célula isolada na evolução histórica. Rompe sua união com a comunidade celular e, a partir daí, espalha-se com rapidez e indiferença através de uma divisão caótica, desrespeitando os limites morfológicos (infiltração), e construindo por toda parte seus pontos de apoio (metástases). O que sobra da comunidade celular da qual se excluiu é usado como um anfitrião que lhe dá de comer. As células cancerosas se multiplicam e crescem tão depressa que os vasos sangüíneos não são mais capazes de manter um suprimento adequado de sangue. É assim que as células cancerosas regridem da respiração oxigenada para um processo mais primitivo, de fermentação. Respirar depende da comunidade (numa base de troca); a fermentação é algo que qualquer célula consegue fazer por conta própria.

Este processo muito bem sucedido de autodisseminação das células cancerosas acaba se detendo depois de terem literalmente devorado a pessoa que usaram como fonte de alimentação. Finalmente, as células cancerosas passam por um sério problema, ou seja, têm dificuldade com o suprimento nutritivo. Mas até esse momento seu comportamento é coroado de êxito.

Neste ponto surge a questão: como será que células até então bem-comportadas podem fazer isso? Na verdade, seus motivos podem ser acompanhados com bastante facilidade. Como membro obediente de um ser multicelular humano, a célula tem apenas de executar a função específica que lhe é destinada, e que serve para assegurar a sobrevivência do organismo maior. Num dado instante, porém, certa célula é forçada a começar a cumprir a pouco atraente função de uma outra. Durante bastante tempo ela de fato faz isso. No entanto, num determinado ponto, o organismo maior deixou de se interessar pelo contexto do desenvolvimento daquela célula em si mesma. Um organismo unicelular é livre e independente; pode fazer o que quiser, pode tornar-se imortal propagando-se ao infinito. Como parte integrante de um organismo multicelular, a célula tanto é mortal como restrita. Acaso pode causar espanto se ela recordou sua antiga liberdade e resolveu mudar de vida, passando a ser uma célula isolada a fim de concretizar sua imortalidade através de esforços individuais? Ela subordina a antiga comunidade de células aos seus próprios interesses e, com seu comportamento irresponsável, começa a conquistar a própria liberdade.

A abordagem por certo bem sucedida de usar outras células como fonte de alimentação é um método cujo erro só se torna visível com o tempo, pois assim está determinando também o próprio fim. O comportamento da célula cancerosa só obtém êxito enquanto o hospedeiro viver — a morte da pessoa doente significa o fim do desenvolvimento canceroso.

Existe aqui um pequeno erro de conseqüências graves para o conceito de concretização da liberdade e da imortalidade. Declaramo-nos desligados da antiga comunidade e percebemos, tarde demais, que ela nos é necessária. O ser humano não sente nenhum prazer em sacrificar a vida pela célula cancerosa e, no entanto, esta também não se sente nada contente em sacrificar a vida pelo ser humano. A célula cancerosa tem argumentos tão válidos como o homem, só que seu ponto de vista é outro. Ambos querem viver e concretizar seus desejos de liberdade e seus interesses. Para tanto, ambos estão dispostos a sacrificar um ao outro. No nosso exemplo "estatal" não foi diferente. O Estado, tanto quanto seus opositores, também quer viver e concretizar seus ideais. É por isso que o Estado tenta em primeiro lugar sacrificar os anarquistas. Se assim não obtém êxito, estes sacrificam o Estado. Nenhum dos partidos leva o outro em consideração. O homem passa por cirurgias e faz aplicações de cobalto e quimioterapia contra as células cancerosas até onde puder — mas, se elas vencerem, sacrificam o homem. Trata-se do antigo conflito da natureza: comer ou ser comido. É claro que o homem vê a indiferença e a desconsideração das células cancerosas e também sua falta de visão; contudo, será que ele também vê que se comporta exatamente do mesmo modo, que tenta assegurar sua sobrevivência usando dos mesmos meios?

Eis aí a chave para a cura do câncer. Não é por acaso que tantos sofrem de câncer em nossa época, e que o fato de combatê-lo por todos os meios obtém tão pouco êxito. (Pesquisas feitas pelo médico americano dr. Hardin B. Jones constataram que a expectativa de vida dos pacientes de câncer que não se submetem a tratamento parece ser maior do que a dos que se tratam!) O câncer é uma expressão da época moderna e da nossa visão coletiva de mundo. Sentimos em nós como câncer somente aquilo que de fato vivemos. Nossa era é caracterizada pela expansão e pela concretização desconsiderada dos próprios interesses. Na vida política, científica, "religiosa" e privada, os homens tentam expandir seus objetivos e interesses sem consideração pelos limites ("morfológicos"); eles tentam criar por toda parte bases de apoio para seus próprios interesses (metástases), prestigiando unicamente seus ideais e objetivos, e escravizando assim todos os demais em seu próprio benefício (princípio do parasitismo).

Nosso todo racional é igual ao da célula cancerosa. Nossa expansão é tão rápida e bem sucedida que também nós mal podemos enfrentar os problemas de abastecimento. Nossos sistemas de comunicação, embora espalhados pelo mundo inteiro, ainda nos impedem a comunicação com nossos parceiros e vizinhos. Temos facilidades, mas não sabemos o que fazer com elas. Produzimos e destruímos substâncias alimentícias apenas para manipular seus preços. Podemos viajar pelo mundo inteiro, e mesmo assim não nos conhecemos. Nossa filosofia atual só admite um objetivo: crescer e progredir. Trabalhamos, fazemos experiências e pesquisas — contudo, para quê? Em nome do progresso! E qual será o objetivo desse progresso? Ainda mais progresso! A humanidade está envolvida numa viagem sem rumo. É por isso que tem de estabelecer continuamente novos alvos para não se desesperar. A célula cancerosa não pode simplesmente segurar uma vela para iluminar a cegueira e a miopia da humanidade contemporânea. Em virtude de visarmos apenas a expansão econômica, nós usamos o meio ambiente como fonte alimentar e anfitrião e, atualmente, constatamos *sur-*

presos que a morte desse hospedeiro implica a nossa própria morte. Os homens contemplam o mundo como um grande celeiro: as plantas, os animais, as matérias-primas. Tudo existe unicamente para que os homens possam se espalhar de forma indiscriminada e ilimitada sobre a terra.

De onde os homens que se comportam dessa maneira tiram a coragem e a ousadia para se queixarem do câncer? Afinal, ele não passa de um espelho que mostra o nosso comportamento, nossos argumentos e, também, o fim do nosso caminho.

Não é preciso vencer o câncer: ele tem de ser compreendido, para que nós também possamos compreender a nós mesmos. Mas os homens sempre quebram seus espelhos quando a imagem não os agrada! Os homens têm câncer porque eles são um cancro.

O câncer representa uma grande oportunidade para descobrirmos nossos próprios erros de pensamento e enganos. Façamos então uma tentativa para localizar os pontos fracos do conceito que usamos para definir o câncer como uma imagem do mundo. Em última análise, o câncer se vê diante da pedra miliária representada pela polaridade "eu ou a sociedade". Este "ou...ou" é tudo o que ele consegue ver e, assim sendo, resolve buscar a sobrevivência por conta própria, à revelia do seu meio ambiente, e acaba por descobrir tarde demais que de fato *depende* dele. Na verdade, ele carece de toda percepção da unidade maior, todo-abrangente. Ele considera a unidade somente em termos do seu próprio autodelineamento. Essa incompreensão, ou compreensão equivocada da unidade, é compartilhada por seres humanos e tecido canceroso. Também nós nos dividimos mentalmente, também nós damos origem à divisão entre o "eu" e o "tu", sem compreender a futilidade de pensar em termos de "unidades". A unidade e a unicidade são a essência de tudo o que existe: fora dessa existência não há nada. Dividir a unidade em pedacinhos faz com que obtenhamos a diversidade; esta porém é o que, em última análise, se junta para formar uma unidade.

Quanto mais o ego se subdividir tanto mais perderá o senso da totalidade do qual ainda faz parte. É então que sucumbe à ilusão de que pode agir "sozinho". Todavia, a palavra *sozinho* significa *um-só* e inclui *um-só-com-tudo*, e não o contrário, ou seja, a separação em relação ao resto maior. Na verdade, não existe uma separação autêntica do resto do universo. Mais precisamente, o nosso eu apenas pode imaginá-la. Na medida em que o eu se fecha, o homem perde a sua "religio", sua ligação ancestral com a origem do seu Ser. O ego tenta satisfazer suas necessidades e dita o rumo. Tudo isso é conveniente e certo para o eu, no que se refere a uma progressiva separação, a uma crescente diferenciação, visto que através da acentuação de cada limite ele se sente melhor. O ego só tem medo de tornar-se uno, pois isto significaria a sua morte. O ego defende sua existência com muito alarido, inteligência e bons argumentos, e apresenta as mais sagradas teorias e as mais nobres intenções a seu favor: o principal é que sobreviva.

É assim que surgem as metas que de fato não são metas. Ter o progresso como meta é um absurdo, visto que ele não tem ponto final. Um verdadeiro objetivo sempre deve consistir na transformação do estado que existe até o momento, mas nunca a simples continuação do mesmo pois, seja como for, ele já existe. Nós, seres humanos, vivemos na polaridade — o que faríamos com um objetivo que é apenas polarizado? Mas, se o objetivo for a "unidade", isso significa que há uma qualidade totalmente diferente de Ser, em comparação com a que vivemos na polaridade. Acenar com a perspectiva de uma nova prisão para uma pessoa que já esteja aprisionada não tem sentido, mesmo se a nova cadeia dispuser de um pouco mais de conforto; contudo, oferecer-lhe a liberdade, isto sim é um passo qualitativo essencial. Todavia, o objetivo denominado "unidade" só pode ser alcançado quando sacrificamos o "eu", pois enquanto houver um eu haverá um tu, e dessa forma permaneceremos na polaridade. O "renascimento no espírito" sempre pressupõe a morte, e essa morte diz respeito ao eu. O místico islâmico Rumi define a questão na bela história que passamos a narrar:

Um homem aproximou-se da porta da casa de sua amada e bateu. Uma voz lhe perguntou:

— Quem está aí?

— Sou eu — ele respondeu.

A voz então disse: — Aqui não há lugar suficiente para mim e para você. — E a porta ficou fechada.

Depois de um ano de solidão e de castidade, o homem voltou e bateu à porta.

— Quem está aí? — perguntou uma voz.

— É você — disse o homem. — Dessa vez a porta se abriu para ele.

Enquanto o nosso eu se esforçar para alcançar a vida eterna, ele fracassará tal como a célula cancerosa. A célula cancerosa se diferencia da célula corporal através da supervalorização do seu ego. Na célula, o núcleo da célula corresponde ao seu cérebro. Na célula cancerosa, o núcleo aumenta constantemente de importância e isso amplia seu tamanho (o câncer também é diagnosticado através da modificação morfológica do centrossoma). A modificação desse núcleo celular corresponde à ênfase dada ao raciocínio mental egocêntrico do qual nossa época está impregnada. A célula cancerosa busca a vida eterna na multiplicação material e na expansão. Tanto a célula como o ser humano não compreendem que buscam algo na matéria, num local onde não existe, mais precisamente, a vida. O homem confunde o conteúdo e a forma e tenta, através da multiplicação da forma, obter o ansiado conteúdo. Mas Jesus já dizia: "Quem quiser obter a vida eterna, tem de perdê-la."

Todas as escolas iniciáticas ensinam desde épocas remotas o caminho oposto: sacrificar o aspecto formal a fim de obter o conteúdo, ou, em outras palavras, o eu tem de morrer para que possamos nascer outra vez no Si-mesmo. Convém notar: este *Si-mesmo* não é o *meu si-mesmo*, mas é o *Ser*. Ele é o ponto central que está em toda parte. O Si-mesmo não tem uma existência especial, visto que abrange tudo o que existe. É aqui que se elimina a questão: "Eu ou os outros?" O Si-mesmo não conhece outros, visto que ele é o Todo-Um. Um objetivo como esse parece perigoso ao ego e muito pouco atraente. Por isso não devemos nos surpreender quando o ego empreende todos os esforços para trocar esse objetivo de unificação por um ego forte, grande, sábio e iluminado. No caminho esotérico, bem como no religioso, a maioria dos viajantes fracassa quando tenta obter a solução dos conflitos ou a iluminação por meio do eu. Muito poucos entendem o fato de que o eu com o qual ainda se identificam nunca poderá ser salvo ou iluminado.

A grande obra sempre pressupõe o sacrifício do eu, sempre pressupõe a morte do ego. Não podemos salvar o nosso eu, só podemos nos desapegar dele: neste caso, estamos salvos. O medo que mais surge nesse ponto, o de não existir mais, só comprova o quanto nos identificamos com o nosso eu e como sabemos pouco sobre ele. Justamente aí está a oportunidade para solucionar o problema do câncer. Só quando aprendermos a questionar de forma lenta e progressiva a rigidez do nosso eu e os nossos limites, e só quando nos abrirmos é que começaremos a nos sentir como parte do todo e, portanto, começamos a assumir responsabilidade também pelo todo. Nesse caso, também compreenderemos que o bem-estar do todo significa o nosso bem-estar, pois como parte somos simultaneamente unos com o todo (*pars pro toto*). Toda célula contém a mesma informação genética geral do organismo: ela apenas tem de compreender que na verdade ela é o todo! A filosofia hermética nos ensina que o microcosmo é igual ao macrocosmo.

O erro de raciocínio que cometemos está na diferença entre o eu e o tu. Assim surge a ilusão de que como um eu podemos sobreviver muito bem, na medida em que sacrificarmos o tu e o usarmos como solo nutritivo. Na realidade, o destino não permite a separação entre eu e tu, entre parte e todo. A morte provocada pela célula cancerosa do organismo significa também a sua própria morte, assim como, por exemplo, a morte do meio ambiente incluiria a nossa própria morte. Todavia, a célula cancerosa, tal como os homens, acredita num exterior independente dela. Essa crença é mortal. O antídoto para ela chama-se amor. O amor nos torna perfeitos, visto que abre as limitações e permite a entrada do outro para que haja uma união. Quem ama não coloca o próprio eu em primeiro plano, mas vive uma grande totalidade. Quem ama sente o que acontece à pessoa amada como se acontecesse consigo mesmo. Isso não é válido só no âmbito humano. Quem ama um animal não pode considerá-lo do ponto de vista social como um produto nutritivo. Ao mencionar o amor não estamos nos referindo a um pseudo-amor sentimental, mas àquele estado de consciência que de fato capta algo da unidade de tudo o que existe, e não aquele comportamento, bastante freqüente, no qual tentamos compensar os sentimentos inconscientes de culpa devidos à agressividade reprimida por meio de "boas ações" ou de uma devoção exagerada aos animais. O câncer não mostra o amor vivido; o câncer é um amor pervertido!

O amor vence todas as barreiras e limitações.

No amor se unem e se fundem todos os opostos.

Amar é tornar-se uno com o todo; o amor se expande para tudo e não se detém diante de nada.

O amor não teme a morte, pois amar é viver.

Quem não viver este amor na consciência corre o risco de ver seu amor vincular-se à materialidade, tentando nesse âmbito fazer valer as leis que também regem o câncer.

A célula cancerosa vence todas as fronteiras e limites. O câncer elimina a individualidade dos órgãos.

O câncer se estende por tudo e não se detém diante de nada (metástases).

A célula cancerosa não teme a morte.

O câncer é o amor num nível equivocado. A perfeição e a unicidade só podem ser concretizadas na consciência, não na matéria, visto que a matéria é a sombra da consciência. No mundo transitório das formas o homem não consegue concretizar aquilo que pertence a um âmbito eterno. Apesar de todo esforço dos reformadores do mundo, nunca haverá um mundo perfeito, sem conflitos e sem problemas, sem atritos e sem lutas. Nunca haverá pessoas sadias sem doenças e morte, nunca haverá o amor todo-abrangente, já que o mundo das formas vive das limitações. No entanto, todos os objetivos podem ser concretizados — por cada um e a qualquer tempo — quando a pessoa conseguir enxergar através das formas e tornar-se livre em sua consciência. No mundo polarizado, o amor leva ao apego; na unidade, ele leva ao transbordamento. O câncer é o sintoma do amor malcompreendido. O câncer só sente respeito pelo amor verdadeiro. E o símbolo do amor perfeito é o coração. O coração é o único órgão que não pode ser atacado pelo câncer!

15
AIDS

Desde a primeira edição deste livro na Alemanha, em 1983, um novo sintoma apareceu com grande veemência, tornando-se o centro das atenções do público em todo o mundo, e, ao que tudo indica, ocupará esse posto durante muito tempo. Quatro letras simbolizam essa nova doença epidêmica: AIDS, abreviatura internacional para "Acquired Immune Deficiency Syndrome" (Síndrome de Imunodeficiência Adquirida). A fonte física dessa doença é o vírus HTLV-III/LAV, um agente estimulante de ínfimas proporções, extremamente sensível, que só pode sobreviver num ambiente bastante específico; para que alguém seja contaminado por esse vírus é preciso que em sua corrente sangüínea entrem células sangüíneas ou esperma alheios. Fora do organismo humano esse vírus morre.

O reservatório natural do vírus da AIDS parece ser uma determinada espécie de macacos da África Central (especialmente o macaco marítimo verde). Esse vírus foi detectado pela primeira vez em fins dos anos 70, num toxicômano de Nova York. Graças ao uso coletivo de agulhas de injeção, primeiro o vírus se propagou entre os viciados de drogas; daí ele passou ao círculo dos homossexuais. Nesse círculo disseminou-se em grande escala através do contato sexual. Até hoje os homossexuais ocupam o primeiro lugar no grupo de alto risco, talvez porque o relacionamento anal praticado entre eles ocasione freqüentes lesões na mucosa muitíssimo sensível do intestino. Espermatozóides contaminados podem chegar à circulação sangüínea (a mucosa vaginal, ao contrário, é bem menos sensível aos ferimentos).

A AIDS surgiu exatamente no momento em que os homossexuais conseguiram melhorar e legitimar sua posição social na América. Desde então, sabe-se que a AIDS se tornou tão predominante na África Central quanto entre os heterossexuais. Mesmo assim, foi a comunidade homossexual da América e da Europa que forneceu o solo fértil para a epidemia. Nesse processo, toda a liberdade sexual e toda a permissividade conseguidas em nossa época estão sob constante ameaça devido à iminência da AIDS, uma doença sexual. Algumas pessoas lastimam o fato, ao passo que outras vêem nele um aspecto de um bem-merecido castigo da providência divina. Uma conseqüência é certa: essa epidemia tornou-se um problema coletivo, pois a AIDS não preocupa só a cada pessoa; ela preocupa a todos nós. Por isso, tanto nós, autores, como o editor deste livro consideramos oportuno escrever este capítulo adicional sobre a AIDS. Gostaríamos de tentar esclarecer parte de sua sintomatologia básica.

Ao começar a análise da sintomatologia desta doença, quatro pontos logo nos chamam a atenção:

1. A AIDS leva ao colapso das forças de resistência do corpo humano, ou seja, ela enfraquece a habilidade do organismo para se fechar aos agentes microbianos externos e impede a defesa contra sua invasão. O enfraquecimento irreparável do sistema imunológico de defesa torna os aidéticos sujeitos a infecções (bem como a várias formas de câncer), o que coloca em perigo as pessoas saudáveis cujas defesas estão intactas.

2. Como o período de incubação do vírus HTLV-III/LAV é bastante longo — podem passar-se alguns anos entre o verdadeiro aparecimento da doença e o tempo de infecção — há algo de sinistro na AIDS. Não se pode saber qual o número total de pessoas atingidas pelo mal, pois a certeza só é possível testando os anticorpos (método de Elisa). Da mesma forma, não sabemos se somos pessoalmente portadores, a não ser que façamos o referido teste. Dessa forma, a AIDS se torna um "inimigo invisível" bastante difícil de combater.

3. Graças ao fato de só podermos contrair a doença através do contato direto, e de esse contato estar única e diretamente ligado ao sangue e ao esperma, esta doença não pode permanecer um assunto de âmbito pessoal ou particular. Ela é um incessante lembrete da nossa dependência uns dos outros.

4. Por fim, temos de identificar o principal assunto relativo à AIDS; mais precisamente, a sexualidade, pois sua propagação está amplamente ligada à mesma (excetuando-se, por certo, as duas outras possibilidades: injeção com agulhas hipodérmicas e a transmissão através de transfusões de sangue — ambas relativamente fáceis de eliminar como fontes de risco). É em virtude desse fato que a AIDS obteve o *status* de doença venérea e é por isso que a própria sexualidade anda agora obscurecida por uma nuvem de medo letal.

Os autores estão convencidos de que, como risco coletivo de doença, a AIDS é a extensão natural do problema que também se manifesta no câncer. Em sua essência, tanto o câncer como a AIDS têm muitos aspectos em comum, motivo pelo qual ambos podem ser resumidos sob a epígrafe de "amor doentio" ou "doença do amor". A fim de entender o que de fato se quer dizer com isto, talvez seja necessário voltar rapidamente ao tema "amor". Será interessante lembrar o que foi dito a respeito em capítulos anteriores. No Quarto Capítulo da Primeira Parte deste livro ("Bem e Mal") aprendemos que o amor é aquela instância única que está na posição de ultrapassar a polaridade e unir os opostos. Porém, como os opostos são definidos por seus limites — bem/mal, interior/exterior, eu/tu —, o amor tem uma função destinada à ultrapassagem das fronteiras, ou melhor, a destruir as mesmas. Foi assim que definimos o amor, entre outras possibilidades, como a capacidade de abrir-se, de deixar o outro "entrar", de sacrificar as fronteiras do eu.

Há tempos o sacrifício feito por amor ocupa um lugar de destaque na tradição e na literatura, na poesia, no mito e na religião. Nossa cultura o conhece na imagem de Jesus que, por amor aos homens, sofreu uma morte sacrificial na cruz e encarnou-se seguindo o mesmo caminho de todos os filhos de Deus. Ao falar de "amor", estamos nos referindo a um processo da alma e não ao ato físico. Sempre que quisermos mencionar o "amor físico" falaremos da sexualidade.

Se prestarmos atenção a essa diferença, logo fica claro que temos um grande problema com o "amor" em nossa época e cultura. O amor objetiva, em primeira instância, a conquista da alma do outro e não do seu corpo; a sexualidade deseja o corpo do outro. Ambos os tipos de amor são justificáveis; o perigo está — como sempre — exatamente na unilateralidade. A vida constitui-se em equilíbrio, em compensação entre Yin e Yang, entre em cima e embaixo, entre esquerda e direita.

No que se refere ao nosso tema, isto significa que a sexualidade tem de ser compensada pelo amor, caso contrário resvalamos para a unilateralidade. Todo processo unilateral é "mau", ou seja, imperfeito e, portanto, doentio. Quase já não temos mais consciência de quão fortes são as forças do ego e suas conseqüentes limitações, em nossa época, e como é grande a ênfase colocada nessas limitações, visto que este tipo de individualização já se tornou bastante natural para nós. Se nos conscientizarmos, por exemplo, dos atuais nomes próprios em destaque na indústria, na propaganda e na arte, e os compararmos com os da antigüidade, em que a maioria dos artistas permanecia inteiramente anônima, talvez se torne visível o que queremos dizer ao falar em ênfase do ego. Esse desenvolvimento também pode ser visto em outros âmbitos da vida, como por exemplo na transformação da grande família em pequena família, e depois, num novo estilo de vida, a "moderna" vida de solteiro. O apartamento como forma contemporânea de moradia indica nosso crescente isolamento e nossa crescente solidão.

Essa tendência bastante evidente é combatida pelos homens atuais com dois instrumentos de ajuda: a comunicação e a sexualidade. O desenvolvimento dos meios de comunicação se excede: jornais, rádio, TV, telefone, computadores, ETX e assim por diante — estamos todos interligados por redes e cabos eletrônicos. Contudo, a comunicação eletrônica não soluciona em particular o problema do isolamento e da alienação, uma vez que é formal e desapegada demais; em segundo plano, o desenvolvimento dos modernos sistemas eletrônicos mostra muito bem a falta de sentido e a real impossibilidade de um isolamento, de uma delimitação, da tentativa de manter algo em segredo ou de fazer valer as exigências do ego (a manutenção do sigilo e a proteção aos dados e aos direitos autorais tornam-se cada vez mais difíceis e destituídas de significado, quanto mais o desenvolvimento eletrônico aumenta e progride).

A liberdade sexual, a segunda fórmula mágica, faz com que todos possam "estabelecer contato e tocar" qualquer pessoa que desejarem e quando lhes aprouver — embora não haja nenhum contato anímico. Portanto, também não deve causar surpresa o fato de se colocarem novos meios de comunicação à disposição da sexualidade, a começar com os "anúncios classificados" nos jornais, oferecendo esse tipo de prestação de "serviços", até o disque-sexo e o sexo por computador, um novo tipo de jogo nos EUA. A sexualidade visa saciar a sede de prazer e, em primeiro plano, do prazer pessoal; afinal, o "parceiro" serve apenas de instrumento. Em última análise, nem sequer se precisa desse parceiro, pois podemos obter prazer através do telefone ou, a sós, por meio da masturbação.

O amor, por outro lado, envolve um encontro honesto com alguém. Contudo, encontrar "o outro" sempre introduz ansiedade no processo, na medida em que o obstáculo é justamente abandonar a própria "pessoalidade". Um encontro com o outro sempre é um encontro com a própria sombra também. Por isso uma união é extremamente difícil. O amor tem mais a ver com trabalho do que com autogratificação. O amor ameaça as barreiras do nosso ego e exige que nos tornemos receptivos. A sexualidade é um grande auxílio para o amor, e no nível físico também é um instrumento utilíssimo para ultrapassar os limites e vivenciar a unidade. Mas se evitamos o amor e vivemos apenas a sexualidade, o sexo por si só é incapaz de cumprir tal missão.

Nossa época — como mencionamos antes — dá grande ênfase ao ego e desenvolve uma grande resistência contra tudo o que estiver a serviço da conquista da polaridade. É por isso que, através da acentuação da sexualidade, busca-se ansiosamente disfarçar e substituir a falta de disposição para o amor. Nossa época é muito sexualizada, embora seja carente de amor. Este resvala para o âmbito da sombra. O problema que esquematizamos atinge a nossa época em geral e a cultura ocidental como um todo: trata-se de um problema que envolve a coletividade.

Seja como for, esse problema passou pelo fenômeno da cristalização entre os homossexuais. Aqui não se trata de fazer alguma distinção entre a homossexualidade e a heterossexualidade, mas sim de esclarecer seu desenvolvimento no cenário homossexual, que se distanciou cada vez mais do relacionamento duradouro com um parceiro único, até chegar à promiscuidade de contatos sexuais com cerca de dez a vinte parceiros num único final de semana. O pior é que dificilmente se pode dizer que esse tipo de comportamento seja um fenômeno excepcional.

Entretanto, convém notar que o desenvolvimento e a problemática relacionada com esse fenômeno são iguais no círculo dos homossexuais e dos heterossexuais; contudo, entre os primeiros este desenvolvimento é bem maior e, por isso mesmo, bem mais grave do que em meio à população heterossexual.

Quanto mais o amor se divorcia da sexualidade e quanto mais o sexo se torna um mero meio de gratificação pessoal física, tanto mais depressa

suas delícias tendem a empalidecer. Isso leva a uma interminável escala no nível de estimulações: os estímulos têm de tornar-se progressivamente mais originais, excêntricos e engenhosos a fim de provocarem excitação. Por sua vez, isso resulta em práticas sexuais bastante extremadas, cujas características revelam com clareza quão pouco a pessoa — tanto faz se for homem ou mulher — tem a ver com elas, e o quanto se degradou no processo, transformando-se num mero objeto do desejo físico.

Imaginamos que essa explicação esquemática sirva como referência destinada à compreensão do quadro de sintomas da AIDS.

Quando o amor, no sentido de um encontro espiritual com a outra pessoa, não é mais vivido no plano consciente, resvala para a sombra e só lhe resta como último recurso manifestar-se no corpo. O amor é o princípio da destruição das barreiras e da abertura pessoal às coisas que vêm de fora, para a união com elas. O colapso das forças de resistência, no caso da AIDS, corresponde exatamente a este princípio. A resistência física defende os limites naturalmente necessários à vida física, pois toda forma vital necessita de uma limitação e, portanto, de um ego. O paciente de AIDS, no entanto, vive no âmbito físico o amor, a receptividade e o toque proporcionados pela sua sensibilidade e vulnerabilidade, que por medo ele se negou a viver no âmbito psíquico.

A temática da AIDS é bastante semelhante à do câncer, e é por isso que definimos ambas as moléstias como "amor doentio", ou "doença do amor". No entanto, há uma diferença na medida em que o câncer é mais "privado" do que a AIDS; com isso queremos dizer que o câncer diz respeito mais particularmente ao paciente, pois não é contagioso. A AIDS, ao contrário, torna-nos em grande medida conscientes de que não estamos sozinhos no mundo, de que toda delimitação é uma ilusão e que, por isso mesmo, o ego não passa de uma loucura. A AIDS nos permite sentir que sempre seremos parte de uma comunidade, parte de um todo maior e que nessa qualidade somos portanto responsáveis por todos os outros. O paciente de AIDS logo sente o peso enorme dessa responsabilidade e precisa decidir de imediato como lidar com ela. Em última análise, a AIDS obriga à responsabilidade. Ter respeito pelos outros e preocupar-se com o seu bem-estar são exatamente as virtudes ausentes no aidético.

Além disso, a AIDS nos obriga à renúncia total da agressividade na sexualidade pois, assim que correr sangue, o parceiro será contaminado. Através do uso de preservativos (camisinhas e luvas de borracha) são outra vez restabelecidas de forma artificial as "fronteiras" que a AIDS destrói no âmbito físico.

Tendo de abster-se do sexo agressivo, o paciente tem a oportunidade de aprender a suavidade e o carinho como formas de encontro, e através desse fato a AIDS faz com que ele entre em contato com temas que até então evitara: fraqueza, desamparo, passividade, ou, em outras palavras, com o seu mundo de sentimentos.

Imediatamente chama-nos a atenção o fato de que todos os âmbitos que a AIDS obriga a reprimir (agressividade, sangue, falta de consideração...) estão ancorados na polaridade masculina (Yang), ao passo que aqueles que essa doença torna obrigatórios estão todos correlacionados com a polaridade feminina (Yin), ou seja, a fraqueza, o desamparo, o carinho, a suavidade, a consideração pelos outros... Por isso, não nos deve causar muito espanto o fato de a AIDS predominar com tanta ênfase em meio aos homossexuais, pois o *homossexual* evita precisamente o confronto com o feminino (o fato de o homossexual viver com tanta intensidade o aspecto feminino em seu comportamento não está aqui em contradição, visto que se trata exatamente de um sintoma!).

Os grupos de maior risco para contrair a AIDS são os dependentes de drogas e os homossexuais. Tais indivíduos são relativamente marginalizados pela sociedade. Seus grupos são muitas vezes excluídos ou até mesmo odiados e, por isso, a sociedade que lhes é hostil atrai também bastante recusa e ódio para si. Na AIDS, o corpo vive e aprende exatamente o oposto: como renunciar à resistência e, através dessa renúncia, aprender o amor por tudo.

A AIDS confronta a humanidade com um âmbito profundamente arraigado na sombra. A AIDS é a mensageira do "inferno", ou seja, do mundo inferior — e isto no duplo sentido — visto que os portais de entrada do vírus também ficam nas "partes inferiores" do corpo humano. Os vírus também ficam durante bastante tempo "no escuro"; a pessoa os desconhece, e eles não são percebidos até serem paulatinamente captados pela consciência quando cresce a vulnerabilidade e a decadência do corpo. É então que a AIDS exige um retorno, uma metamorfose. Para nós a AIDS é algo estranho e desagradável, uma vez que atua a partir do oculto, do invisível, do inconsciente. A AIDS é o "rival invisível" por quem Anfortas, o rei do Graal, foi incuravelmente ferido.

A AIDS se relaciona no nível simbólico e temporal com a ameaça representada pela radiatividade. Depois que o homem moderno se afastou com grande estardalhaço de tudo o que é "invisível, impalpável, numinoso e inconsciente no mundo", retornam as dimensões declaradas em sua maior parte como inexistentes: elas ensinam aos homens o terror primordial, na forma como ele sempre existiu na Pré-História, ou seja, como demônios, fantasmas, deuses irados e monstros do reino invisível das trevas.

A energia sexual dos seres humanos é reconhecidamente uma força enorme, "imensa", com a capacidade de unir e de separar, conforme o plano em que se tornar eficaz. Não estamos conscientemente diante da tarefa de banir e reprimir outra vez a sexualidade, estamos porém, com certeza, diante da incumbência de levar a sexualidade puramente física à harmonia com a "capacidade anímica do encontro" que, sintetizando, denominamos *amor*.

Então vamos resumir:

Sexualidade e amor são dois pólos de um tema cujo nome é "união dos opostos".

A sexualidade se relaciona com o corpo físico; o amor se relaciona com a alma do outro.

Sexualidade e amor devem estar compensados, ou seja, devem estar em equilíbrio.

O encontro psíquico (amor) é rapidamente sentido como algo perigoso e inspirador de medo, pois questiona os próprios limites do ego. Uma acentuação unilateral da sexualidade física deixa o amor na sombra. Nesses casos, a sexualidade tende a tornar-se agressiva e a provocar mágoas (em vez de atacar os limites psíquicos do ego, são atingidos os limites do corpo: corre sangue).

A AIDS é o estágio terminal do amor que caiu na sombra. A AIDS abre as fronteiras do eu no corpo, e assim o medo do amor, que foi psiquicamente evitado, torna-se sensível no corpo físico.

Neste sentido, também a morte é, em última análise, somente uma forma de expressão do amor, visto que concretiza a entrega total e a renúncia à existência isolada do eu (compare com o Cristianismo). A morte sempre é o começo de uma transformação, o início de uma metamorfose.

16
O que Podemos Fazer?

Depois de todas as várias reflexões e tentativas de entender um pouco e de aprender algo sobre a mensagem dos sintomas, ainda resta aos doentes uma pergunta que assume proporções gigantescas: "Como posso recuperar a saúde diante de todo o conhecimento que obtive? O que preciso fazer agora?" A nossa resposta a essas perguntas sempre consiste numa única palavra: "Observar!"

Esse conselho, na maioria das vezes, dá uma impressão de banalidade, inutilidade e simplicidade. Afinal, as pessoas querem fazer alguma coisa contra a doença, querem modificar-se, querem fazer tudo de outro modo e, nesse caso, de que adianta "observar"? Em nossa ânsia constante de "desejar modificar os fatos" está um dos maiores perigos de nosso caminho. Na verdade, não existe nada para mudar, excetuando-se o alcance de nossa visão. E por isso que o nosso conselho se reduz à indicação: "Observar."

Neste Universo, nada mais resta ao homem além de aprender a ver e, seja como for, isto é algo muito difícil de realizar. O desenvolvimento consiste unicamente na modificação do ponto de vista: todas as funções exteriores sempre são apenas a expressão de uma nova visão. Como exemplo, compare o estado de desenvolvimento da nossa época tecnológica com o estado de desenvolvimento da Idade Média. Logo salta à vista a diferença. Nesse ínterim, aprendemos a enxergar determinados padrões e possibilidades, que já existiam há dez mil anos, só que naquela ocasião não eram vistos. O ser humano gosta de imaginar que cria algo novo, e por isso mesmo fala com orgulho de suas descobertas. Mas ao fazer isso não percebe que só pode *encontrar*, nunca *descobrir*. Todos os pensamentos e idéias sempre estão potencialmente presentes; o ser humano precisa apenas de tempo para integrá-los.

Não importa se o que dissermos pareça grosseiro aos que gostam de melhorar o mundo: não há nada a melhorar ou a modificar neste mundo, a não ser a própria visão das coisas. E, assim sendo, todos os problemas mais complicados, em última análise, se reduzem à antiga fórmula: conhece-te a ti mesmo! Esse é porém um feito tão difícil e árduo que tentamos continuamente desenvolver as mais complexas teorias e sistemas para conhecer e modificar os outros e as correlações com o meio ambiente. Depois de tanto esforço, é de fato uma decepção que todas essas teorias, sistemas e esforços tão prezados por nós sejam simplesmente varridos da mesa e substituídos pelo singelo conceito do "autoconhecimento". O conceito pode parecer simples, no entanto sua aplicação e concretização não o são.

Acerca desses inter-relacionamentos, Jean Gebser escreve o seguinte: "A mudança necessária do mundo e da humanidade de forma alguma é obtida com as tentativas de melhorá-los; as pessoas que tentam melhorar o mundo, em seus esforços para o que consideram ser sua tarefa, não conseguem melhorar a si mesmas; elas entram no jogo traiçoeiro de induzir os outros a desempenhar aquilo para o que elas mesmas têm preguiça; todavia, os aparentes sucessos que visam obter não as livram do peso de terem traído, não só o mundo, como também a si mesmas" (*Verfall und Teilhabe*).

Tudo o que precisamos fazer é melhorar a nós mesmos; na verdade, temos de ver-nos como de fato somos. Mas conhecer nossa personalidade não significa conhecer o nosso ego. O "eu" está para o Eu superior como um copo de água está para o oceano. Nosso ego nos deixa doentes. O nosso Eu superior é uma totalidade. O caminho da cura é a trilha que leva "para fora" do eu, conduzindo-nos até o Eu superior, da prisão para a liberdade, da polaridade para a unidade. Quando determinado sintoma indica o que eu (entre os outros) ainda preciso ter a fim de me sentir livre, então me cabe aprender a ver o que está errado ou o que está faltando, e me compete aceitá-lo na identificação consciente do Eu. O objetivo de nossas interpretações até agora foi fazer com que todos voltem o olhar para aquilo que de outro modo nem sequer veríamos numa observação generalizada. Assim que o tivermos localizado, tudo o que temos a fazer é não perdê-lo de vista outra vez; na verdade, devemos olhar para o que enxergamos com cada vez mais atenção. Só a observação constante e atenta pode superar todos os obstáculos e estimular o crescimento do amor necessário e nos fazer assimilar tudo aquilo que acabamos de descobrir. O mero fato de observarmos a sombra significa iluminá-la.

Trata-se de um terrível engano, embora comum, a reação de tentar livrar-se da questão — seja ela qual for — assim que é revelada pelo sintoma, com a máxima rapidez possível. Dessa forma, uma pessoa que de repente descobriu horrorizada sua agressividade inconsciente pode bem perguntar: "Como me livrar dessa agressividade horrível?" A resposta é: "Você não pode fazê-lo. Apenas aproveite-a enquanto durar!" É exatamente o desejo de nos livrarmos das coisas que induz a formação da sombra e nos torna imperfeitos. Analisar o sentido dessa agressividade, por outro lado, nos torna *um todo* (perfeitos). Os que acham esta última atitude perigosa, esquecem-se de que uma questão ou princípio não desaparece simplesmente porque o consideramos de outro modo.

Não existe um princípio "perigoso": perigosa é a força que carece de uma contraforça eficaz. Todo princípio é neutralizado por seu oposto. Só na unilateralidade é que qualquer princípio se torna um risco. Em si mesmo o calor representa para a vida o mesmo risco que o frio constante. A exclusiva suavidade de uma personalidade não é mais nobre do que uma

exclusiva severidade. Só no equilíbrio das forças é que existe paz. A grande diferença entre "o mundo" e "o sábio" consiste em que o mundo sempre tenta concretizar *um* dos pólos, ao passo que o sábio sempre dá preferência à confluência entre dois pólos. Assim que uma pessoa compreende que o ser humano é um microcosmo, ela perde aos poucos o medo de encontrar *todos* os princípios em si mesma.

Se num sintoma descobrimos um princípio de que carecemos, isso já deve bastar para aprender a amar o sintoma, visto que ele concretiza aquilo que nos falta. Quem morre de impaciência observando de soslaio o desaparecimento do sintoma, ainda não entendeu o conceito. O sintoma vive o princípio da sombra. Se o aceitarmos, dificilmente poderemos ao mesmo tempo combatê-lo. Eis aí a chave. A aceitação do sintoma torna-o desnecessário. A resistência provoca uma pressão em sentido contrário. O sintoma desaparece muito mais depressa quando o paciente o analisa com *indiferença.* A atitude indiferente mostra que o paciente compreendeu a validade do princípio manifestado pelo sintoma e que pôde aceitá-lo. Tudo isso só pode ser conseguido através da "observação".

Para evitar mal-entendidos neste ponto, devemos recordar mais uma vez que estamos falando aqui do conteúdo da doença, e que portanto não estamos tentando eliminar o que deve ser feito na prática ou o que é prescrito pela medicina. A análise do conteúdo dos sintomas não tem obrigatoriamente de proibir, evitar ou tornar supérflua a doação de qualquer medida funcional. Nosso modo de lidar com a polaridade já deixou claro que substituímos todo "ou/ou" por um "não só/mas também". Assim, não perguntaríamos no caso de uma úlcera perfurada de estômago se devemos operá-la ou interpretá-la. Uma atitude, entretanto, não torna a outra supérflua em princípio, mas exatamente mais significativa. No entanto, uma operação logo perde o sentido se o paciente não compreendeu o significado de seu mal, da mesma maneira que a interpretação isolada também perde rapidamente seu sentido se o paciente já tiver morrido. Por outro lado, não podemos deixar de levar em conta que a grande maioria dos sintomas não põe em risco a vida e, portanto, a pergunta sobre as medidas práticas não é tão urgente.

Medidas práticas nunca abordam o tema da "cura"; tanto faz se são ou não eficazes. A cura só pode ocorrer na consciência. Fica em aberto a questão da honestidade do paciente para consigo mesmo. A experiência nos torna céticos. Até mesmo seres humanos que lutaram durante toda uma vida pela conscientização e pelo autoconhecimento ainda sofrem, para determinados assuntos, de uma impressionante cegueira. Eis aí outra fronteira de possibilidades para as interpretações oferecidas neste livro serem aplicadas com sucesso num dado caso em particular. Muitas vezes será necessário passar por processos mais intensos e profundos para depois encontrarmos aquilo que até o momento tivemos tanto empenho em evitar. Esse processo de nos insinuarmos nos pontos fracos das pessoas (aqueles para os quais elas estão cegas) é o que hoje em dia se descreve como psicoterapia.

Consideramos da maior importância acabar com o antigo preconceito de que a psicoterapia é um método de tratamento destinado apenas às pessoas mentalmente perturbadas ou com sintomas psíquicos. Essa visão pode ter certa validade no caso dos métodos principalmente orientados para os sintomas (como, por exemplo, a terapia comportamental); com certeza, todavia, não cabe para todas as orientações desenvolvidas pela psicologia profunda e pela transpessoal. Do ponto de vista da psicoterapia não existe uma pessoa assim "tão saudável" que não precise com urgência de psicoterapia. O *Gestalt*-terapeuta Erving Polster escreveu: "A terapia é valiosa demais para ser destinada unicamente às pessoas doentes." Cremos que o nosso modo de expressar nossa opinião nos parece um pouco mais rude: "O ser humano propriamente dito está doente."

O único sentido compreensível da nossa encarnação é a conscientização. É espantoso observar quão pouco as pessoas se importam com o único assunto realmente significativo de suas vidas. Não deixa de ser irônico o fato de os homens se dedicarem com tanto empenho ao aperfeiçoamento e aos cuidados do corpo físico, quando este comprovadamente virá um dia a servir de pasto ao vermes. Os homens também não podem deixar de perceber que algum dia terão de abandonar tudo o que têm (família, dinheiro, casa, fama). A única coisa que sobrevive à morte é a consciência, e é com ela que os homens menos se importam. O objetivo de nossa vida é a conscientização, e este objetivo é válido para o universo inteiro.

Em todas as épocas, os homens tentaram descobrir meios que os ajudassem no difícil caminho da conscientização e da autodescoberta. Podemos mencionar o Ioga, o Zen, o Sufismo, a Cabala, a Magia e outros sistemas e exercícios. Seus métodos e práticas podem ser diferentes; contudo, seu objetivo é sempre o mesmo: obter a perfeição e a libertação dos homens. Da visão científica ocidental do mundo moderno desenvolveram-se os irmãos menores desse grupo, a psicologia e a psicoterapia. No início, cega pela arrogância e pela *hubris* de sua própria juventude, a psicologia deixou de perceber que começava a pesquisar algo que se conhecia com outros nomes, bem melhor e com mais exatidão. No entanto, assim como não se pode tirar à criança pequena o seu desenvolvimento, a psicologia também teve de fazer suas experiências, até que gradual e lentamente viesse a descobrir o caminho para o fluxo comum de todos os grandes ensinamentos acerca da alma humana.

Neste setor, os pioneiros são os psicoterapeutas, pois a prática diária corrige as unilateralidades teóricas essencialmente mais depressa do que a estatística e a teoria dos testes. Assim é que vemos atualmente em uso na psicoterapia uma reunião de correntes de idéias e métodos de antigas culturas, orientações e épocas. Por toda parte busca-se uma nova síntese das muitas e bastante honradas experiências no caminho da conscientização. O fato de nesse enfático processo também surgir bastante "lixo" não deve nos abater o ânimo.

Para um número crescente de pessoas, a psicoterapia vem-se tornando em nossa época o meio de ajuda mais próprio para que vivenciem a conscientização e aprendam a se conhecer através desse processo. A psicoterapia não cria iluminados. Aliás, na verdade, nenhuma técnica pode fazê-lo. O único caminho verdadeiro que leva à meta é longo e árduo, e só pode ser trilhado por uns poucos. No entanto, cada passo que se der rumo a uma consciência mais elevada significa um progresso e serve à lei do desenvolvimento. Assim sendo, não devemos esperar demais, ou seja, não devemos ter grandes expectativas na psicoterapia; contudo, por outro lado, devemos ver que atualmente ela é um dos melhores métodos existentes para nos tornarmos mais honestos e conscientes.

Quando falamos de psicoterapia, é inevitável destacarmos o método que usamos há anos e que porta o nome de "terapia reencarnacionista". Desde sua primeira publicação em 1976, no meu livro *Das Erlebnis der Wiedergeburt* [A Experiência do Renascimento], esse nome foi usado com freqüência para todos os tipos de empreendimentos terapêuticos. Tal fato introduziu certa inexatidão no conceito e favoreceu uma grande multiplicidade de associações. Portanto, vamos dizer algumas palavras de esclarecimento sobre a terapia da reencarnação, embora não tenhamos a intenção de explicar os detalhes concretos desse procedimento.

Qualquer idéia preconcebida de terapia que o cliente tenha antes de entrar nesse processo acarreta-lhe um impedimento. Uma idéia preconcebida sempre está *antes* da verdade e distorce a visão da mesma. A terapia é uma ousadia, ou seja, uma demonstração de coragem, e é assim que deve ser encarada: como uma aventura. A terapia visa tirar o cliente de sua rigidez amedrontada, provocar a manifestação de esforços para consolidar sua auto-segurança, e assim fazê-lo participar do processo de sua transformação. A partir disso, não deve haver um esquema terapêutico rígido; caso contrário corre-se o risco de perder de vista a individualidade do cliente. Por essa razão, há muito poucas informações concretas sobre a terapia da reencarnação. Nós não falamos sobre ela, nós a criamos. É lamentável, no entanto, que esse vácuo seja preenchido por idéias preconcebidas, por teorias e opiniões defendidas por quem não tem a mínima idéia do que seja o nosso trabalho.

Entre outras coisas, a parte teórica deste livro deve ter deixado muito claro o que a teoria da reencarnação *não é*: não buscamos quaisquer causas originais de um sintoma em encarnações anteriores. A teoria reencarnacionista não é uma psicanálise conduzida a longo prazo, ou uma terapia para solucionar conflitos primordiais. Disso não se conclui que na terapia da reencarnação apareçam técnicas que vêm sendo usadas em outras abordagens. Ao contrário, a terapia da reencarnação tem uma conceituação bastante diferenciada, que abre espaço em termos práticos para muitas técnicas bastante conhecidas. No entanto, um grande número de estratégias é tão-somente um aparato instrumental do bom terapeuta e não significa nem de longe o sucesso da terapia. A psicoterapia implica mais do que a mera aplicação de técnicas; e por isso é difícil aprender psicoterapia, ou seja, trata-se de algo quase impossível. O essencial de uma psicoterapia escapa ao âmbito de apresentações. Trata-se de um grande erro supor que basta acompanhar passo a passo o procedimento externo para se obter os mesmos resultados. As formas são os veículos dos conteúdos, nas também existem formas vazias. A psicoterapia — e, é claro, toda e qualquer técnica esotérica — logo se transforma numa farsa assim que as formas perdem o seu conteúdo.

A terapia da reencarnação deriva seu nome do fato de darmos um espaço mais amplo à conscientização e às experiências vividas em encarnações passadas. Visto que o trabalho com reencarnações ainda representa algo de espetacular para as pessoas, muitas delas deixam de perceber que a conscientização de outras vidas pertence ao âmbito técnico-formal da nossa terapia, e não é, de forma alguma, a sua finalidade específica. Apenas viver encarnações diferentes não representa uma terapia, da mesma forma que gritar também não; no entanto, podemos usar ambos os fatos de modo terapêutico. Não tornamos certas encarnações conscientes por acharmos importante ou fantástico saber quem determinada pessoa foi no passado. Usamos as encarnações por não conhecermos, no momento, nenhum meio de ajuda que seja mais adequado para alcançarmos o objetivo de nossa terapia.

Expusemos neste livro com riqueza de detalhes o fato de o problema dos seres humanos sempre estar na sombra. O encontro com a sombra e sua paulatina assimilação é, portanto, o tema central da terapia de reencarnação. A técnica que empregamos possibilita o encontro com a grande sombra cármica, que ultrapassa a sombra biográfica desta vida. Esse encontro com a sombra de fato não é fácil. Todavia, trata-se do único caminho para se obter por fim a cura, no verdadeiro sentido da palavra. Não teria sentido falar mais sobre o encontro com a sombra e sua assimilação, visto que a vivência de verdades anímicas profundas não pode ser expressa com palavras. Neste caso, as encarnações oferecem uma possibilidade, dificilmente substituível por qualquer outra técnica, de viver e integrar a sombra com uma identificação total.

Não trabalhamos com recordações, mas as encarnações se transformam em conteúdo presente enquanto estão sendo vividas. Isso é possível pelo fato de o tempo não existir fora da nossa consciência. O tempo é *uma* possibilidade de se observar os acontecimentos. Sabemos, graças aos ensinamentos da física, que o tempo pode ser transformado em espaço, pois o espaço é o *outro* modo de observarmos os inter-relacionamentos. Se usarmos essa transformação na questão das sucessivas encarnações, do "um-depois-do-outro" surge o "junto-com" ou, em outras palavras, da cadeia temporal da vida surgem vidas simultâneas, vidas espaciais paralelas. Contudo, convém notar que a interpretação espacial das encarnações não é mais correta ou errada do que o modelo temporal; ambos os modos de ver são pontos de vista subjetivos e legítimos da consciência humana (compare com a teoria onda-corpúsculo, no caso da luz). Toda tentativa de viver simultaneamente o espaço já o transforma de imediato em tempo. Por exemplo, no espaço há a transmissão de vários programas de rádio simultâneos. Se, todavia, quisermos ouvi-los todos ao mesmo tempo, isso logo se transforma num caso de *um-depois-do-outro,* pois implica sintonizar o receptor em várias freqüências sucessivas e só assim o aparelho nos porá em contato com vários programas de acordo com as ondas selecionadas. Se substituirmos agora o receptor de rádio pela consciência humana propriamente dita, as freqüências de onda surgem como as encarnações correspondentes.

Na terapia da reencarnação, mantemos o paciente surdo à freqüência atual (sua identificação do momento), criando assim espaço para que as outras ondas de transmissão possam aparecer. No momento em que se faz isso, as outras encarnações desse cliente vêm à tona, encarnações que ele experimenta como sendo "tão" reais quanto a vida presente com que se identifica. Uma vez que as "outras vidas" ou identificações existem simultânea e paralelamente, pode-se também vivê-las com todas as suas percepções. O "terceiro programa" não está mais distante do que "o primeiro", ou o "segundo"; contudo, é claro que somente podemos viver (ouvir) um por vez, embora possamos passar de um para outro segundo a nossa vontade. Através da analogia com o rádio, então, vamos mudar a freqüência da consciência do que está à nossa volta, e assim mudaremos o "ângulo específico de incidência" e a freqüência da onda.

Na terapia da reencarnação brincamos de maneira deliberada com o tempo. Por assim dizer, nós empurramos regularmente o tempo para dentro das estruturas isoladas da consciência, em virtude do que elas se inflam e ganham contornos bastante visíveis; depois abandonamos outra vez o tempo para podermos sentir que tudo sempre pertence ao aqui e agora. Muitas vezes nos é feita a crítica de que a terapia da reencarnação não passa de uma busca aleatória das vidas anteriores, embora os problemas continuem sendo forçosamente resolvidos no momento presente. Na verdade, é aqui que solucionamos exatamente a ilusão do tempo e da causalidade, e que fazemos o paciente enfrentar o eterno aqui e agora. Não conhecemos outra forma terapêutica que possa dissolver de forma impiedosa todas as telas de projeção e entregar a responsabilidade por tudo o que acontece nas mãos da pessoa envolvida.

A terapia da reencarnação procura pôr em andamento todo um processo psíquico. O que importa é o próprio processo e não a classificação ou a interpretação do que acontece. Foi por isso que resolvemos, no final deste livro, escrever também algo sobre a psicoterapia, já que existe um consenso geral de que com ela se curam os distúrbios e os sintomas psíquicos. Ainda se pensa hoje em dia que as pessoas que se defrontam com sintomas puramente físicos nunca pensam na possibilidade de fazer uma psicoterapia. Todavia, à luz tanto da nossa visão geral como da nossa experiência, sabemos que a psicoterapia é a única abordagem que de fato oferece uma possibilidade real de cura física.

À medida que vamos nos aproximando do final deste volume, não temos mais necessidade de explicar os motivos desse ponto de vista. Todos os que aprenderam a enxergar, em cada fenômeno físico, um sintoma do processo psíquico sabem que apenas através dos processos da consciência, que se tornam visíveis no corpo, é que podemos resolver os problemas. A partir desse fato, desconhecemos indicações ou contra-indicações para a psicoterapia. Só conhecemos pessoas doentes que querem ser curadas através de seus sintomas, visto que por meio deles estão sendo impelidas à cura. A missão da psicoterapia consiste em ajudá-las nesse processo de desenvolvimento e transformação. É por isso que, durante a terapia, nós nos aliamos aos sintomas do paciente e os ajudamos a alcançar seu objetivo, pois o corpo sempre tem razão. A medicina acadêmica faz o contrário: ela se alia ao paciente contra o sintoma. Nós ficamos sempre ao lado da sombra e ajudamos o paciente a trazê-la à luz. Não combatemos as doenças e os seus sintomas: nós tentamos usá-los como alavanca para a cura.

A doença é a grande oportunidade dos seres humanos; ela é o seu tesouro mais precioso. A doença é o mestre pessoal e o líder no caminho rumo à cura. Há diversos caminhos possíveis para se atingir esse objetivo, na maioria difíceis e complicados. No entanto, o mais próximo e individual passa muitas vezes despercebido: a doença. Esse caminho está menos sujeito à auto-ilusão e às ilusões. Talvez por isso mesmo seja tão pouco amado. Tanto na terapia como neste livro nossa meta é tirar a doença do habitual e estreito enquadramento a partir do qual é observada, e tornar visível aos homens o seu verdadeiro inter-relacionamento com a nossa espécie. Quem não der esse passo e acompanhar o nosso raciocínio, à medida que caminhamos na direção desse padrão alternativo de referência, inevitavelmente entenderá mal tudo o que dissemos. Por outro lado, os que conseguiram compreender o papel que a doença representa por direito próprio estarão abertos para um mundo novo e repleto de verdades intuitivas. O nosso modo de lidar com as doenças não torna a vida mais fácil ou sadia; mas pretendemos dar às pessoas a coragem de observar com honestidade o mundo polarizado com seus conflitos e problemas. É nosso objetivo desmascarar a ilusão de um mundo hostil aos conflitos, que acha que com base na desonestidade pode criar um paraíso terrestre.

Hermann Hesse disse: "Os problemas não existem para serem solucionados; eles são de fato os pólos entre os quais se cria a necessária tensão para a vida." A solução transcende a polaridade, mas para chegarmos lá é preciso unir os pólos, é preciso conciliar os opostos. Essa difícil arte de conciliação dos opostos só é bem sucedida para a pessoa que aprendeu a identificar ambos os pólos. Contudo, para conhecê-los, é preciso estarmos dispostos a viver e integrar com coragem as duas formas da polaridade. Em todos os textos encontramos a máxima, *"solve et coagula"*, ou mais precisamente, destrua e reconstrua. Primeiro, precisamos diferenciar e viver a separação e a divisão antes de ousarmos a grande obra do casamento alquímico, a união dos opostos. Assim sendo, primeiro o homem tem de descer às suas profundezas, à polaridade do mundo material, à encarnação física, à doença, ao pecado e à culpa, para poder encontrar, na mais escura noite da alma e no maior *desespero,* aquela luz que leva à *iluminação,* à percepção intuitiva, que lhe possibilita ver o caminho através do sofrimento e da dor como um jogo repleto de significado, que o ajuda a voltar ao local de onde nunca saiu: a totalidade.

Conheci o bem e o mal,
o pecado e a virtude, o certo e o errado;
julguei e fui julgado;
passei pelo nascimento e pela morte,
pela alegria e pelo sofrimento, pelo céu e pelo inferno;
e no final eu reconheci
que estou em tudo
e que tudo vive em mim.

Hazrat Inayat Khan

Lista das Correspondências Psíquicas dos Órgãos e Palavras-Chave para as Partes do Corpo

Bexiga	Pressão, desapego
Boca	Disposição para receber
Cabelos	Liberdade, poder
Coração	Capacidade de amar, emoção
Costas	Correção
Dentes	Agressividade, vitalidade
Estômago	Sensação, capacidade de absorção
Fígado	Avaliação, filosofia, *religio*
Gengivas	Desconfiança
Intestino delgado	Elaboração, análise
Intestino grosso	Inconsciente, ambição
Joelhos	Humildade
Mãos	Entendimento, capacidade de ação
Membros	Movimentos, flexibilidade, atividade
Músculos	Mobilidade, flexibilidade, atividade
Nariz	Poder, orgulho, sexualidade
Olhos	Discernimento
Ouvidos	Obediência
Órgãos genitais	Sexualidade
Ossos	Firmeza, cumprimento das normas
Pele	Delimitação, normas, contato, carinho
Pênis	Poder
Pés	Compreensão, firmeza, enraizamento, humildade
Pescoço	Medo
Pulmões	Contato, comunicação, liberdade
Rins	Parceria, discernimento, eliminação
Sangue	Força vital, vitalidade

Unhas	Agressividade
Vagina	Entrega
Vesícula biliar	Agressividade

QUAL É A DOENÇA DO MUNDO?

Os mitos modernos ameaçam o nosso futuro

Rüdiger Dahlke

Pela primeira vez na história da humanidade, temos a possibilidade de pôr de fato em perigo a vida no nosso planeta. Hoje o mundo inteiro está se confrontando com problemas básicos, como o superpovoamento, a depleção dos recursos naturais e a mudança climática.

O médico e terapeuta Rüdiger Dahlke analisa os problemas e fenômenos sociais e econômicos da modernidade e, recorrendo a inúmeros exemplos, debate os pressupostos básicos, os paradigmas, ou seja, os mitos que alicerçam as nossas relações mútuas e com a natureza.

Ele mostra que insistimos em viver unilateralmente o pólo masculino, que a filosofia chinesa denomina princípio *Yang*. As qualidades femininas arquetípicas (*Yin*) como a solidariedade, a consciência social, o lazer, o movimento cíclico ou a confiança primordial na sabedoria da Criação parecem inteiramente supérfluas à nossa mentalidade, centrada na competência e na ação.

Mas Dahlke não se limita a descrever e analisar a situação crítica em que estamos. Ele também mostra as possíveis alternativas para termos um futuro melhor. A escolha é nossa: reagir com resignação a tendências cada vez mais doentias e a uma realidade ameaçadora, ou tratar de trabalhar o nosso mundo interior, investigar a origem dos nossos mitos e alterar as conseqüências fatais que eles causam ao mundo à nossa volta.

EDITORA CULTRIX

MANDALAS

Formas que representam a harmonia do cosmos e a energia divina

Rüdiger Dahlke

O livro que vai abrir é um livro que está à espera do seu toque final. Ao contrário de todos os outros, este precisa do seu consentimento, da sua colaboração para chegar à sua verdadeira forma, pois, em vez de estar iniciando a leitura de um livro, você está iniciando um caminho. Se você fizer dele *o seu livro*, se quiser procurar através de suas páginas *o seu caminho*, basta que você aceite as sugestões que ele lhe faz sem avaliá-las.

* * *

A palavra "mandala" vem do sânscrito, e significa literalmente "círculo". Na consciência da maioria das pessoas, as mandalas têm, efetivamente, algo do Oriente. Isso, contudo, nem sempre foi assim, nem precisaria ser, pois as mandalas se encontram igualmente na raiz de todas as culturas e estão presentes em todo ser humano.

Foi sobretudo C. G. Jung que, nos tempos modernos, se ocupou com as mandalas e descobriu que elas surgem como imagens interiores espontâneas, particularmente em situações de profunda crise interior. Por isso ele ressalta o fato de o estilo gótico, com suas rosáceas, ter aparecido numa época particularmente difícil da história da humanidade. Desse modo, o enorme interesse pelas mandalas observado atualmente e seu uso cada vez mais freqüente nos domínios da arte e da meditação são particularmente eloqüentes.

Estamos num ponto de transição, no ponto de redescoberta das nossas raízes, da nossa mandala interior. Não é por acaso que nos sentimos hoje como pequenas rodas-círculos-mandalas, partes integrantes de uma gigantesca engrenagem.

Mandalas gostaria de ser um fio condutor; para muitos, talvez, o fio de Ariadne do labirinto pessoal – fio que conduz à vivência do Universo enquanto mandala.

EDITORA PENSAMENTO